JN239351

演習 複素関数

キャンパス・ゼミ

馬場敬之

マセマ出版社

みなさん，こんにちは。マセマの馬場敬之(けいし)です。既刊の『複素関数キャンパス・ゼミ』は多くの読者の皆様のご支持を頂いて，**数学教育のスタンダードな参考書**として定着してきているようです。そして，マセマには連日のように，この『複素関数キャンパス・ゼミ』で養った実力をより確実なものとするための『演習書(問題集)』が欲しいとのご意見が寄せられてきました。このご要望にお応えするため，新たに，この『演習 複素関数キャンパス・ゼミ 改訂2』を上梓することができて，心より嬉しく思っています。

複素関数を単に理解するだけでなく，自分のものとして使いこなせるようになるために**問題練習は欠かせません。**
この『演習 複素関数キャンパス・ゼミ 改訂2』は，そのための**最適な演習書**と言えます。

ここで，まず本書の特徴を紹介しておきましょう。

- ●『複素関数キャンパス・ゼミ』に準拠して全体を**5**章に分け，各章毎に，解法のパターンが一目で分かるように，(*methods & formulae*)(要項)を設けている。
- ●マセマオリジナルの頻出典型の演習問題を，各章毎に**分かりやすく体系立てて配置**している。
- ●各演習問題には(ヒント)を設けて解法の糸口を示し，また(解答 & 解説)では，定評あるマセマ流の読者の目線に立った**親切で分かりやすい解説**で明快に解き明かしている。
- ●演習問題の中には，類似問題を**2**題併記して，**2題目は穴あき形式**にして自分で穴を埋めながら実践的な練習ができるようにしている箇所も多数設けた。
- ●**2色刷り**の美しい構成で，読者の理解を助けるため**図解も豊富に掲載**している。

2

さらに，本書の具体的な利用法についても紹介しておきましょう。

●まず，各章毎に，(*methods & formulae*) (要項)と演習問題を一度**流し読み**して，学ぶべき内容の全体像を押さえる。

●次に，(*methods & formulae*) (要項)を**精読**して，公式や定理それに解法パターンを頭に入れる。そして，各演習問題の(解答＆解説)を見ずに，問題文と(ヒント)のみを読んで，**自分なりの解答**を考える。

●その後，(解答＆解説)をよく読んで，自分の解答と比較してみる。そして間違っている場合は，**どこにミスがあったかをよく検討**する。

●後日，また(解答＆解説)を見ずに**再チャレンジ**する。

●そして，問題がスラスラ解けるようになるまで，何度でも納得がいくまで**反復練習**する。

　以上の流れに従って練習していけば，複素関数も確実にマスターできますので，**大学や大学院の試験でも高得点で乗り切れる**はずです。この複素関数は様々な大学の数学や物理学を学習していく上での基礎となる分野です。ですから，これをマスターすることにより，さらなる**上のステージに上っていく鍵**を手に入れることができるのです。頑張りましょう。

　また，この『演習　複素関数キャンパス・ゼミ　改訂2』では，『複素関数キャンパス・ゼミ』では詳しく扱えなかった**様々な複素関数のxy平面上とuv平面上の図形の対応関係**(コンピュータによる作図)，**グルサの定理と留数定理の関係，複素積分による様々な実数関数の積分への応用**なども解説しています。ですから，『複素関数キャンパス・ゼミ』を完璧にマスターできるだけでなく，さらに**ワンランク上の勉強**もできます。

　この『演習　複素関数キャンパス・ゼミ　改訂2』は皆さんの数学学習の**良きパートナーとなるべき演習書**です。本書によって，多くの方々が複素関数に開眼され，複素関数の面白さを堪能されることを願ってやみません。

　皆様のさらなる成長を心より楽しみにしております。

マセマ代表　馬場　敬之

この改訂2では，新たに，コーシーの積分定理とグルサの定理の問題とその解答＆解説を加えました。

3

§1. 複素数の定義と複素数平面

一般に**複素数**(*complex number*) α は次の形で表される。

$\alpha = a + bi$ $(a, b:$実数, $i:$虚数単位 $(i^2 = -1))$

　　〔実部〕〔虚部〕

ここで, $\begin{cases} a \text{ は,} \ \alpha \text{ の実部} (\textit{real part}) \\ b \text{ は,} \ \alpha \text{ の虚部} (\textit{imaginary part}) \ \text{と呼び,} \end{cases}$

$a = \mathbf{Re}(\alpha)$ 　 $b = \mathbf{Im}(\alpha)$ と表す。

また, 複素数 $\alpha = a + bi$ に対して"**共役複素数**"(*conjugate complex number*) $\overline{\alpha}$ は, $\overline{\alpha} = a - bi$ で定義される。

　実部を**実軸**(x軸)に, 虚部を**虚軸**(y軸)
に対応させて作られる平面を**複素数平面**
(*complex number plane*) という。
この平面上で, **2**つの複素数同士の

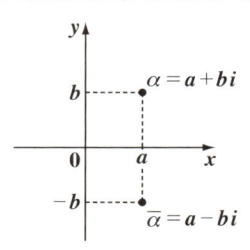

$\begin{cases} (\text{i}) \text{積や商では, 回転の性質が現われ} \\ (\text{ii}) \text{和や差や実数倍の操作で, ベクトルの性質が現われる。} \end{cases}$

複素数の計算公式

$\alpha = a + bi$, $\beta = c + di$ $(a, b, c, d:$実数, $i:$虚数単位$)$ のとき, α と β の相等と四則演算を次のように定義する。

(1) 相等 : $\alpha = \beta \iff a = c$ かつ $b = d$ ← 実部同士, 虚部同士が等しい。

(2) 和 　: $\alpha + \beta = (a+c) + (b+d)i$

(3) 差 　: $\alpha - \beta = (a-c) + (b-d)i$

(4) 積 　: $\alpha \cdot \beta = (ac - bd) + (ad + bc)i$

(5) 商 　: $\dfrac{\alpha}{\beta} = \dfrac{ac+bd}{c^2+d^2} + \dfrac{bc-ad}{c^2+d^2}i$ 　$(\text{ただし, } \beta \neq 0)$

α, $\overline{\alpha}$, 絶対値の公式

複素数 α について，次の公式が成り立つ。

(1) $|\alpha| = |\overline{\alpha}| = |-\alpha| = |-\overline{\alpha}|$

> 4点 α, $\overline{\alpha}$, $-\alpha$, $-\overline{\alpha}$ の原点からの距離は
> すべて等しい。

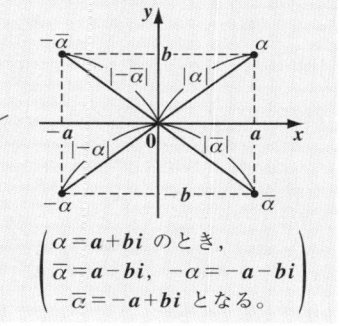

(2) $|\alpha|^2 = \alpha\overline{\alpha}$

> 複素数の絶対値の 2 乗は，この公式を
> 使って展開する。

$$\left(\begin{array}{l} \alpha = a + bi \text{ のとき}, \\ \overline{\alpha} = a - bi, \quad -\alpha = -a - bi \\ -\overline{\alpha} = -a + bi \text{ となる}. \end{array} \right.$$

さらに，2 つの複素数 α, β の共役複素数と絶対値の性質も重要である。

α, β の共役複素数と絶対値の性質

(I) 共役複素数の性質

(1) $\overline{\alpha + \beta} = \overline{\alpha} + \overline{\beta}$

(2) $\overline{\alpha - \beta} = \overline{\alpha} - \overline{\beta}$

(3) $\overline{\alpha \cdot \beta} = \overline{\alpha} \cdot \overline{\beta}$

(4) $\overline{\left(\dfrac{\alpha}{\beta}\right)} = \dfrac{\overline{\alpha}}{\overline{\beta}}$ $(\beta \neq 0)$

(II) 絶対値の性質

(1) $|\alpha \cdot \beta| = |\alpha| \cdot |\beta|$

(2) $\left|\dfrac{\alpha}{\beta}\right| = \dfrac{|\alpha|}{|\beta|}$ $(\beta \neq 0)$

(3) $|\alpha| - |\beta| \leqq |\alpha + \beta| \leqq |\alpha| + |\beta|$

> 絶対値は実数だから
> 大小関係が存在する。

また，複素数の (i) 実数条件と (ii) 純虚数条件を下に示そう。

複素数の実数条件，純虚数条件

複素数 $\alpha = a + bi$ について

(i) α が実数 $\Longleftrightarrow \alpha = \overline{\alpha}$

(ii) α が純虚数 $\Longleftrightarrow \alpha + \overline{\alpha} = 0$, かつ $\alpha \neq 0$

> ・$\alpha = a + 0i$ (実数) のとき，
> $\overline{\alpha} = a - 0i$ より，$\alpha = \overline{\alpha}$ となる。
> ・$\alpha = \overline{\alpha}$ のとき，$a + bi = a - bi$
> より $2bi = 0$ $b = 0$
> ∴ $\alpha = a$ (実数) である。

> ・$\alpha = 0 + bi$ $(b \neq 0)$ のとき，
> $\alpha + \overline{\alpha} = 0 + bi + 0 - bi = 0$ となる。
> ・$\alpha + \overline{\alpha} = 0$ のとき，$a + bi + a - bi = 0$
> より $2a = 0$ $a = 0$
> ∴ $\alpha = bi$ $(b \neq 0)$ (純虚数) である。

§2. 複素数の極形式

$z = 0$ を除く複素数 $z = a + bi$ $(a, b：実数)$ は

$\begin{cases} 絶対値 |z| = r \text{ とおき, また} \\ 偏角 \arg z = \theta \text{ とおくと,} \end{cases}$

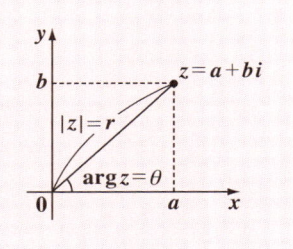

> "アーギュメント z" ($argument\ z$) と読む。
> 実軸 (x 軸) の正の向きと線分 $0z$ のなす角のこと

極形式 $z = r(\cos\theta + i\sin\theta)$ で表せる。

それでは, 極形式で表された 2 つの複素数 z_1 と z_2 の積と商の公式も示そう。

極形式表示の複素数の積と商

$z_1 = r_1(\cos\theta_1 + i\sin\theta_1),\ z_2 = r_2(\cos\theta_2 + i\sin\theta_2)$ のとき,

(1) $z_1 z_2 = r_1 r_2 \{\cos(\theta_1 + \theta_2) + i\sin(\theta_1 + \theta_2)\}$

$$\left[z_1 z_2 = r_1 r_2 e^{i(\theta_1 + \theta_2)} \right]$$

> 複素数同士の "かけ算" では, 偏角は "たし算" になる。

(2) $\dfrac{z_1}{z_2} = \dfrac{r_1}{r_2} \{\cos(\theta_1 - \theta_2) + i\sin(\theta_1 - \theta_2)\}$

$$\left[\dfrac{z_1}{z_2} = \dfrac{r_1}{r_2} e^{i(\theta_1 - \theta_2)} \right]$$

> 複素数同士の "わり算" では, 偏角は "引き算" になる。

さらに, ド・モアブルの定理についても示しておこう。

ド・モアブルの定理

整数 n に対して, 次の公式が成り立つ。

$$(\cos\theta + i\sin\theta)^n = \cos n\theta + i\sin n\theta \qquad \left[(e^{i\theta})^n = e^{in\theta} \right]$$

ここで, オイラーの公式：$e^{i\theta} = \cos\theta + i\sin\theta$ を利用すると,

・極形式表示の複素数の積と商について,

$z_1 = r_1 e^{i\theta_1},\ z_2 = r_2 e^{i\theta_2}$ のとき,

(1) $z_1 z_2 = r_1 r_2 e^{i(\theta_1 + \theta_2)}$ (2) $\dfrac{z_1}{z_2} = \dfrac{r_1}{r_2} e^{i(\theta_1 - \theta_2)}$ と表せる。また,

・ド・モアブルの定理は,

$(e^{i\theta})^n = e^{in\theta}$ $(n：整数)$ と, 簡潔に表現できる。

さらに, $e^{i\theta}$ の性質を下に示そう。

  (ⅰ) $|e^{i\theta}| = 1$ (ⅱ) $\overline{e^{i\theta}} = e^{-i\theta}$ (ⅲ) $e^{i(\theta + 2n\pi)} = e^{i\theta}$ $(n：整数)$

一般に複素数 z, w に対して，m, n が整数のとき，次の指数法則が成り立つので，実数のときと同様に計算できる。

複素数の指数法則

(1) $z^0 = 1$　　　**(2)** $z^m \times z^n = z^{m+n}$　　　**(3)** $(z^m)^n = z^{m \times n}$

(4) $(z \times w)^m = z^m \times w^m$　　　**(5)** $\dfrac{z^m}{z^n} = z^{m-n}$　　　**(6)** $\left(\dfrac{z}{w}\right)^m = \dfrac{z^m}{w^m}$

（ただし，z, w：複素数（(5) では $z \neq 0$, (6) では $w \neq 0$），m, n：整数）

さらに，原点 0 のまわりの回転と相似の合成変換の公式を下に示そう。

回転と相似の合成変換（Ⅰ）

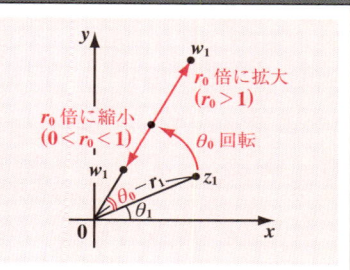

$\dfrac{w_1}{z_1} = r_0 e^{i\theta_0}$ ……① $(z_1 \neq 0)$ のとき，

点 w_1 は点 z_1 を原点のまわりに θ_0 だけ回転して r_0 倍に拡大（または縮小）したものである。 これを "相似変換" と呼ぶ。

r_0 倍に拡大 $(r_0 > 1)$

r_0 倍に縮小 $(0 < r_0 < 1)$

θ_0 回転

・複素数 α の n 乗根の問題：$z^n = \alpha$ ……① について，解法パターンを示す。まず，z と α を極形式で表して，$z = r e^{i\theta}$，$\alpha = r_1 e^{i\theta_1}$ $(r_1 > 0, \ 0 \leqq \theta_1 < 2\pi)$ とおいて，①に代入すると，

$(r e^{i\theta})^n = r_1 e^{i\theta_1}$ より，$r^n e^{in\theta} = r_1 e^{i(\theta_1 + 2k\pi)}$ $(k = 0, 1, 2, \cdots, n-1)$

よって，$r^n = r_1$，および，$n\theta = \theta_1 + 2k\pi$ $(k = 0, 1, 2, \cdots, n-1)$ より，

$r = \sqrt[n]{r_1}$，$\theta = \dfrac{\theta_1}{n} + \dfrac{2k\pi}{n}$ $(k = 0, 1, 2, \cdots, n-1)$ となる。

以上より，α の n 乗根 z は，

$z = \sqrt[n]{r_1}\, e^{i\left(\frac{\theta_1}{n} + \frac{2k\pi}{n}\right)}$ $(k = 0, 1, 2, \cdots, n-1)$ となる。

これは，複素数平面上の原点を中心とする半径 $\sqrt[n]{r_1}$ の円周上に等間隔に並ぶ n 個の点で表される。

§3. 複素数と図形

まず，$|\alpha+\beta|$ と $|\alpha-\beta|$ の不等式を下に示す。これらは，三角形の成立条件から導かれる不等式である。

2 つの複素数 α，β の絶対値について，次の不等式が成り立つ。

（ i ）$|\alpha|-|\beta| \leqq |\alpha+\beta| \leqq |\alpha|+|\beta|$ 　　　　（ ii ）$|\alpha|-|\beta| \leqq |\alpha-\beta| \leqq |\alpha|+|\beta|$

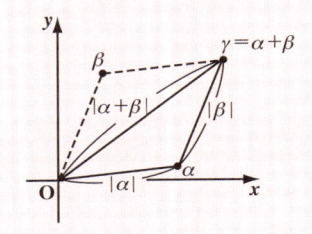 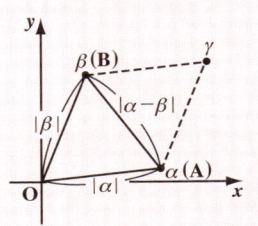

また，複素数平面上の円と直線の方程式は次のようになる。

直線と円の方程式

(1) 直線の方程式：$\overline{\alpha}z + \alpha\overline{z} + c = 0$ 　………**(*1)**

(2) 円の方程式：$z\overline{z} - \overline{\alpha}z - \alpha\overline{z} + c = 0$ 　……**(*2)**

（ただし，z：複素変数，α：複素定数，c：実定数）

中心 α，半径 $r\,(>0)$ の円の方程式は，

$|z-\alpha| = r$ ……① である。①の両辺を **2** 乗して，

$|z-\alpha|^2 = r^2$ 　これをまとめると，

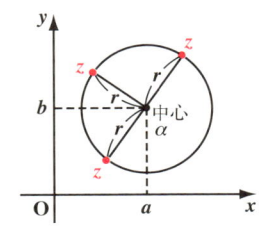

$$(z-\alpha)\overline{(z-\alpha)} = (z-\alpha)(\overline{z}-\overline{\alpha}) = z\overline{z} - \overline{\alpha}z - \alpha\overline{z} + \underbrace{\alpha\overline{\alpha}}_{|\alpha|^2}$$

$z\overline{z} - \overline{\alpha}z - \alpha\overline{z} + |\alpha|^2 - r^2 = 0$ 　　ここで，$|\alpha|^2 - r^2 = c$（実数）とおくと，

複素数平面における円の方程式 **(*2)** が導ける。

また，直線 **(*1)** と円 **(*2)** をまとめて，次のようにおくこともできる。

$$c_1 z\overline{z} + \overline{\alpha}z + \alpha\overline{z} + c_2 = 0 \qquad (c_1, c_2：実数定数 \quad \alpha：複素定数)$$

（ただし，(i) $c_1 = 0$ のとき直線，(ii) $c_1 \neq 0$ のとき円を表す。）

さらに，原点 0 以外の点 α のまわりの回転と相似の合成変換の公式を下に示そう。

回転と相似の合成変換 (II)

$$\frac{w-\alpha}{z-\alpha} = r\,e^{i\theta} \quad (z \neq \alpha)$$

点 w は，点 z を点 α のまわりに θ だけ回転して，r 倍に拡大 (または縮小) したものである。

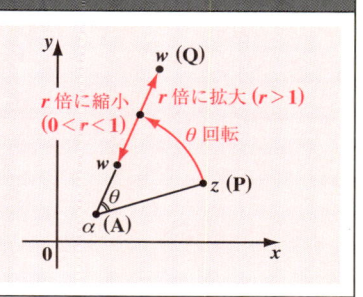

ここで，$\alpha,\ z,\ w$ を表す点を A, P, Q とおくと，$z-\alpha$ は $\overrightarrow{AP}$，$w-\alpha$ は $\overrightarrow{AQ}$ を表す。そして，ベクトルであれば，平行移動しても同じベクトルなので，上記の基本事項のように，回転の中心となる点 $\alpha(A)$ は 1 点である必要はない。

右の図 (i) に示すように，4 つの異なる複素数 $w_0,\ w_1,\ z_0,\ z_1$ とそれに対応する点として $Q_0,\ Q_1,\ P_0,\ P_1$ が与えられているとき，$w_1 - w_0$ は $\overrightarrow{Q_0 Q_1}$，$z_1 - z_0$ は $\overrightarrow{P_0 P_1}$ を表すので，$z_1 \neq z_0$ のとき，次式：

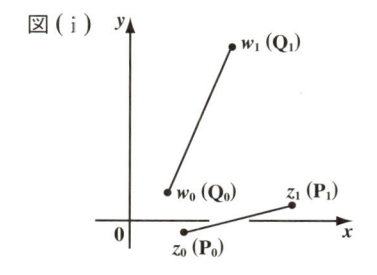

図 (i)

$$\frac{w_1 - w_0}{z_1 - z_0} = r\,e^{i\theta} \quad \cdots\cdots ① \text{ について,}$$

図 (ii) に示すように，2 つのベクトルの始点 $w_0(Q_0)$ と $z_0(P_0)$ を一致させるように平行移動させれば，式① は，

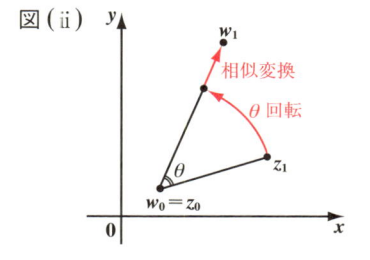

図 (ii)

「点 w_1 は，点 z_1 を点 $z_0 (= w_0)$ のまわりに θ だけ回転して，r 倍に拡大 (または縮小) したものである。」ことを意味する。

11

次の複素数を簡単にせよ。

(1) $\dfrac{2+\sqrt{3}-i}{2+\sqrt{3}+i}$　　(2) $\left(\dfrac{2+\sqrt{3}-i}{2+\sqrt{3}+i}\right)^{3}$　　(3) $\left(\dfrac{2+\sqrt{3}-i}{2+\sqrt{3}+i}\right)^{100}$

ヒント！　(1) $\alpha=\dfrac{2+\sqrt{3}-i}{2+\sqrt{3}+i}$ とおいて，分子・分母に $2+\sqrt{3}-i$ をかけて計算しよう。

次に，α を極形式で表して，(2) α^{3} と (3) α^{100} を求めればいい。

解答＆解説

分子・分母に $(2+\sqrt{3})-i$ をかけた。

(1) $\dfrac{2+\sqrt{3}-i}{2+\sqrt{3}+i}=\dfrac{\{(2+\sqrt{3})-i\}^{2}}{\{(2+\sqrt{3})+i\}\{(2+\sqrt{3})-i\}}$

$$\dfrac{\overbrace{(2+\sqrt{3})^{2}}^{7+4\sqrt{3}}-2(2+\sqrt{3})i+\overbrace{i^{2}}^{(-1)}}{\underbrace{(2+\sqrt{3})^{2}}_{7+4\sqrt{3}}-\underbrace{i^{2}}_{(-1)}}$$

$=\dfrac{2(3+2\sqrt{3})-2(2+\sqrt{3})i}{2(4+2\sqrt{3})}$

$=\dfrac{\sqrt{3}(2+\sqrt{3})-(2+\sqrt{3})i}{2(2+\sqrt{3})}=\dfrac{\sqrt{3}}{2}-\dfrac{1}{2}i$ ………………（答）

(2) ここで，$\alpha=\dfrac{\sqrt{3}}{2}-\dfrac{1}{2}i$ とおくと，$\alpha=\underbrace{\dfrac{\sqrt{3}}{2}}_{\cos\left(-\frac{\pi}{6}\right)}+\underbrace{\left(-\dfrac{1}{2}\right)}_{\sin\left(-\frac{\pi}{6}\right)}i$ より

オイラーの公式
$e^{i\theta}=\cos\theta+i\sin\theta$

α を極形式で表すと，$\alpha=\cos\left(-\dfrac{\pi}{6}\right)+i\sin\left(-\dfrac{\pi}{6}\right)=e^{-\frac{\pi}{6}i}$

$\therefore\ \alpha^{3}=\left(e^{-\frac{\pi}{6}i}\right)^{3}=e^{-\frac{\pi}{2}i}=\underbrace{\cos\left(\dfrac{\pi}{2}\right)}_{0}+\underbrace{i\sin\left(-\dfrac{\pi}{2}\right)}_{-1}=-i$ ………………（答）

(3) $\alpha^{3}=-i$ より，$\alpha^{12}=(-i)^{4}=i^{4}=(-1)^{2}=1$

$\therefore\ \alpha^{100}=\underbrace{(\alpha^{12})^{8}}_{1^{8}=1}\cdot\alpha^{4}=\left(e^{-\frac{\pi}{6}i}\right)^{4}=e^{-\frac{2}{3}\pi i}$

$=\underbrace{\cos\left(-\dfrac{2}{3}\pi\right)}_{-\frac{1}{2}}+\underbrace{i\sin\left(-\dfrac{2}{3}\pi\right)}_{-\frac{\sqrt{3}}{2}}=-\dfrac{1}{2}-\dfrac{\sqrt{3}}{2}i$ ………………（答）

演習問題 **2**　　　　● 複素数の計算 (Ⅱ) ●

複素数列 $\{\alpha_n\}$ の一般項が $\alpha_n = i\left(\dfrac{1+i}{2}\right)^{n-1}$　$(n = 1, 2, 3, \cdots)$

であるとき，次の各問いに答えよ。

(1) α_n の絶対値 $|\alpha_n|$ と偏角 $\arg\alpha_n$ を求めよ。

$\left(\text{ただし，}\arg i = \dfrac{\pi}{2}, \ \arg\dfrac{1+i}{2} = \dfrac{\pi}{4} \text{とする。}\right)$

(2) 無限級数の和 $\displaystyle\sum_{n=1}^{\infty} |\alpha_n|$ を求めよ。

ヒント！　$\beta = \dfrac{1+i}{2}$ とおくと，$\beta = \dfrac{1}{\sqrt{2}} e^{\frac{\pi}{4}i}$ となることを利用しよう。

解答 & 解説

(1) $i = 0 + 1\cdot i = \cos\dfrac{\pi}{2} + i\sin\dfrac{\pi}{2} = e^{\frac{\pi}{2}i}$ であり，また，$\beta = \dfrac{1+i}{2}$ とおくと，

$\beta = \dfrac{1}{\sqrt{2}}\left(\dfrac{1}{\sqrt{2}} + \dfrac{1}{\sqrt{2}}i\right) = \dfrac{1}{\sqrt{2}}\left(\cos\dfrac{\pi}{4} + i\sin\dfrac{\pi}{4}\right) = \dfrac{1}{\sqrt{2}} e^{\frac{\pi}{4}i}$ となる。

よって，$\alpha_n = \underset{\substack{\sqcup \\ e^{\frac{\pi}{2}i}}}{i} \cdot \underset{\substack{\sqcup \\ \frac{1}{\sqrt{2}} e^{\frac{\pi}{4}i}}}{\left(\dfrac{1+i}{2}\right)^{n-1}} = e^{\frac{\pi}{2}i}\left(\dfrac{1}{\sqrt{2}} e^{\frac{\pi}{4}i}\right)^{n-1} = \left(\dfrac{1}{\sqrt{2}}\right)^{n-1} e^{\frac{(n+1)\pi}{4}i}$

> 偏角 $\dfrac{\pi}{2} + \dfrac{(n-1)}{4}\pi = \dfrac{(n+1)}{4}\pi$

$\therefore \alpha_n = \left(\dfrac{1}{\sqrt{2}}\right)^{n-1}\left\{\cos\dfrac{(n+1)}{4}\pi + i\sin\dfrac{(n+1)}{4}\pi\right\}$ より，

$|\alpha_n| = \left(\dfrac{1}{\sqrt{2}}\right)^{n-1}$, $\arg\alpha_n = \dfrac{(n+1)}{4}\pi$　$(n = 1, 2, 3, \cdots)$ である。………(答)

(2) 次に，α_n の絶対値 $|\alpha_n|$ の無限級数の和は，

$\displaystyle\sum_{n=1}^{\infty} |\alpha_n| = \sum_{n=1}^{\infty} \underset{\substack{\sqcup \\ \text{初項}\,a}}{1} \cdot \underset{\substack{\sqcup \\ \text{公比}\,r\,(\text{収束条件}:-1<r<1\,\text{をみたす})}}{\left(\dfrac{1}{\sqrt{2}}\right)^{n-1}} = \dfrac{1}{1 - \dfrac{1}{\sqrt{2}}} = \dfrac{\sqrt{2}}{\sqrt{2}-1}$

> 無限等比級数
> $\displaystyle\sum_{n=1}^{\infty} ar^{n-1} = \dfrac{a}{1-r}$　$(-1 < r < 1)$
> 収束条件

$= \dfrac{\sqrt{2}(\sqrt{2}+1)}{(\sqrt{2}-1)(\sqrt{2}+1)}$　分子・分母に $(\sqrt{2}+1)$ をかけた。　$= 2 + \sqrt{2}$ ……………(答)

$z^2 + \dfrac{1}{z^2}$ ……① $(z \neq 0)$ が実数となるような，複素数 z の条件を求め，複素数平面上に図示せよ。

ヒント！　一般に，複素数 α が (i) 実数となるための条件は，$\alpha = \overline{\alpha}$ であり，(ii) 純虚数となるための条件は，$\alpha + \overline{\alpha} = 0$ かつ $\alpha \neq 0$ である。これらを利用して z の条件を求めていこう。

解答＆解説

$z^2 + \dfrac{1}{z^2}$ ……① $(z \neq 0)$ が実数となるための条件は，

複素数 α の実数条件：$\alpha = \overline{\alpha}$

$z^2 + \dfrac{1}{z^2} = \overline{z^2 + \dfrac{1}{z^2}}$

$\overline{z^2} + \overline{\left(\dfrac{1}{z^2}\right)} = \overline{z^2} + \dfrac{1}{\overline{z^2}} = \overline{z}^2 + \dfrac{1}{\overline{z}^2}$ $\left(\because \overline{z^2} = \overline{z \cdot z} = \overline{z} \cdot \overline{z} = \overline{z}^2\right)$

$z^2 + \dfrac{1}{z^2} = \overline{z}^2 + \dfrac{1}{\overline{z}^2}$　この両辺に $z^2 \cdot \overline{z}^2$ をかけて，

$z^4 \cdot \overline{z}^2 + \overline{z}^2 = z^2 \cdot \overline{z}^4 + z^2$　　　$z^2 \cdot \overline{z}^2 (z^2 - \overline{z}^2) - (z^2 - \overline{z}^2) = 0$

$(z^2 \cdot \overline{z}^2 - 1)(z^2 - \overline{z}^2) = 0$　　　$(|z|^2 + 1)(|z| + 1)(|z| - 1)(z - \overline{z})(z + \overline{z}) = 0$

$(z \cdot \overline{z})^2 = (|z|^2)^2 = |z|^4$

ここで，$|z| > 0$ より，両辺を $|z| + 1$ (> 0) で割って，

$(|z| - 1)(z - \overline{z})(z + \overline{z}) = 0$

$\therefore$ ①が実数となるための条件は，

$\begin{cases} (\text{i}) |z| = 1 \quad \leftarrow \boxed{\text{原点 } 0 \text{ 中心，半径 } 1 \text{ の円}} \\ \text{または，} \\ (\text{ii}) z = \overline{z} \quad \leftarrow \boxed{z \text{ は実数（実軸上の点）}} \\ \text{または，} \\ (\text{iii}) z + \overline{z} = 0 \text{ かつ } z \neq 0 \end{cases}$

$\boxed{z \text{ は純虚数（虚軸上の点。ただし原点 } 0 \text{ は除く。）}}$

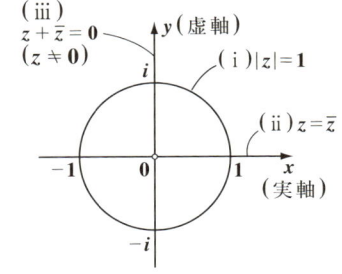

これを図示すると，右図のようになる。………(答)

演習問題 4　　　● n 乗根の計算（Ⅰ）●

$z^3 - 3iz^2 - 3z = 0$ ……① をみたす複素数 z をすべて求めよ。

ヒント!　①を変形して $(z-i)^3 = i$ の形に持ち込み，$\omega = z - i$ とおいて解いてみよう。

解答＆解説

①を変形して，$z^3 - 3 \cdot z^2 \cdot i + 3zi^2 = 0$ より，この両辺に $-i^3(=-i^2 \cdot i = i)$ を加えて

$z^3 - 3 \cdot z^2 \cdot i + 3 \cdot z \cdot i^2 - i^3 = i$　　　$(z-i)^3 = i$ ……② となる。

公式：$a^3 - 3a^2b + 3ab^2 - b^3 = (a-b)^3$ を使った。

ここで，$z - i = \omega$ ……③ とおくと，②は $\omega^3 = i$ ……②′ となる。

ここで，$\omega = re^{i\theta}$ $(r > 0,\ 0 \leqq \theta < 2\pi)$ とおくと，

②′ の左辺 $= \omega^3 = r^3 \cdot e^{i \cdot 3\theta}$

②′ の右辺 $= i = 1 \cdot (0 + 1 \cdot i) = 1 \cdot \left\{\cos\left(\dfrac{\pi}{2} + 2n\pi\right) + i\sin\left(\dfrac{\pi}{2} + 2n\pi\right)\right\}$

$\quad = 1 \cdot e^{i\left(\frac{\pi}{2} + 2n\pi\right)}$ $(n = 0,\ 1,\ 2)$ となる。

3 乗根なので，$n = 0,\ 1,\ 2$ だけで十分である。

以上より，②′ は

$r^3 \cdot e^{i \cdot 3\theta} = 1 \cdot e^{i\left(\frac{\pi}{2} + 2n\pi\right)}$ $(n = 0,\ 1,\ 2)$ となるので，

・$r^3 = 1$ より，$r = 1$

・$3\theta = \dfrac{\pi}{2} + 2n\pi$ より，$\theta = \dfrac{\pi}{6} + \dfrac{2n}{3}\pi$ $(n = 0,\ 1,\ 2)$

$\therefore \theta = \dfrac{\pi}{6},\ \dfrac{\pi}{6} + \dfrac{2}{3}\pi,\ \dfrac{\pi}{6} + \dfrac{4}{3}\pi = \dfrac{\pi}{6},\ \dfrac{5}{6}\pi,\ \dfrac{3}{2}\pi$

$\therefore$ ②′ をみたす ω は 3 つ存在して，$\omega_1 = 1 \cdot \left(\cos\dfrac{\pi}{6} + i\sin\dfrac{\pi}{6}\right) = \dfrac{\sqrt{3}}{2} + \dfrac{1}{2}i$，

$\omega_2 = 1 \cdot \left(\cos\dfrac{5}{6}\pi + i\sin\dfrac{5}{6}\pi\right) = -\dfrac{\sqrt{3}}{2} + \dfrac{1}{2}i$，$\omega_3 = 1 \cdot \left(\cos\dfrac{3}{2}\pi + i\sin\dfrac{3}{2}\pi\right) = -i$

よって，③より $z = \omega + i$ だから，

求める z は 3 つ存在して，

$z = \omega_1 + i,\ \omega_2 + i,\ \omega_3 + i$

$= \dfrac{\sqrt{3}}{2} + \dfrac{3}{2}i,\ -\dfrac{\sqrt{3}}{2} + \dfrac{3}{2}i,\ 0$

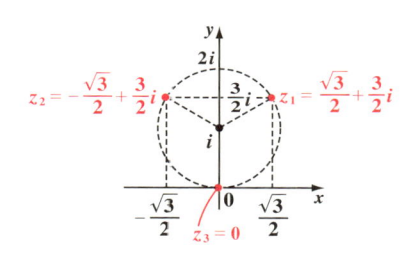

$z_2 = -\dfrac{\sqrt{3}}{2} + \dfrac{3}{2}i$　　$z_1 = \dfrac{\sqrt{3}}{2} + \dfrac{3}{2}i$

$z_3 = 0$

である。………………………(答)

$(z^2+2)^2 = -2-2\sqrt{3}\,i$ ……①をみたす複素数 z をすべて求めよ。

$\left(ただし，\ \cos\dfrac{5}{12}\pi = \dfrac{\sqrt{6}-\sqrt{2}}{4},\ \sin\dfrac{5}{12}\pi = \dfrac{\sqrt{6}+\sqrt{2}}{4}\ を用いてもよい。\right)$

ヒント！　まず，$\omega = z^2+2$ とおいて，$\omega^2 = -2-2\sqrt{3}\,i$ を解いて，ω_1 と ω_2 を求め，次に $z^2+2 = \omega_1$ と $z^2+2 = \omega_2$ をそれぞれ解いて解 z を求めればよい。

解答＆解説

$\omega = z^2+2$ ……② とおくと，① は

$\omega^2 = -2-2\sqrt{3}\,i$ ……①′ となる。

ここで，$\omega = re^{i\theta}$ $(r>0,\ 0\le\theta<2\pi)$ とおくと，$\omega^2 = r^2\cdot e^{i\cdot2\theta}$　また，

①′ の右辺 $= -2-2\sqrt{3}\,i = \underset{\sqrt{(-2)^2+(-2\sqrt{3})^2}}{4}\left(\underset{\cos\frac{4}{3}\pi}{-\dfrac{1}{2}} \underset{\sin\frac{4}{3}\pi}{-\dfrac{\sqrt{3}}{2}i}\right)$

$$= 4\left\{\cos\left(\dfrac{4}{3}\pi+2n\pi\right) + i\sin\left(\dfrac{4}{3}\pi+2n\pi\right)\right\} = 4\cdot e^{i\left(\frac{4}{3}\pi+2n\pi\right)}\ より，$$

①′ は，$\underset{=}{r^2\cdot e^{i\cdot2\theta}} = \underset{=}{4\cdot e^{i\left(\frac{4}{3}\pi+2n\pi\right)}}$ $(n=0,\ 1)$ となるので，← $-2-2\sqrt{3}\,i$ の2乗根なので，$n=0,\ 1$ で十分だ。

・$r^2 = 4$ より，$r = \sqrt{4} = 2$ $(\because r>0)$

・$2\theta = \dfrac{4}{3}\pi+2n\pi$ $(n=0,\ 1)$ より，

　$\theta = \dfrac{2}{3}\pi+n\pi = \dfrac{2}{3}\pi,\ \dfrac{5}{3}\pi$

$\therefore$ ①′ をみたす ω は 2 つ存在し，それらを ω_1，ω_2 とおくと，

$\omega_1 = 2\left(\cos\dfrac{2}{3}\pi + i\sin\dfrac{2}{3}\pi\right) = 2\left(-\dfrac{1}{2}+\dfrac{\sqrt{3}}{2}i\right) = -1+\sqrt{3}\,i$

$\omega_2 = 2\left(\cos\dfrac{5}{3}\pi + i\sin\dfrac{5}{3}\pi\right) = 2\left(\dfrac{1}{2}-\dfrac{\sqrt{3}}{2}i\right) = 1-\sqrt{3}\,i$

② より，

（ⅰ）$\omega_1 = z^2+2 = -1+\sqrt{3}\,i$ のとき，$z^2 = -3+\sqrt{3}\,i$ ……③ となる。

　　ここで，$z = re^{i\theta}$ $(r>0,\ 0\le\theta<2\pi)$ とおくと，$z^2 = r^2\cdot e^{i\cdot2\theta}$　また，

③の右辺 $= \underbrace{\sqrt{12}}_{\sqrt{(-3)^2+(\sqrt{3})^2}} \left(\underbrace{-\frac{\sqrt{3}}{2}}_{\cos\frac{5}{6}\pi} + \underbrace{\frac{1}{2}}_{\sin\frac{5}{6}\pi}i \right)$

$$= \sqrt{12}\left\{ \cos\left(\frac{5}{6}\pi + 2n\pi\right) + i\sin\left(\frac{5}{6}\pi + 2n\pi\right) \right\} = \sqrt{12} \cdot e^{i\left(\frac{5}{6}\pi + 2n\pi\right)} \text{ より,}$$

③は $\underline{\underline{r^2 \cdot e^{i \cdot 2\theta}}} = \underline{\sqrt{12}} \, e^{i\left(\frac{5}{6}\pi + 2n\pi\right)}$ $(n=0,\ 1)$ となるので、

$\cdot r^2 = \sqrt{12}$ より、$r = \sqrt[4]{12} = \sqrt{2} \cdot \sqrt[4]{3}$

$\boxed{\begin{array}{l} \cos\frac{17}{12}\pi = -\cos\frac{5}{12}\pi \\ \sin\frac{17}{12}\pi = -\sin\frac{5}{12}\pi \end{array}}$

$\cdot 2\theta = \frac{5}{6}\pi + 2n\pi$ $(n=0,\ 1)$ より、$\theta = \frac{5}{12}\pi,\ \frac{17}{12}\pi$

$\therefore z_1 = \sqrt{2} \cdot \sqrt[4]{3}\left(\cos\frac{5}{12}\pi + i\sin\frac{5}{12}\pi \right) = \sqrt[4]{3}\left(\frac{\sqrt{3}-1}{2} + \frac{\sqrt{3}+1}{2}i \right)$

$\qquad\qquad\qquad\qquad\qquad\qquad\qquad\qquad\qquad\qquad\qquad\qquad$ ……(答)

$z_2 = \sqrt{2} \cdot \sqrt[4]{3}\left(\cos\frac{17}{12}\pi + i\sin\frac{17}{12}\pi \right) = -\sqrt[4]{3}\left(\frac{\sqrt{3}-1}{2} + \frac{\sqrt{3}+1}{2}i \right)$

(ii) $\omega_2 = \boxed{z^2 + 2 = 1 - \sqrt{3}i}$ のとき、$z^2 = -1 - \sqrt{3}i$ ……④ となる。

ここで、$z = re^{i\theta}$ $(r>0,\ 0 \leqq \theta < 2\pi)$ とおくと、

④の左辺 $= r^2 \cdot e^{i \cdot 2\theta}$

④の右辺 $= \underbrace{2}_{\sqrt{(-1)^2+(-\sqrt{3})^2}} \left(\underbrace{-\frac{1}{2}}_{\cos\frac{4}{3}\pi} - \underbrace{\frac{\sqrt{3}}{2}}_{\sin\frac{4}{3}\pi}i \right)$

$$= 2\left\{ \cos\left(\frac{4}{3}\pi + 2n\pi\right) + \sin\left(\frac{4}{3}\pi + 2n\pi\right) \right\} = 2 \cdot e^{i\left(\frac{4}{3}\pi + 2n\pi\right)} \text{ より,}$$

④は、$\underline{\underline{r^2 \cdot e^{i \cdot 2\theta}}} = \underline{\underline{2}} \cdot e^{i\left(\frac{4}{3}\pi + 2n\pi\right)}$ $(n=0,\ 1)$ となるので、

$\cdot r^2 = 2$ より、$r = \sqrt{2}$

$\cdot 2\theta = \frac{4}{3}\pi + 2n\pi$ $(n=0,\ 1)$ より、$\theta = \frac{2}{3}\pi, \frac{5}{3}\pi$

$\therefore z_3 = \sqrt{2}\left(\cos\frac{2}{3}\pi + i\sin\frac{2}{3}\pi \right) = \sqrt{2}\left(-\frac{1}{2} - \frac{\sqrt{3}}{2}i \right)$

$z_4 = \sqrt{2}\left(\cos\frac{5}{3}\pi + i\sin\frac{5}{3}\pi \right) = \sqrt{2}\left(\frac{1}{2} - \frac{\sqrt{3}}{2}i \right)$ ………………(答)

(①の解は、全部で $z = z_1,\ z_2,\ z_3,\ z_4$ の 4 つである。)

2 つの **0** でない複素数 α, β と正の実数定数 **k** について，次の命題が成り立つことを示せ。

(1) $\beta = k\alpha$ ならば，$|\alpha| + |\beta| = |\alpha + \beta|$ である。　……($*1$)

(2) $|\alpha| + |\beta| = |\alpha + \beta|$ ならば，$\beta = k\alpha$ である。　……($*2$)

ヒント！　図(ⅰ)に示すように，三角形の成立条件から，2 つの複素数 α, β について，一般に $|\alpha| + |\beta| \geqq$ $|\alpha + \beta|$ が成り立つ。ここで，等号が成り立つ，すなわち，$|\alpha| + |\beta| = |\alpha + \beta|$ となるのは，図(ⅱ)の場合なので，

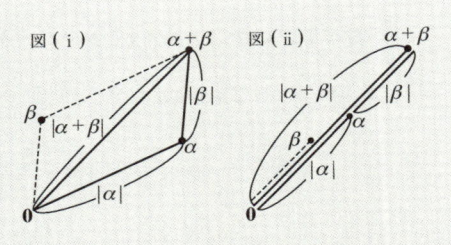

図形的に考えれば，$0\alpha \mathbin{/\!/} 0\beta$(平行)，つまり $\beta = k\alpha$(k:正の実数定数)となることは明らかである。これは α, β を，$\overrightarrow{OA}$ と $\overrightarrow{OB}$ と，ベクトルで考えてもいい。($k > 0$ より，$\alpha(= \overrightarrow{OA})$ と $\beta(= \overrightarrow{OB})$ は同じ向きになる。) 今回は，$\beta = k\alpha$ であることが $|\alpha| + |\beta| = |\alpha + \beta|$ であるための必要十分条件であることを，数式で示してみよう。

解答 & 解説

(1) 2 つの **0** でない複素数 α, β と正の実数定数 **k** について，

命題：「$\beta = k\alpha$ ……① ならば，$|\alpha| + |\beta| = |\alpha + \beta|$ ……② である。」…($*1$)
が成り立つことを示す。

$\beta = k\alpha$ ……① を ② の両辺にそれぞれ代入すると，

② の左辺 $= |\alpha| + \underset{\substack{\| \\ \beta(①より)}}{|k\alpha|} = |\alpha| + k|\alpha| = (1 + k)|\alpha|$

② の右辺 $= |\alpha + \underset{\substack{\| \\ \beta(①より)}}{k\alpha}| = |(1 + k)\alpha| = (1 + k)|\alpha|$　となる。

$\therefore |\alpha| + |\beta| = |\alpha + \beta|$ ……② となる。

よって，命題($*1$)は成り立つ。 ……………………………………(終)

18

(2) 命題：「$|\alpha|+|\beta|=|\alpha+\beta|$ ……② ならば，$\beta=k\alpha$ ……① である。」…(＊2)
　が成り立つことを示す。

　②の両辺を **2** 乗して，

　　$(|\alpha|+|\beta|)^2=|\alpha+\beta|^2$ より，$\cancel{|\alpha|^2}+2|\alpha||\beta|+\cancel{|\beta|^2}=\cancel{|\alpha|^2}+\alpha\overline{\beta}+\overline{\alpha}\beta+\cancel{|\beta|^2}$

　　$\boxed{|\alpha|^2+2|\alpha||\beta|+|\beta|^2}$　$\boxed{\begin{aligned}(\alpha+\beta)(\overline{\alpha+\beta})&=(\alpha+\beta)(\overline{\alpha}+\overline{\beta})\\&=\underset{\boxed{|\alpha|^2}}{\alpha\overline{\alpha}}+\alpha\overline{\beta}+\overline{\alpha}\beta+\underset{\boxed{|\beta|^2}}{\beta\overline{\beta}}=|\alpha|^2+\alpha\overline{\beta}+\overline{\alpha}\beta+|\beta|^2\end{aligned}}$

　　$\alpha\overline{\beta}+\overline{\alpha}\beta=2|\alpha||\beta|$ ……③ となる。

　　ここで，$\alpha(\neq 0)$ より，$|\alpha|^2(=\alpha\overline{\alpha})$ は正より，③の両辺を $|\alpha|^2$ で割って

　　$\dfrac{\alpha\overline{\beta}}{\alpha\overline{\alpha}}+\dfrac{\overline{\alpha}\beta}{\alpha\overline{\alpha}}=\dfrac{2|\alpha||\beta|}{|\alpha|^2}$　　$\dfrac{\overline{\beta}}{\overline{\alpha}}+\dfrac{\beta}{\alpha}=2\dfrac{|\beta|}{|\alpha|}$

　　$\therefore \dfrac{\beta}{\alpha}+\overline{\left(\dfrac{\beta}{\alpha}\right)}=2\left|\dfrac{\beta}{\alpha}\right|$ ……④ となる。

　　ここで，$\dfrac{\beta}{\alpha}=\gamma\ (=x+iy\,(x,\ y：実数))$ とおくと，$\alpha\neq 0$，$\beta\neq 0$ より
　$\gamma\neq 0$ であり，④は，$\gamma+\overline{\gamma}=2|\gamma|$ ……④´ となる。

　　④´に，$\gamma=x+iy$，$\overline{\gamma}=x-iy$ を代入すると，
　　$x+\cancel{iy}+x-\cancel{iy}=2\sqrt{x^2+y^2}$　$\therefore x=\sqrt{x^2+y^2}$ ……⑤ となる。

　　⑤の両辺を **2** 乗して，$x^2=x^2+y^2$　　$y^2=0$　$\therefore y=0$ となる。

　　よって，$\gamma=x$（実数）であり，$\gamma\neq 0$ から　$|\gamma|=\sqrt{x^2+y^2}=\sqrt{x^2}>0$

　　よって，⑤から x は正の実数となる。この x を k（正の実数）とおくと，
　　$\gamma=\dfrac{\beta}{\alpha}=k$　$\therefore \beta=k\alpha$ ……①（k：正の実数）となる。

　　よって，命題 **(＊2)** は成り立つ。 ………………………………………(終)

$\boxed{\begin{aligned}&以上 (1)，(2) より，2 つの 0 でない複素数 \alpha，\beta と正の実数 k について，\\&「|\alpha|+|\beta|=|\alpha+\beta| であるための必要十分条件は \beta=k\alpha である」ことが\\&分かった。\end{aligned}}$

次の各問いに答えよ。

(1) 複素数の方程式 $(3 - \sqrt{2}\,i)z + (3 + \sqrt{2}\,i)\bar{z} - 4 = 0$ ……① を
xy 座標系の方程式に書き換えよ。

(2) 方程式 $z\bar{z} - \sqrt{3}\,(z + \bar{z}) + i(z - \bar{z}) + 1 = 0$ ……② で与えられる円の中
心を表す複素数と半径を求めよ。

ヒント！　(1) は $\bar{\alpha}z + \alpha\bar{z} + c = 0$ $(c:$ 実数 $)$ の形なので直線の方程式になる。
(2) では，②を変形して，円の方程式 $|z - \alpha| = r$ の形にしよう。

解答＆解説

(1) $z = x + iy$ $(x, y:$ 実数 $)$ とおくと，$\bar{z} = x - iy$ となる。
これらを①に代入してまとめると，

$$\underset{\underset{\overline{\alpha}}{}}{(3 - \sqrt{2}\,i)}\underset{\underset{z}{}}{(x + iy)} + \underset{\underset{\alpha}{}}{(3 + \sqrt{2}\,i)}\underset{\underset{\overline{z}}{}}{(x - iy)} - 4 = 0$$

> 直線の方程式
> $\bar{\alpha}z + \alpha\bar{z} + c = 0$

$$3x + i3y - i\sqrt{2}\,x - i^2\sqrt{2}\,y + 3x - i3y + i\sqrt{2}\,x - i^2\sqrt{2}\,y - 4 = 0$$

（$+\sqrt{2}\,y$）　　　　　　　　（$+\sqrt{2}\,y$）

$$6x + 2\sqrt{2}\,y - 4 = 0 \quad \therefore 3x + \sqrt{2}\,y - 2 = 0 \quad \cdots\cdots\cdots（答）$$

(2) ②を変形して，

$$z \cdot \bar{z} - \underset{\underset{\overline{\alpha}}{}}{(\sqrt{3} - i)}z - \underset{\underset{\alpha}{}}{(\sqrt{3} + i)}\bar{z} + 1 = 0 \quad \cdots\cdots②'$$

> 円の方程式
> $z\bar{z} - \bar{\alpha}z - \alpha\bar{z} + c = 0$

ここで，$\alpha = \sqrt{3} + i$ とおくと，$\bar{\alpha} = \sqrt{3} - i$ であり，$|\alpha|^2 = (\sqrt{3})^2 + 1^2 = 4$
より，②' は

$$z \cdot \bar{z} - \bar{\alpha} \cdot z - \alpha \cdot \bar{z} + 1 = 0$$

> 両辺に $|\alpha|^2 (= \alpha\bar{\alpha})$ をたした

$$z(\bar{z} - \bar{\alpha}) - \alpha(\bar{z} - \bar{\alpha}) + 1 = \underset{\underset{4}{}}{|\alpha|^2}$$

$$(z - \alpha)(\bar{z} - \bar{\alpha}) = 4 - 1, \quad (z - \alpha)(\overline{z - \alpha}) = 3$$

$$|z - \alpha|^2 = 3 \quad \therefore |z - \alpha| = \underset{\underset{r}{}}{\sqrt{3}}$$

> 円の方程式 $|z - \alpha| = r$
> 中心 α，半径 r

$\therefore$ ②は，中心 $\alpha = \sqrt{3} + i$，半径 $r = \sqrt{3}$ の円である。 $\cdots\cdots\cdots\cdots$（答）

● 円と領域 ●

複素数 α と β は，$|\alpha - 2| = 2$，$|\beta - 3i| = 1$ をみたす。ここで，$z = \alpha + \beta$ とおくとき，点 z の存在領域を複素数平面上に示せ。

ヒント！ α, β, z の表す点を順に **A**, **B**, **P** とおくと，$\overrightarrow{\mathrm{OP}} = \overrightarrow{\mathrm{OA}} + \overrightarrow{\mathrm{OB}}$ となる。まず，**A** を固定して，**B** だけ動かすことを考えると話が見えてくるはずだ。

解答＆解説

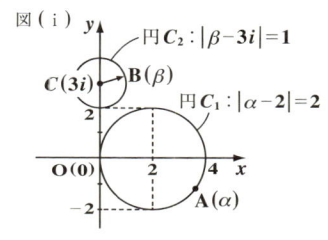

図（ⅰ）

・$|\alpha - 2| = 2$ ……① より，点 α は中心 **2**，半径 **2** の円 C_1 を描く。

・$|\beta - 3i| = 1$ ……② より，点 β は中心 **3i**，半径 **1** の円 C_2 を描く。

ここで，$z = \alpha + \beta$ ……③ とおいて，z の存在領域を求めるために，**0**，α，β，z を表す点を順に **O**，**A**，**B**，**P** とおき，さらに円 C_2 の中心 **3i** を表す点を **C** とおく。すると③は，

$$\overrightarrow{\mathrm{OP}} = \overrightarrow{\mathrm{OA}} + \underline{\overrightarrow{\mathrm{OB}}} = (\overrightarrow{\mathrm{OA}} + \overrightarrow{\mathrm{OC}}) + \overrightarrow{\mathrm{CB}} \quad ……③' \text{ となる。}$$

$$\underset{\boxed{\overrightarrow{\mathrm{OC}} + \overrightarrow{\mathrm{CB}} \,(\text{まわり道の原理})}}{\parallel}$$

ここで，**A**(α) を固定して，**B**(β) のみを動かすと，$\overrightarrow{\mathrm{CB}}$ の終点 **B** は，半径 **1** の円を描き，その中心は $\overrightarrow{\mathrm{OA}} + \overrightarrow{\mathrm{OC}}\,(= \alpha + 3i)$ である。次に α を動かすと $\alpha + 3i$ は，円 C_1 を **3i** だけ平行移動するため，図（ⅱ）に示すように，中心 **2 + 3i**，半径 **2** の円を描く。この円周上の各点 $\alpha + 3i$ を中心として，点 **B**(β) は半径 **1** の円を描く。

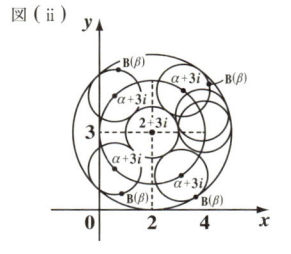

図（ⅱ）

以上より，③' から点 **P**(z) の複素数平面上における存在領域は，図（ⅲ）に示すように点 **2 + 3i** を中心とする半径 **1** と半径 **3** の同心円によって囲まれる円環になる。この領域を図（ⅲ）の網目部で示す。 …………（答）

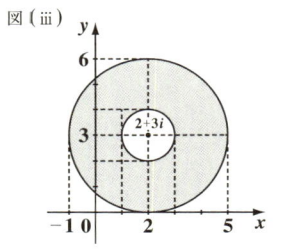

図（ⅲ）

複素数平面上で，**3** つの異なる複素数 z_1，z_2，z_3 の表す **3** 点が正三角形の頂点となるとき，次式が成り立つことを示せ。

$$z_1^2 + z_2^2 + z_3^2 - z_1z_2 - z_2z_3 - z_3z_1 = 0 \quad \cdots\cdots (*)$$

ヒント！ 　**3** 点 z_1，z_2，z_3 が正三角形の頂点となるとき，「点 z_2 を，点 z_1 の まわりに $\pm\dfrac{\pi}{3}$ だけ回転したものが z_3 になる」ことを利用して，(*) を示そう。

解答&解説

複素数平面上で異なる **3** 点 z_1，z_2，z_3 が 正三角形を作るとき，右図に示すように， 「点 z_2 を 点 z_1 のまわりに $\pm\dfrac{\pi}{3}$ だけ回転し たものが点 z_3 になる」ので，

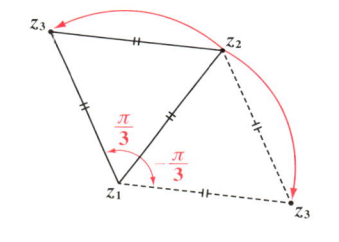

$$\frac{z_3 - z_1}{z_2 - z_1} = \underbrace{1}_{\substack{\text{拡大（縮小）はない}}} \cdot \left\{ \underbrace{\cos\left(\pm\frac{\pi}{3}\right)}_{\frac{1}{2}} + \underbrace{i\sin\left(\pm\frac{\pi}{3}\right)}_{\pm\frac{\sqrt{3}}{2}} \right\}$$

$\dfrac{z_3 - z_1}{z_2 - z_1} = \dfrac{1}{2}(1 \pm \sqrt{3}\,i)$ ……① となる。ここで $\dfrac{z_3 - z_1}{z_2 - z_1} = \gamma$ ……②とおくと，

①より， $2\gamma = 1 \pm \sqrt{3}\,i$ 　　$2\gamma - 1 = \pm\sqrt{3}\,i$ 　　この両辺を**2**乗して，

$$\underbrace{(2\gamma - 1)^2}_{4\gamma^2 - 4\gamma + 1} = \underbrace{(\pm\sqrt{3}\,i)^2}_{3 \cdot i^2 = -3} \qquad 4\gamma^2 - 4\gamma + 4 = 0$$

$\gamma^2 - \gamma + 1 = 0$ ……③ になる。③に②を代入して，

$$\left(\frac{z_3 - z_1}{z_2 - z_1}\right)^2 - \frac{z_3 - z_1}{z_2 - z_1} + 1 = 0 \qquad \text{この両辺に}(z_2 - z_1)^2\text{をかけて，}$$

$(z_3 - z_1)^2 - (z_3 - z_1)(z_2 - z_1) + (z_2 - z_1)^2 = 0$ 　これを展開すると，

$z_3^2 - 2z_3z_1 + z_1^2 - (z_2z_3 - z_3z_1 - z_1z_2 + z_1^2) + z_2^2 - 2z_1z_2 + z_1^2 = 0$

$\therefore z_1^2 + z_2^2 + z_3^2 - z_1z_2 - z_2z_3 - z_3z_1 = 0$ ……(*)

が導かれる。　…………………………………………………………………(終)

演習問題 10　　●　回転と相似の合成変換（Ⅰ）●

複素数平面上で，複素数 z_1，z_2，z_3 の表す点を順に **P**，**Q**，**R** とおく。

(1) $\triangle$**PQR** が，**PQ：QR：RP = 3：4：5** である直角三角形であるとき，$\dfrac{z_3 - z_2}{z_1 - z_2}$ の値を求めよ。

(2) **P**，**Q**，**R** が同一直線上にあり，点 **Q** が線分 **PR** を **1：2** に内分するとき，$\dfrac{z_3 - z_2}{z_1 - z_2}$ の値を求めよ。

ヒント！　**(1)**，**(2)** 共に，回転と相似の合成変換の問題なので，$\dfrac{z_3 - z_2}{z_1 - z_2} = r \cdot e^\theta$ をみたす r と θ の値を決定すればいい。

解答＆解説

(1) $\triangle$**PQR** は，**PQ：QR：RP = 3：4：5** で，$\angle$**PQR** $= \dfrac{\pi}{2}$ の直角三角形より，右図から「点 z_3 は，点 z_1 を点 z_2 のまわりに $\pm\dfrac{\pi}{2}$ だけ回転して，$\dfrac{4}{3}$ 倍に拡大したもの」である。

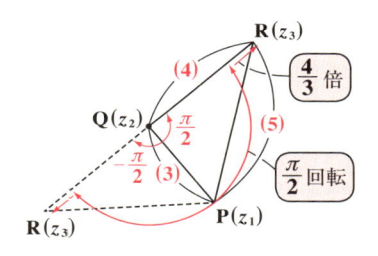

$$\therefore \frac{z_3 - z_2}{z_1 - z_2} = \frac{4}{3} e^{i\left(\pm\frac{\pi}{2}\right)} = \frac{4}{3}\left\{ \underbrace{\cos\left(\pm\frac{\pi}{2}\right)}_{0} + i \underbrace{\sin\left(\pm\frac{\pi}{2}\right)}_{\pm 1} \right\} = \pm\frac{4}{3}i \cdots\cdots\cdots（答）$$

(2) 3 点 **P**，**Q**，**R** が同一直線上にあり，**PQ：QR = 1：2** より，右図から，「点 z_3 は，点 z_1 を点 z_2 のまわりに π だけ回転して，**2** 倍に拡大したもの」である。よって，

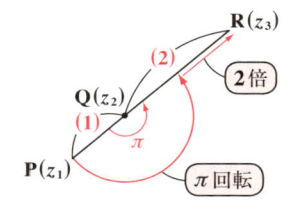

$$\frac{z_3 - z_2}{z_1 - z_2} = 2 \cdot e^{i\pi} = 2(\underbrace{\cos\pi}_{-1} + i\underbrace{\sin\pi}_{0}) = -2 \cdots\cdots\cdots\cdots\cdots\cdots（答）$$

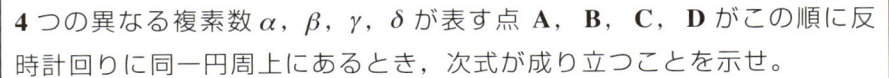

4 つの異なる複素数 α, β, γ, δ が表す点 **A**, **B**, **C**, **D** がこの順に反時計回りに同一円周上にあるとき，次式が成り立つことを示せ。

$$\frac{\delta - \alpha}{\gamma - \alpha} = k\,\frac{\delta - \beta}{\gamma - \beta} \quad\cdots\cdots(*)\ (k：実数定数)$$

ヒント！　**4** 点 **A**，**B**，**C**，**D** がこの順に同一円周上にあるとき，**2** つの円周角 $\angle\,\mathbf{CAD}$ と $\angle\,\mathbf{CBD}$ は等しい。これを利用して，$(*)$ を導けばよい。

解答 & 解説

複素数平面上で異なる **4** 点 $\mathbf{A}(\alpha)$，$\mathbf{B}(\beta)$，$\mathbf{C}(\gamma)$，$\mathbf{D}(\delta)$ がこの順に反時計回りに同一円周上に存在するとき，右図に示すように，同じ弧 $\overparen{\mathbf{CD}}$ に対する円周角は等しいので，

$$\angle\,\mathbf{CAD} = \angle\,\mathbf{CBD} = \theta_1 \quad\cdots\cdots① とおく。$$

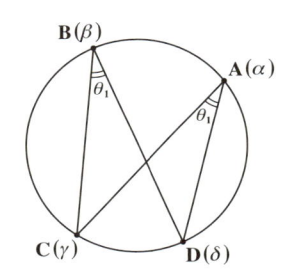

①から，

・「点 δ は，点 γ を点 α のまわりに θ_1 だけ回転して，$r_1\ (>0)$ 倍に相似変換したもの」より，

$$\frac{\delta - \alpha}{\gamma - \alpha} = r_1 e^{i\theta_1} となる。\quad \therefore e^{i\theta_1} = \frac{1}{r_1}\cdot\frac{\delta - \alpha}{\gamma - \alpha} \cdots②$$

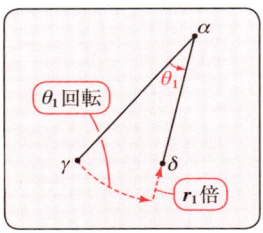

・「点 δ は，点 γ を点 β のまわりに θ_1 だけ回転して，$r_2\ (>0)$ 倍に相似変換したもの」より，

$$\frac{\delta - \beta}{\gamma - \beta} = r_2 e^{i\theta_1} となる。\quad \therefore e^{i\theta_1} = \frac{1}{r_2}\cdot\frac{\delta - \beta}{\gamma - \beta} \cdots③$$

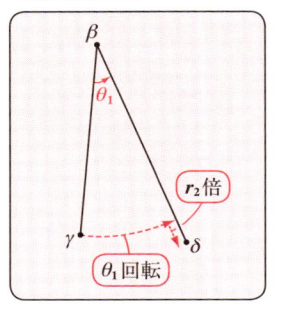

以上②，③より $e^{i\theta_1}$ を消去して，

$$\frac{1}{r_1}\cdot\frac{\delta - \alpha}{\gamma - \alpha} = \frac{1}{r_2}\cdot\frac{\delta - \beta}{\gamma - \beta} \quad より，\quad \frac{\delta - \alpha}{\gamma - \alpha} = \underbrace{\frac{r_1}{r_2}}_{k\ とおく}\cdot\frac{\delta - \beta}{\gamma - \beta}$$

ここで，$\dfrac{r_1}{r_2} = k$（実数定数）とおくと，$\dfrac{\delta - \alpha}{\gamma - \alpha} = k\dfrac{\delta - \beta}{\gamma - \beta}$ $\cdots\cdots(*)$ が導ける。

$$\cdots\cdots\cdots(終)$$

演習問題 12　　　● 回転と相似の合成変換 (Ⅲ) ●

3つの異なる複素数 z, z^2, z^3 の表す点を順に A，B，C とする。$\angle BCA$ が直角となるとき，点 A(z) が複素数平面上に描く図形を求めよ。

ヒント！ $\angle ACB = 90°$ より，A(z) は点 B(z^2) を点 C(z^3) のまわりに $\pm 90°$ だけ回して，r (実数) 倍に相似変換したものであることから，点 z の描く図形を求めよう。

解答&解説

3点 A(z)，B(z^2)，C(z^3) は異なるので，$z \neq 0$，± 1

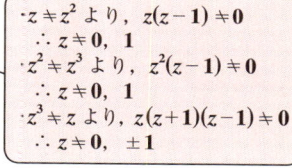

・$z \neq z^2$ より，$z(z-1) \neq 0$
　∴ $z \neq 0$，1
・$z^2 \neq z^3$ より，$z^2(z-1) \neq 0$
　∴ $z \neq 0$，1
・$z^3 \neq z$ より，$z(z+1)(z-1) \neq 0$
　∴ $z \neq 0$，± 1

また，$\angle BCA = \dfrac{\pi}{2}$ が与えられているので，

「点 A(z) は，点 B(z^2) を点 C(z^3) のまわりに $\pm\dfrac{\pi}{2}$ だけ回転させて，r 倍に相似変換したもの」より，

$$\frac{z-z^3}{z^2-z^3} = r \cdot e^{i \cdot \left(\pm\frac{\pi}{2}\right)} = r\left\{\cos\left(\pm\frac{\pi}{2}\right) + i\sin\left(\pm\frac{\pi}{2}\right)\right\} = \pm ri \quad \cdots\cdots ①$$

$\underbrace{\cos\left(\pm\frac{\pi}{2}\right)}_{0}$ $\underbrace{\sin\left(\pm\frac{\pi}{2}\right)}_{\pm 1}$

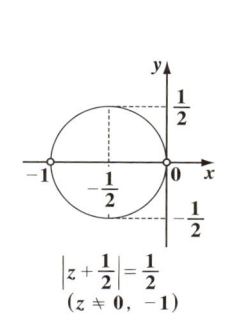

ここで，$\pm r = t$ (実数定数) ($t \neq 0$) とおくと，①は

$$\frac{z(1-z)(1+z)}{z^2(1-z)} = ti \quad \therefore 1+z = ti \cdot z, \quad z = \frac{1}{ti-1} = -\frac{1}{1-ti} \quad より，$$

$$z = -\frac{1+ti}{(1-ti)(1+ti)} = -\frac{1+ti}{1+t^2} = \underbrace{-\frac{1}{1+t^2}}_{x} \underbrace{-\frac{t}{1+t^2}}_{y} i \quad \cdots\cdots ②$$

$\underbrace{(1-ti)(1+ti)}_{1-t^2 \cdot i^2 = 1+t^2}$

ここで，$z = x + iy$ (x, y：実数) とおくと，②より，

$$x = -\frac{1}{1+t^2} \quad \cdots\cdots ③, \quad y = -\frac{t}{1+t^2} \quad \cdots\cdots ④ \quad (t \neq 0)$$

③，④より，$x^2 + y^2 = \dfrac{1+t^2}{(1+t^2)^2} = \dfrac{1}{1+t^2} = -\dfrac{-1}{1+t^2} = -x$

よって，$x^2 + x + y^2 = 0$ より，　　$z \neq 0$，± 1 より

$$\left(x+\frac{1}{2}\right)^2 + y^2 = \frac{1}{4} \quad ((x, y) \neq (-1, 0), (0, 0))$$

よって，点 z は，中心 $-\dfrac{1}{2}$，半径 $\dfrac{1}{2}$ の円で，$z = 0$ と -1 を除いた，右図のような図形を描く。　$\cdots\cdots\cdots$(答)

$\left|z+\dfrac{1}{2}\right| = \dfrac{1}{2}$
$(z \neq 0, -1)$

複素数平面上に点列 P_0，P_1，P_2，…がある。
P_0 は原点 O，P_1 を表す複素数は $1 + i$ である。
点 P_{n+1} $(n = 1, 2, \cdots)$ は，右図に示すように，

$$P_n P_{n+1} = \frac{1}{\sqrt{2}} P_{n-1} P_n , \quad \angle P_{n-1} P_n P_{n+1} = \frac{3}{4}\pi$$

で与えられる。$n \to \infty$ としたとき，点 P_n が近
づく点を表す複素数を求めよ。

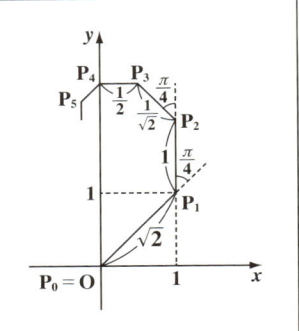

ヒント!　ベクトル $\overrightarrow{OP_n}$ は，$\overrightarrow{OP_n} = \overrightarrow{OP_1} + \overrightarrow{P_1P_2} + \overrightarrow{P_2P_3} + \cdots + \overrightarrow{P_{n-1}P_n}$ で表される。ここで，$\overrightarrow{OP_1}$ を複素数で表すと，$\overrightarrow{OP_1} = 1 + i$ となる。また，題意より，$n = 1, 2, 3, \cdots$ のとき，$\overrightarrow{P_nP_{n+1}}$ は $\overrightarrow{P_{n-1}P_n}$ を反時計まわりに $\frac{\pi}{4}$ だけ回転して $\frac{1}{\sqrt{2}}$ 倍に縮小したものである。よって，これは，回転と相似の合成変換に帰着する。

解答 & 解説

$\overrightarrow{OP_n} = \overrightarrow{OP_1} + \overrightarrow{P_1P_2} + \overrightarrow{P_2P_3} + \cdots + \overrightarrow{P_{n-1}P_n}$ ……① とおく。

ここで，$\overrightarrow{OP_1}$ を複素数で表すと，

$\overrightarrow{OP_1} = 1 + i$ ……② である。

> $\overrightarrow{OP_1} = (1, 1)$ を複素数で表すと，
> $\overrightarrow{OP_1} = 1 + 1 \cdot i = 1 + i$ となる。

$\overrightarrow{OP_1}$，$\overrightarrow{P_1P_2}$，$\overrightarrow{P_2P_3}$，…は，平行移動しても同じベクトルなので，これらの始点をすべて原点と一致するように平行移動する。すると，右図に示すように，

(i) $\overrightarrow{P_1P_2}$ は，$\overrightarrow{OP_1}$ を $\frac{\pi}{4}$ だけ回転して，$\frac{1}{\sqrt{2}}$ 倍に縮小したものであり，

(ii) $\overrightarrow{P_2P_3}$ は，$\overrightarrow{P_1P_2}$ を $\frac{\pi}{4}$ だけ回転して，$\frac{1}{\sqrt{2}}$ 倍に縮小したものであり，

……………以下同様……………となるので，

② より，$\overrightarrow{OP_1} = 1 + i = z_1$ とおき，

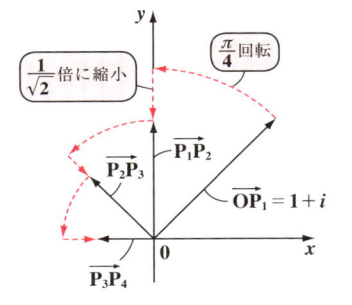

$\alpha = \dfrac{1}{\sqrt{2}} e^{\frac{\pi}{4}i} = \dfrac{1}{\sqrt{2}} \left(\cos \dfrac{\pi}{4} + i \sin \dfrac{\pi}{4} \right) = \dfrac{1}{\sqrt{2}} \left(\dfrac{1}{\sqrt{2}} + \dfrac{1}{\sqrt{2}} i \right) = \dfrac{1}{2}(1+i)$ とおくと，

$\boxed{\dfrac{1}{\sqrt{2}} \text{倍に縮小}}$ $\boxed{\dfrac{\pi}{4} \text{回転}}$

$\overrightarrow{P_1 P_2} = \alpha \cdot \overrightarrow{OP_1} = z_1 \cdot \alpha$

$\overrightarrow{P_2 P_3} = \alpha \cdot \overrightarrow{P_1 P_2} = \alpha \cdot z_1 \alpha = z_1 \cdot \alpha^2$

$\overrightarrow{P_3 P_4} = \alpha \cdot \overrightarrow{P_2 P_3} = \alpha \cdot z_1 \alpha^2 = z_1 \cdot \alpha^3$

$\cdots\cdots\cdots\cdots\cdots\cdots\cdots\cdots\cdots\cdots\cdots\cdots$

$\overrightarrow{P_{n-1} P_n} = z_1 \cdot \alpha^{n-1}$ となる。以上を①に代入して，

$\overrightarrow{OP_n} = \underset{\boxed{\overrightarrow{OP_1}}}{z_1} + \underset{\boxed{\overrightarrow{P_1 P_2}}}{z_1 \cdot \alpha} + \underset{\boxed{\overrightarrow{P_2 P_3}}}{z_1 \cdot \alpha^2} + \underset{\boxed{\overrightarrow{P_3 P_4}}}{z_1 \cdot \alpha^3} + \cdots + \underset{\boxed{\overrightarrow{P_{n-1} P_n}}}{z_1 \cdot \alpha^{n-1}}$

> 初項 z_1，公比 α，項数 n の等比複素数列の和は，実数の等比数列の和と同様に求められる。

$= \dfrac{z_1(1-\alpha^n)}{1-\alpha}$ ……③ となる。

ここで，$\displaystyle\lim_{n\to\infty} \left| \dfrac{z_1(1-\alpha^n)}{1-\alpha} - \dfrac{z_1}{1-\alpha} \right| = \lim_{n\to\infty} \dfrac{|-z_1\alpha^n|}{|1-\alpha|} = \lim_{n\to\infty} \dfrac{|z_1| \cdot |\alpha|^n}{|1-\alpha|}$ について，

$|\alpha| = \left| \dfrac{1}{\sqrt{2}} e^{\frac{\pi}{4}i} \right| = \dfrac{1}{\sqrt{2}} \left| e^{\frac{\pi}{4}i} \right| = \dfrac{1}{\sqrt{2}}$ より，$|\alpha| < 1$ をみたす。よって，$\displaystyle\lim_{n\to\infty} |\alpha|^n = 0$ より，

$$\boxed{\left(\dfrac{1}{\sqrt{2}} \right)^n \to 0}$$

$\displaystyle\lim_{n\to\infty} \left| \dfrac{z_1(1-\alpha^n)}{1-\alpha} - \dfrac{z_1}{1-\alpha} \right| = \lim_{n\to\infty} \dfrac{|z_1| \cdot \boxed{|\alpha|^n}}{|1-\alpha|} = 0$ となるので，

$\displaystyle\lim_{n\to\infty} \dfrac{z_1(1-\alpha^n)}{1-\alpha} = \dfrac{z_1}{1-\alpha}$ が導ける。よって，③より，

$\displaystyle\lim_{n\to\infty} \overrightarrow{OP_n} = \lim_{n\to\infty} \dfrac{z_1(1-\alpha^n)}{1-\alpha} = \dfrac{z_1}{1-\alpha} = \dfrac{1+i}{1 - \dfrac{1}{2}(1+i)}$

$= \dfrac{2(1+i)}{1-i} = \dfrac{2(1+i)^2}{(1-i)(1+i)} = \dfrac{2(1+2i+i^2)}{1-i^2} = \dfrac{2 \cdot 2i}{2} = 2i$

よって，$\displaystyle\lim_{n\to\infty} \overrightarrow{OP_n} = 2i$ より，$n \to \infty$ のとき，点 P_n は $2i$ で表される点に近づく。

$\cdots\cdots\cdots$(答)

§1. 複素数と2つの複素数平面

複素数の集合 **D** の各点 $z = x + iy$ (x, y：実数) に対して，ある規則に従って，別の複素数 $w = u + iv$ (u, v：実数) が定まるとき，

$\boxed{w = f(z)}$ と表し，f を集合 **D** で定義された "**複素関数**" または単に "**関数**"

$w = g(z), \ w = h(z), \ \cdots$ などと表してもいい。 "*complex function*"

という。集合 **D** を，関数 f の "**定義域**" と呼び，$w = f(z)$ ($z \in D$) 全体の集合を関数 f の "**値域**" と呼ぶ。また，

・1つの z に対して，**1**つの w が対応するとき "**1価関数**" (*one-valued function*) といい，

・1つの z に対して，複数の w が対応するとき "**多価関数**" (*many-valued function*) という

一般に，複素関数は，$w = f(z) = u(x, y) + iv(x, y)$ と表されるので，次のように2変数同士の対応関係となる。

2つの実数変数 x と y $\xrightarrow{\ f\ }$ **2つの実数変数** u と v

したがって，図**1**に示すように，z 平面 (xy 平面) と w 平面 (uv 平面) の2つの複素数平面を用意して，z 平面上の点や曲線や範囲が $w = f(z)$ によって，w 平面上にどのように写されるかを調べることになる。

図1

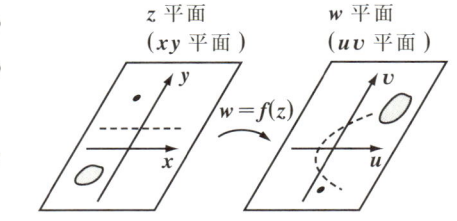

(*ex*) (i) $w = f(z) = (1 + i)z + 2i$

(ii) $w = f(z) = \mathbf{Re}(z)$

(iii) $w = f(z) = \bar{z}$

(iv) $w = f(z) = |z|^2 = z \cdot \bar{z}$　　など…

(1) 2 次関数 $w = f(z) = z^2$

z 平面における直線 $x = \pm 1,\ \pm 2, \cdots$ と直線 $y = \pm 1,\ \pm 2, \cdots$ は，関数 $w = f(z)$ $= z^2$ により，w 平面における放物線に写される。図 **2** にその様子を示す。

図 **2** $w = z^2$ の写像のイメージ

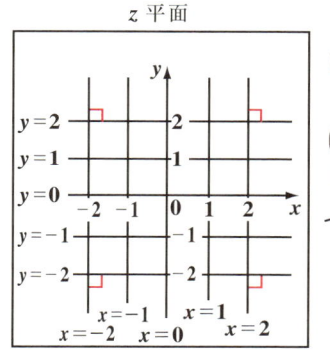
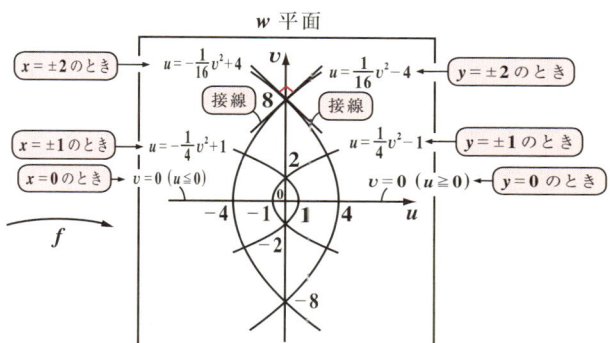

(2) 分数関数 $w = f(z) = \dfrac{1}{z}$

z 平面上の点 $z\ (|z| = r,\ \arg z = \theta)$ は，関数 $w = f(z) = \dfrac{1}{z}$ により，まず，$z'\left(|z'| = \dfrac{1}{r},\ \arg z' = \theta\right)$ に写され，さらに，点 z' を x 軸 (実軸) に関して対称な点 w に写される。この z と z' の対応を "**反転**" といい，z' を z の単位円に関する "**鏡像**" という。ここで，関数 $w = f(z) = \dfrac{1}{z}$ について，$z = 0$ や $w = 0$ に対応させるために，仮想的に無限遠点 (∞) を導入すると，

図 **3** $w = \dfrac{1}{z}$ の写像のイメージ

z 平面と w 平面を重ねたイメージ

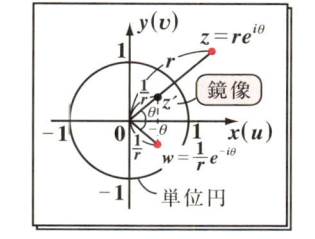

$$\begin{cases} \cdot\ z = \infty \xrightarrow{\ f\ } w = 0 \\ \cdot\ z = 0 \xrightarrow{\ f\ } w = \infty \end{cases}$$

となって，点 **0** と点 ∞ の対応関係ができる。

この無限遠点 (∞) を含めた複素数平面のことを "**拡張された複素数平面**" という。

§2. 整関数・1次分数関数

まず，n 次の "整関数" または "多項式" (*polinomial*) の定義を下に示す。

n 次の整関数（多項式）

複素変数 z に対して，
$$w = \alpha_n z^n + \alpha_{n-1} z^{n-1} + \alpha_{n-2} z^{n-2} + \cdots\cdots + \alpha_1 z + \alpha_0$$
（α_n, α_{n-1}, α_{n-2}, $\cdots$, α_1, α_0：複素定数）
で表される関数を n 次の整関数または多項式という。

この内，1次関数 $w = \alpha z + \beta$ について，
図4に示すように，これを分析すると，

(i) $z' = \alpha z$ より，z' は点 z を原点の
　　まわりに回転して相似変換した
　　ものであり，

(ii) $w = z' + \beta$ は，点 z' を β だけ平
　　行移動したものである。

つまり，点 w は点 z を (i) と (ii) の
"合成変換" することにより求めら
れる。

図4　1次関数 $w = \alpha z + \beta$

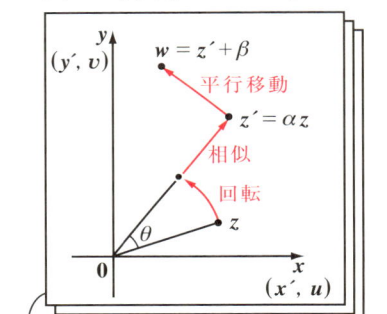

$f(z)$ と $g(z)$ が z の整関数のとき，$w = \dfrac{f(z)}{g(z)}$ を "有理関数" という。

特に，$f(z)$ と $g(z)$ が 1 次関数で，$f(z) = \alpha z + \beta$，$g(z) = \gamma z + \delta$ であるとき，
1次分数関数という。

1次分数関数

複素変数 z に対して
$$w = \frac{\alpha z + \beta}{\gamma z + \delta} \quad \cdots\cdots ① \quad (\alpha, \beta, \gamma, \delta：複素定数, \ \alpha\delta - \beta\gamma \neq 0)$$
で表される関数を，1次分数関数という。

この 1 次分数関数は，3 組の点の対応関係から決定できる。①は，

$$w = \alpha' \cdot \boxed{\frac{1}{\gamma z + \delta}} + \beta' \quad と変形できるので，z から w への変換過程は，$$

次のように**3**つの変換の合成変換になる。
図**5**に，その様子を示す。

（ⅰ）$z' = \gamma z + \delta$

> 回転・相似変換と平行移動
> により，$z \rightarrow z'$

（ⅱ）$z'' = \dfrac{1}{z'}$

> 単位円に関する反転と実軸対称移動
> により，$z' \rightarrow z''$

（ⅲ）$w = \alpha' z'' + \beta'$

> 回転・相似変換と平行移動
> により，$z'' \rightarrow w$

図**5** $w = \dfrac{\alpha z + \beta}{\gamma z + \delta}$ の変換過程

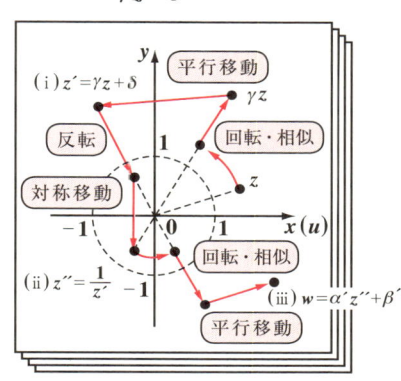

この**1**次分数関数により，z平面上の円または直線は，w平面上の円または直線に写される。

§**3.** 指数関数，対数関数，ベキ関数

まず，指数関数 $w = e^z$ の定義を下に示す。

指数関数 $w = e^z$

複素数 $z = x + iy$ $(x, y：実数)$ に対して，e（ネイピア数）の z 乗を次のように定義する。

$$e^z = e^{x+iy} = e^x(\cos y + i\sin y)$$

$\begin{cases} （ⅰ）x = 0 のとき，e^z = e^{iy} = \cos y + i\sin y となって，"オイラーの公式" \\ \quad が導ける。 \\ （ⅱ）y = 0 のとき，e^z = e^x となって，実指数関数が導ける。 \end{cases}$

次に，複素指数関数 e^z の性質を以下にまとめて示しておこう。

---

e^z の性質

（1）$e^{z_1} e^{z_2} = e^{z_1 + z_2}$　　（2）$\dfrac{e^{z_1}}{e^{z_2}} = e^{z_1 - z_2}$　　（3）$(e^{z_1})^n = e^{nz_1}$

（4）$|e^{i\theta}| = 1$ $(\theta：実数)$　（5）$e^{2n\pi i} = 1$ $(n：整数)$　（6）$e^{z_1 + 2n\pi i} = e^{z_1}$

複素指数関数 $w = e^z$ は,

$$\underline{e^z = e^{z+2n\pi i}} \quad (n:整数)$$

（周期 2π の周期関数）

であるため，図 6 に示すように

多 対	1
(z 平面)	(w 平面)

の写像になる。

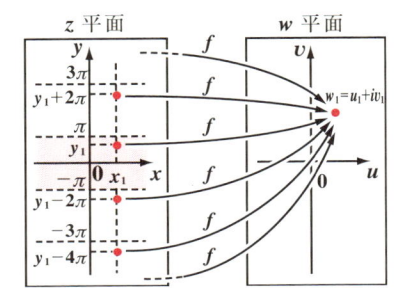

図 6 $w = e^z$ のイメージ

次に，複素数 z についても，その "**自然対数**" を次のように定義する。

■ 対数関数 $w = \log z$

2 つの複素数 z, w について，$z = e^w$ の関係があるとき，

$w = \log z$（ただし，$z \neq 0$）と表し，（"$\log z$" を "$\ln z$" と表してもいい。）

この $\log z$ を，複素数 z の "**自然対数**" と呼ぶ。

また，対数の定義と対数法則を下に示す。

■ 対数の定義と対数法則

$z = re^{i\theta}$ $(r > 0)$ のとき，

$$\log z = \log r + i(\theta + 2n\pi) \quad (n = 0, \pm 1, \pm 2, \cdots) \text{ となる。}$$

2 つの複素数 z_1, z_2 $(z_1 \neq 0, z_2 \neq 0)$ について，次の公式が成り立つ。

$$(1) \log z_1 \cdot z_2 = \log z_1 + \log z_2 \qquad (2) \log \frac{z_1}{z_2} = \log z_1 - \log z_2$$

複素対数関数 $w = \log z$ は,

$$\log z = \log r + i(\theta + 2n\pi) \quad (n:整数)$$

であるため，図 7 に示すように,

1	対 多
(z 平面)	(w 平面)

の写像になる。つまり，$w = \log z$ は無限多価関数であり，$n = 0$ のとき，主値 $\text{Log} z = \log r + i\theta$ $(-\pi < \theta \leq \pi)$ となる。

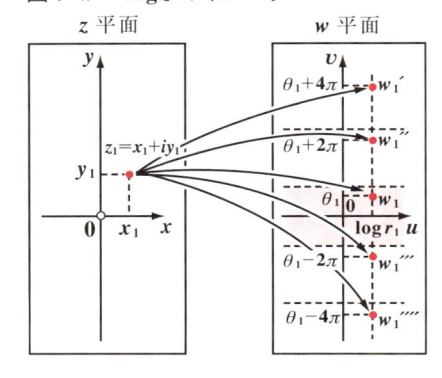

図 7 $w = \log z$ のイメージ

複素数のベキ乗について，まず下にその定義を示そう。

複素数のベキ乗

2つの複素数 α，β $(\alpha \neq 0)$ について，

$$\alpha^{\beta} = e^{\beta \log \alpha} \qquad \text{と定義する。}$$

ここで，$\alpha = re^{i\theta}$ $(-\pi < \theta \leqq \pi)$ とすると，

$\alpha^{\beta} = e^{\beta\{\log r + i(\theta + 2n\pi)\}}$ となる。

$(\log \alpha$ の主値 $\mathrm{Log}\,\alpha$ をとれば，$\alpha^{\beta} = e^{\beta(\log r + i\theta)}$ となる$)$

> この定義は，実数 a，b $(a > 0)$ のとき成り立つ公式 $a^b = e^{\log a^b} = e^{b \log a}$ を複素数にまで拡張したものだ！

これから，$i^i = e^{-\frac{\pi}{2}}$ （主値）や $\sqrt{1} = \pm 1$ などが導ける。

次に，ベキ関数の定義を下に示す。

ベキ関数

複素定数 α を使って，ベキ関数は，

$$w = z^{\alpha} \quad (z \neq 0) \qquad \text{と定義される。}$$

> $w = e^{\alpha \log z}$ となるので，$z \neq 0$ の条件が付く。

$z = re^{i\theta}$ $(r > 0,\ -\pi < \theta \leqq \pi)$ のとき，

$w = z^{\alpha} = e^{\alpha \log(re^{i\theta})} = e^{\alpha\{\log r + i(\theta + 2n\pi)\}}$ $(n:$ 整数$)$ となる。

$(\log z$ の主値 $\mathrm{Log}\,z$ をとれば，$w = e^{\alpha(\log r + i\theta)}$ $(-\pi < \theta \leqq \pi)$ となる。$)$

これから，$w = z^{\frac{1}{2}}$ は2価関数，$w = z^{\frac{1}{3}}$ は3価関数などが導ける。

§4. 三角関数

まず，複素三角関数の定義と公式を下に示す。

複素三角関数の定義と公式

(1) $\cos z = \dfrac{e^{iz} + e^{-iz}}{2}$ (2) $\sin z = \dfrac{e^{iz} - e^{-iz}}{2i}$ (3) $\tan z = \dfrac{e^{iz} - e^{-iz}}{i(e^{iz} + e^{-iz})}$

また，$z = x + iy$ $(x, y:$ 実数$)$ のとき，$\cos z$ と $\sin z$ は，それぞれ，

(ⅰ) $\cos z = \cos(x + iy) = \cos x \cosh y - i \sin x \sinh y$

(ⅱ) $\sin z = \sin(x + iy) = \sin x \cosh y + i \cos x \sinh y$ となる。

さらに，よく使う複素三角関数の公式を次に示す。

(1) (i) $\cos(-z) = \cos z$　(ii) $\sin(-z) = -\sin z$　(iii) $\tan(-z) = -\tan z$

(2) (i) $\cos(z+2n\pi) = \cos z$　　(ii) $\sin(z+2n\pi) = \sin z$

　　(iii) $\tan(z+n\pi) = \tan z$　　（ n：整数）

(3) $\cos^2 z + \sin^2 z = 1$

(4) (i) $\cos(z_1 \pm z_2) = \cos z_1 \cos z_2 \mp \sin z_1 \sin z_2$

　　(ii) $\sin(z_1 \pm z_2) = \sin z_1 \cos z_2 \pm \cos z_1 \sin z_2$

　　(iii) $\tan(z_1 \pm z_2) = \dfrac{\tan z_1 \pm \tan z_2}{1 \mp \tan z_1 \tan z_2}$

$w = \cos z$ と $w = \sin z$ は共に多対 1 の写像になり，z の実部 x が $-\pi < x \leqq \pi$ のとき，これらのグラフのイメージを図 8 と図 9 に示す。

図 8 $w = \cos z$ のイメージ

(i) $x = p \left(p \neq 0,\ \pm\dfrac{\pi}{2},\ \pi \right)$ の写像

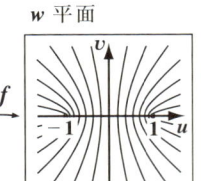

(ii) $y = q \ (-\pi < x \leqq \pi,\ q \neq 0)$ の写像

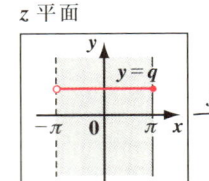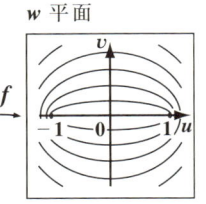

図 9 $w = \sin z$ のイメージ

(i) $x = p \left(p \neq 0,\ \pm\dfrac{\pi}{2},\ \pi \right)$ の写像

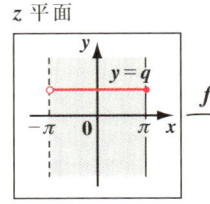

(ii) $y = q \ (-\pi < x \leqq \pi,\ q \neq 0)$ の写像

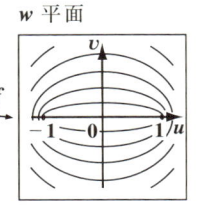

$\left(\begin{array}{l}\text{いずれも，}z\text{ 平面上の }x = p,\ y = q\text{ の，}p,\ q\text{ の値が様々に変化したときに，}\\ w\text{ 平面上に描かれる図形を示した。}\end{array}\right)$

次に，複素双曲線関数についても，その定義を示しておこう。

複素双曲線関数

複素変数 z の双曲線関数の定義を下に示す。

(1) $\cosh z = \dfrac{e^z + e^{-z}}{2}$ (2) $\sinh z = \dfrac{e^z - e^{-z}}{2}$ (3) $\tanh z = \dfrac{e^z - e^{-z}}{e^z + e^{-z}}$

§5. 多価関数とリーマン面

多価関数を **1** 対 **1** 対応の **1** 価関数にもち込むために，リーマン面を利用する。

たとえば，**2** 価関数 $w = z^{\frac{1}{2}}$ の場合，図 **10** に示すように，**2** 葉のリーマン面を用いる。ここでは，簡単のため，$z = 1 \cdot e^{i\theta}$，$w = 1 \cdot e^{i\Theta}$ とおき，θ を，$-\pi < \theta \leqq 3\pi$ の範囲で，$\dfrac{\pi}{2}$ ずつ変化させていったときの点 z と点 w を，

$$\begin{cases} z_1,\ z_2,\ z_3,\ z_4,\ \cdots\cdots,\ z_8 \\ w_1,\ w_2,\ w_3,\ w_4,\ \cdots\cdots,\ w_8 \end{cases}$$ と

表すと，下の表ができる。

図 **10** $w = \sqrt{z}$ と **2** 葉のリーマン面

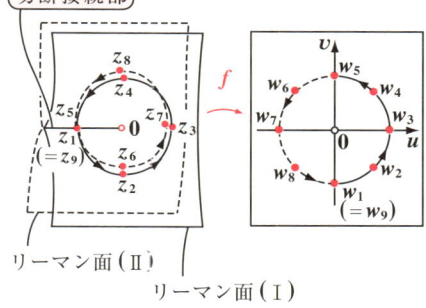

	(リーマン面（Ⅰ）)				(リーマン面（Ⅱ）)			(リーマン面（Ⅰ）)
θ	$(-\pi)$	$-\dfrac{\pi}{2}$	0	$\dfrac{\pi}{2}$	π	$\dfrac{3}{2}\pi$	2π	$\dfrac{5}{2}\pi$	$3\pi(=-\pi)$
z	(z_1)	z_2	z_3	z_4	z_5	z_6	z_7	z_8	$z_9(=z_1)$
Θ	$\left(-\dfrac{\pi}{2}\right)$	$-\dfrac{\pi}{4}$	0	$\dfrac{\pi}{4}$	$\dfrac{\pi}{2}$	$\dfrac{3}{4}\pi$	π	$\dfrac{5}{4}\pi$	$\dfrac{3}{2}\pi\left(=-\dfrac{\pi}{2}\right)$
w	(w_1)	w_2	w_3	w_4	w_5	w_6	w_7	w_8	$w_9(=w_1)$

このようにすると，$\theta = 3\pi\ (=-\pi)$ のとき，$\Theta = \dfrac{3}{2}\pi\left(=-\dfrac{\pi}{2}\right)$ となって，$w = \sqrt{z}$ は **1** 対 **1** 対応の連続な関数と考えることができる。

複素関数 $w = \bar{z}$ により，z 平面上の次の図形は，w 平面上のどのような図形に写されるか，調べて図示せよ。ただし，$z = x + iy$，$w = u + iv$ とする。

(i)$|z - 1| = 1$　　　　　　　(ii)$0 \leqq x \leqq 1$，$0 \leqq y \leqq 1$

ヒント！　$w = \bar{z} = x - iy$ より，z 平面上の図形は，w 平面上では実軸に関して対称移動することが直ぐに分かる。これを，数式で表現してみよう。

解答 & 解説

(i)$w = \bar{z}$ ……① により，z 平面上の円 $|z - 1| = 1$ ……②

中心 $1 + 0i$，半径 1 の円

$\begin{pmatrix} |z - \alpha| = r \\ \text{中心 } \alpha，\text{半径 } r \\ \text{の円} \end{pmatrix}$

が，w 平面上に写される図形を求める。② より，

$|\overline{z - 1}| = 1$　　$|\bar{z} - 1| = 1$

$|\alpha| = |\bar{\alpha}|$ より　　w（① より）

$\therefore |w - 1| = 1$ より，w 平面上で

半径 1，中心 1 の円に写される。

………(答)

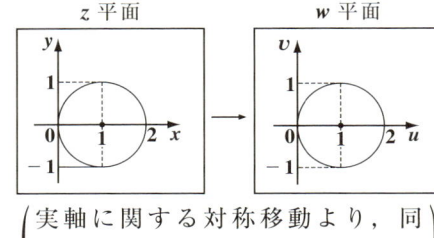

$\begin{pmatrix} \text{実軸に関する対称移動より，同} \\ \text{じ円に写される。} \end{pmatrix}$

(ii)$w = u + iv = \bar{z} = x + i(-y)$ ……①´ により，z 平面上の正方形の領域

$0 \leqq x \leqq 1$ …③，$0 \leqq y \leqq 1$ …④ が，w 平面上に写される図形を求める。

①´ より，$x = u$，$y = -v$

$0 \leqq u \leqq 1$，$0 \leqq -v \leqq 1$ より，

$0 \leqq u \leqq 1$，$-1 \leqq v \leqq 0$ となる。

よって，w 平面上で，右図に示すような正方形の領域に写される。………(答)

これらを③，④に代入すると

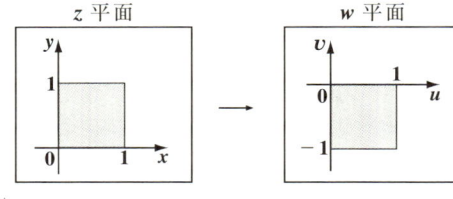

$\begin{pmatrix} z \text{ 平面上の正方形の領域は，} w \text{ 平面上では実} \\ \text{軸に対称移動した正方形の領域に写される。} \end{pmatrix}$

演習問題 15　　　　　● 複素関数 $w = z\bar{z}$ ●

複素関数 $w = z\bar{z}$ により，z 平面上の図形 $|z-2|=1$ は，w 平面上でどのような図形に写されるか，調べて図示せよ。

ただし，$z = x + iy$，$w = u + iv$ とする。

ヒント！ $w = z\bar{z} = |z|^2 = x^2 + y^2$ より，z 平面上の図形はすべて，w 平面上では実軸上の $|z|^2$ に対応する点の集合に写される。

解答＆解説

$w = u + iv = z\bar{z} = |z|^2 = \underbrace{x^2 + y^2}_{u} + \underbrace{0}_{v} \cdot i$ より，

$u = x^2 + y^2 \ (\geqq 0)$ ……①，$v = 0$ ……②となる。

①，②より，z 平面上のすべての図形は w 平面上の実軸の 0 以上の部分に写される。

z 平面上の円 $\underbrace{|z-2|=1}_{\text{中心}2,\ \text{半径}1\text{の円}}$ ……③を，$z = 1 \cdot e^{i\theta} \cdot \underbrace{}_{\text{半径}}\underbrace{2}_{\text{中心}}$ ……④ $(-\pi < \theta \leqq \pi)$

中心0，半径1の円を$2+0i$だけ平行移動したもの

とおくと，オイラーの公式 $e^{i\theta} = \cos\theta + i\sin\theta$ より，④は

$z = \cos\theta + i\sin\theta + 2 = \underbrace{\cos\theta + 2}_{x} + i\underbrace{\sin\theta}_{y}$ となる。よって①は，

$u = \ (\cos\theta + 2)^2 + \sin^2\theta = \underbrace{\cos^2\theta + \sin^2\theta}_{1} + \underbrace{4\cos\theta + 4}_{4(1+\cos\theta) = 4 \cdot 2\cos^2\frac{\theta}{2}}$

半角の公式 $\cos^2\dfrac{\theta}{2} = \dfrac{1+\cos\theta}{2}$

$\therefore\ u = 1 + 8\cos^2\dfrac{\theta}{2}$ …①′ となる。

ここで，$-\pi < \theta \leqq \pi$ より，$-\dfrac{\pi}{2} < \dfrac{\theta}{2} \leqq \dfrac{\pi}{2}$　$\therefore\ 0 \leqq \cos\dfrac{\theta}{2} \leqq 1$ より，$0 \leqq \cos^2\dfrac{\theta}{2} \leqq 1$

よって，$\underbrace{1}_{1+8\times 0} \leqq u \leqq \underbrace{9}_{1+8\times 1}$ ……①″

$\therefore$①″，②より，z平面上の円$|z-2|=1$は，

$w = z\bar{z}$ により，w 平面上の線分

$1 \leqq u \leqq 9$，$v = 0$ に写される。…(答)

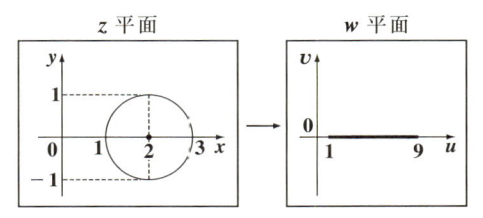

複素関数 $w = (1+i)z$ により，z 平面上の次の図形は，w 平面上のどのような図形に写されるか，調べて図示せよ。ただし，$z = x + iy$，$w = u + iv$ とする。

(i)$|z - 3| = 1$　　　　　　　　(ii)$0 \leqq x \leqq 1$，$0 \leqq y \leqq 1$

ヒント！ $1 + i = \sqrt{2}e^{\frac{\pi}{4}i}$ より，z 平面上の図形を原点 0 のまわりに $\frac{\pi}{4}$ だけ回転して，$\sqrt{2}$ 倍に相似変換したものが，w 平面上の図形になる。ここでは (i) $z = \frac{w}{1+i}$ とおき，(ii) では，$x = \frac{z + \bar{z}}{2}$，$y = \frac{z - \bar{z}}{2i}$ と，$z = \frac{w}{1+i}$ を利用して解いていこう。

解答 & 解説

$w = (1 + i)z$ ……① より，$z = \dfrac{w}{1+i}$ ……①′ である。

(i)z 平面上の中心 $3 (= 3 + 0i)$，半径 1 の円：$|z - 3| = 1$ ……② が，①により w 平面上のどのような図形に写されるか，調べる。

②に①′ を代入して，

$$\left|\frac{w}{1+i} - 3\right| = 1, \quad \left|\frac{w - 3(1+i)}{1+i}\right| = 1, \quad \frac{|w - 3(1+i)|}{\boxed{|1+i|}} = 1$$

$$\underset{\displaystyle \boxed{\sqrt{1^2 + 1^2} = \sqrt{2}}}{\Vert}$$

$\therefore$ z 平面上の円②は，w 平面上の中心 $3 + 3i$，半径 $\sqrt{2}$ の円：$|w - (3 + 3i)| = \sqrt{2}$ に写される。

………(答)

$\left[\begin{array}{l} \text{①は，} w = \sqrt{2}\left(\cos\dfrac{\pi}{4} + i\sin\dfrac{\pi}{4}\right)z \\ \text{となるので，右図に示すように，} \\ z \text{ 平面の図形を原点 } 0 \text{ のまわりに} \\ \dfrac{\pi}{4} \text{ だけ回転して，} \sqrt{2} \text{ 倍に拡大し} \\ \text{たものが，} w \text{ 平面上の図形になる。} \end{array}\right.$

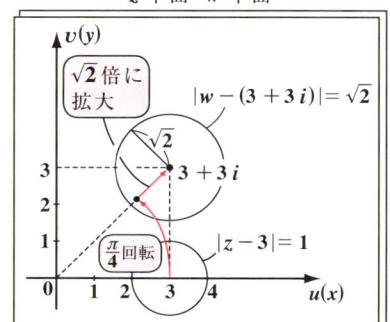

z 平面・w 平面

(ii)z 平面上の正方形の領域：$0 \leqq x \leqq 1$ ……③，$0 \leqq y \leqq 1$ ……④が①により，w 平面上のどのような領域に写されるか，調べる。

$z = x + iy$ より，$\bar{z} = x - iy$

よって，$x = \dfrac{z + \bar{z}}{2}$ ……⑤，$y = \dfrac{z - \bar{z}}{2i}$ ……⑥

$$\begin{cases} z = x + iy \cdots \text{⑦} \\ \bar{z} = x - iy \cdots \text{①} \end{cases}$$
⑦＋①　$2x = z + \bar{z}$
⑦－①　$2iy = z - \bar{z}$

・⑤を③に代入して，

$0 \leqq \dfrac{z + \bar{z}}{2} \leqq 1$　　$0 \leqq z + \bar{z} \leqq 2$ ……③′

・③′に①′を代入して

$\bar{z} = \overline{\left(\dfrac{w}{1+i} \right)} = \dfrac{\overline{w}}{\overline{1+i}} = \dfrac{\overline{w}}{1-i}$

$0 \leqq \dfrac{w}{1+i} + \dfrac{\overline{w}}{1-i} \leqq 2$ より，

$\dfrac{(1-i)w + (1+i)\overline{w}}{(1+i)(1-i)} = \dfrac{(1-i)w + (1+i)\overline{w}}{2}$

両辺に，実数2をかけた。

$0 \leqq (1-i)w + (1+i)\overline{w} \leqq 4$ ……③′′

ここで，$w = u + iv$ と，$\overline{w} = u - iv$ を③′′に代入して，

$0 \leqq (1-i)(u+iv) + (1+i)(u-iv) \leqq 4$

$\underbrace{u + iv - iu - i^2 v}_{\text{①}} + \underbrace{u - iv + iu - i^2 v}_{\text{①}} = 2(u+v)$

$0 \leqq 2(u+v) \leqq 4$　　$0 \leqq u + v \leqq 2$

$\therefore -u \leqq v \leqq -u + 2$ ……⑦　となる。

・⑥を④に代入して，

$0 \leqq \dfrac{z - \bar{z}}{2i} \leqq 1$　　$0 \leqq \dfrac{1}{i}(z - \bar{z}) \leqq 2$ ……④′

この各辺に実数 2 をかけてもよいが，i は絶対にかけてはいけない。なぜなら $\dfrac{1}{i}(z - \bar{z})$ は実数だから，$0 \leqq \dfrac{1}{i}(z - \bar{z}) \leqq 2$ の大小関係が成り立てば，$z - \bar{z}$ は純虚数となるので，$0 \leqq \bar{z} - z \leqq 2i$ のような不等式は成立しないからである。数の大小関係が成り立つのは，実数についてのみであることに気を付けよう。

$0 \leqq \dfrac{1}{i}(z - \bar{z}) \leqq 2$ ……④´ に $z = \dfrac{w}{1+i}$ ……①´ を代入して，

$0 \leqq \dfrac{1}{i}\left(\dfrac{w}{1+i} - \dfrac{\overline{w}}{1-i} \right) \leqq 2$

$$\dfrac{1}{i} \cdot \dfrac{(1-i)w - (1+i)\overline{w}}{(1+i)(1-i)} = \dfrac{1}{2i}\{(1-i)(u+iv) - (1+i)(u-iv)\}$$

$$u + iv - iu + v - (u - iv + iu + v)$$

$$= -2iu + 2iv$$

$$= \dfrac{1}{2i} \cdot 2i \cdot (-u + v) = -u + v$$

これで i が消えて，実数であることが明らかになった。

$0 \leqq -u + v \leqq 2$

$\therefore \ u \leqq v \leqq u + 2$ ……⑧　となる。

以上より，z 平面上の領域：$0 \leqq x \leqq 1$，$0 \leqq y \leqq 1$ は w 平面上の領域：

$-u \leqq v \leqq -u + 2$ ……⑦，$u \leqq v \leqq u + 2$ ……⑧　に写される。……(答)

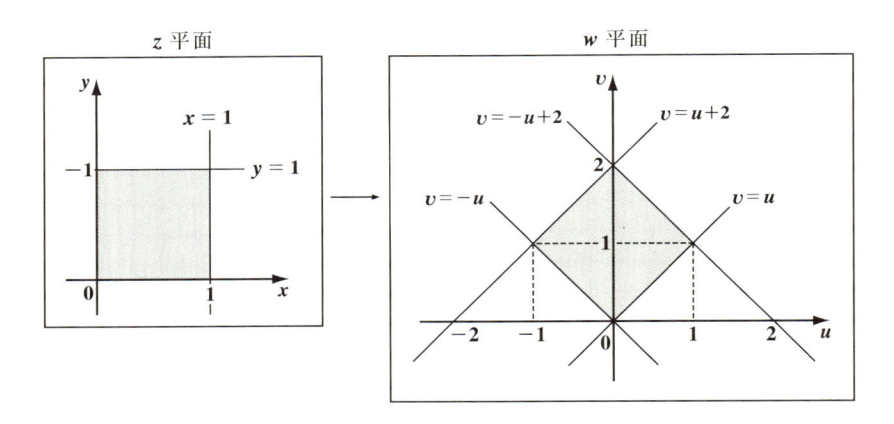

40

| 演習問題 17 | ● 複素関数 $w = z^2$（Ⅰ）● |

複素関数 $w = z^2$ により，z 平面上の図形 $|z - i| = 1$ が，w 平面上に写される図形について，$z = e^{i\theta} + i$ $(-\pi < \theta \leqq \pi)$ とおき，また $w = u + iv$ とおいたとき，u と v を媒介変数 θ で表せ。

ヒント！ z 平面上の中心 i，半径 1 の円は $z = e^{i\theta} + i$ と表せる。また，$w = z^2 = (e^{i\theta} + i)^2$ と表されるので，w の実部 u と虚部 v は，θ で表すことができる。

解答&解説

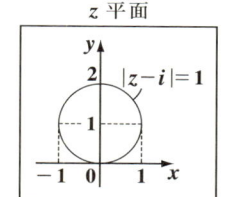

z 平面

z 平面上の中心 i，半径 1 の円：$|z - i| = 1$ ……①は，変数 θ を用いて

$z = \underbrace{e^{i\theta}}_{\boxed{\cos\theta + i\sin\theta}} + i = \underbrace{\cos\theta}_{\boxed{x}} + i(\underbrace{\sin\theta + 1}_{\boxed{y}})$ ……② $(-\pi < \theta \leqq \pi)$

$\boxed{\text{オイラーの公式}}$ と表せる。

$w = z^2$ ……③により，この①の円が w 平面に写される図形の方程式を媒介変数 θ で表す。$w = u + iv$ とおくと，②を③に代入して

$\begin{aligned} w = u + iv = z^2 &= \{\cos\theta + i(\sin\theta + 1)\}^2 \\ &= \cos^2\theta + 2i\cos\theta(\sin\theta + 1) + \underbrace{i^2}_{\boxed{(-1)}}(\sin\theta + 1)^2 \\ &= \underbrace{\cos^2\theta - (\sin\theta + 1)^2}_{\boxed{u}} + i \cdot \underbrace{2\cos\theta(\sin\theta + 1)}_{\boxed{v}} \end{aligned}$

よって，

$\cdot u = \cos^2\theta - (\sin\theta + 1)^2 = \underbrace{\cos^2\theta - \sin^2\theta}_{\boxed{\cos 2\theta}} - 2\sin\theta - 1$

$\cdot v = 2 \cdot \cos\theta \cdot (\sin\theta + 1) = \underbrace{2\sin\theta\cos\theta}_{\boxed{\sin 2\theta}} + 2\cos\theta$

以上より，w の実部 u と虚部 v は，θ を用いて

$\begin{cases} u = \cos 2\theta - 2\sin\theta - 1 & \cdots\cdots④ \\ v = \sin 2\theta + 2\cos\theta & \cdots\cdots\cdots⑤ \end{cases}$ $(-\pi < \theta \leqq \pi)$

と表せる。……………………………………(答)

①を，w 平面上に写してできる図形④，⑤は，θ を消去することが難しいので，これをコンピュータを使って描くと，右図のようになる。

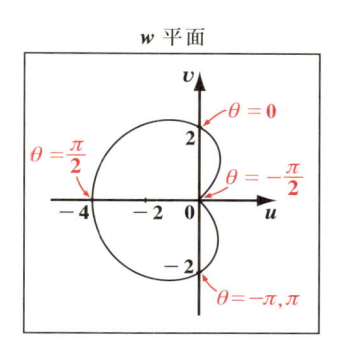

w 平面

41

複素関数 $w = z^2$ により，z 平面上の右図に示すような正方形 OABC が，w 平面上でどのような図形に写されるか，調べて図示せよ。ただし，$z = x + iy$，$w = u + iv$ として解け。

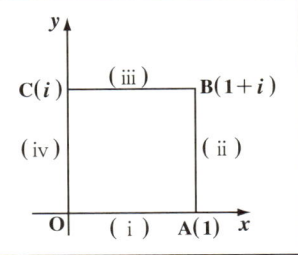

4つの部分に分け，(i)OA は $x = t$, $y = 0$ $(0 \leqq t \leqq 1)$，(ii)OB は $x = 1$, $y = t$ $(0 \leqq t \leqq 1)$，…のように，媒介変数 t を利用して解いていけばよい。

解答&解説

$w = u + iv = z^2 = (x + iy)^2 = x^2 - y^2 + i \cdot 2xy$ より，

$u = x^2 - y^2$ ……① ，$v = 2xy$ ……② となる。

よって，z 平面における正方形 OABC が $w = z^2$ により w 平面に写される図形は，次のように 4 通りに場合分けして求める。

(i)OA について，$x = t$, $y = 0$ $(0 \leqq t \leqq 1)$ とおくと，①，②より

$u = t^2$, $v = 0$ $(0 \leqq t \leqq 1)$ ∴ $v = 0$ $(0 \leqq u \leqq 1)$ ……③ となる。

(ii)AB について，$x = 1$, $y = t$ $(0 \leqq t \leqq 1)$ とおくと，①，②より

$u = 1 - t^2$, $v = 2t$ これらから t を消去して，

∴ $u = -\dfrac{1}{4}v^2 + 1$ $(0 \leqq v \leqq 2)$ ……④となる。

$t = \dfrac{1}{2}v$ を $u = -t^2 + 1$ に代入した。

(iii)BC について，$x = t$, $y = 1$ $(0 \leqq t \leqq 1)$ とおくと，①，②より

$u = t^2 - 1$, $v = 2t$ これらから t を消去して，

$u = \dfrac{1}{4}v^2 - 1$ $(0 \leqq v \leqq 2)$ ……⑤ となる。

(iv)CO について，$x = 0$, $y = t$ $(0 \leqq t \leqq 1)$ とおくと，①，②より

$u = -t^2$, $v = 0$ よって，

$v = 0$ $(-1 \leqq u \leqq 0)$ ……⑥ となる。

以上③〜⑥より，z 平面上の正方形 OABC は，w 平面上で右図のような図形に写される。……(答)

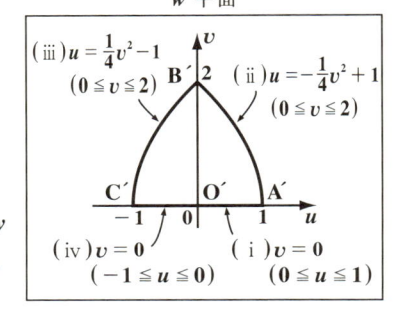

演習問題 19　　　● 複素関数 $w = \dfrac{1}{z}$（Ⅰ）●

複素関数 $w = \dfrac{1}{z}$ により，z 平面上の図形 $|z - 2| \leqq 2$ は，w 平面上でどのような図形に写されるか，調べて図示せよ。ただし，w 平面は拡張された複素数平面とする。また，$w = u + iv$（u, v：実数）とする。

ヒント!　z 平面上の中心 2，半径 2 の円 $|z - 2| \leqq 2$ は，原点 0 を通る。つまり，$z = 0$ に対応する点 w は，$w = \dfrac{1}{z}$ より，無限遠点（∞）になることに気を付けよう。そのために，w 平面を拡張された複素数平面としている。

解答&解説

z 平面上の中心 **2**，半径 **2** の円 $|z - 2| \leqq 2$ ……① が

複素関数 $w = \dfrac{1}{z}$ ……② により，w 平面上に写される図形を調べる。

②より，$z = \dfrac{1}{w}$ ……②′　　②′を①に代入して変形すると，

$$\left| \dfrac{1}{w} - 2 \right| \leqq 2 \qquad \dfrac{|1 - 2w|}{|w|} \leqq 2 \qquad |1 - 2w| \leqq 2|w|$$

両辺を **2** 乗して，

$$|1 - 2w|^2 \leqq 4|w|^2 \qquad 1 - 2w - 2\overline{w} + 4w\overline{w} \leqq 4w\overline{w}$$

$$(1 - 2w)(\overline{1 - 2w}) = (1 - 2w)(1 - 2\overline{w}) = 1 - 2w - 2\overline{w} + 4w\overline{w}$$

$2(w + \overline{w}) \geqq 1$ ……③　　ここで，$w = u + iv$（u, v：実数）とおくと，

$w + \overline{w} = u + iv + u - iv = 2u$ ……④　　よって，④を③に代入して，

$2 \cdot 2u \geqq 1$　∴ $u \geqq \dfrac{1}{4}$ となる。

よって，z 平面上の円：$|z - 2| \leqq 2$ は，w 平面上で半無限領域 $u \geqq \dfrac{1}{4}$ に写される。…………（答）

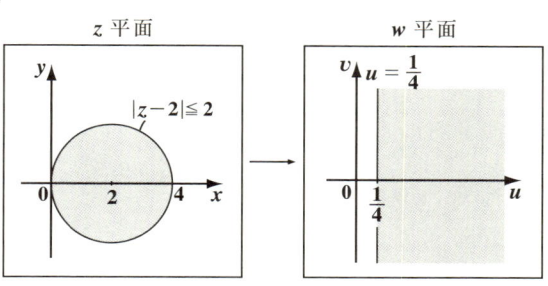

複素関数 $w = \dfrac{1}{z}$ により，z 平面上の図形：$|z - 1| \leqq 2$ は，w 平面上でどのような図形に写されるか，調べて図示せよ。ただし，w 平面は拡張された複素数平面とする。また，$w = u + iv$ （u, v：実数）とする。

ヒント！　$w = \dfrac{1}{z}$ より，$z = \dfrac{1}{w}$ として，これを円の方程式 $|z - 1| \leqq 2$ に代入して，w の方程式にもち込めばよい。

解答＆解説

z 平面上の中心 1，半径 2 の円 $|z - 1| \leqq 2$ ……① が

複素関数 $w = \dfrac{1}{z}$ ……② により，w 平面上に写される図形を調べる。

② より，$z = \dfrac{1}{w}$ ……②′　　②′ を① に代入して変形すると，

$$\left|\dfrac{1}{w} - 1\right| \leqq 2 \qquad \dfrac{|1 - w|}{|w|} \leqq 2 \qquad |1 - w| \leqq 2|w|$$

両辺を 2 乗して，

$$|1 - w|^2 \leqq 4|w|^2 \qquad 1 - w - \overline{w} + w\overline{w} \leqq 4w\overline{w}$$

$$\boxed{(1 - w)(1 - \overline{w}) = 1 - w - \overline{w} + w\overline{w}}$$

$$3w\overline{w} + w + \overline{w} \geqq 1 \qquad w\overline{w} + \dfrac{1}{3}w + \dfrac{1}{3}\overline{w} \geqq \dfrac{1}{3} \qquad \boxed{\left(\overline{w + \dfrac{1}{3}}\right)}$$

$$w\left(\overline{w} + \dfrac{1}{3}\right) + \dfrac{1}{3}\left(\overline{w} + \dfrac{1}{3}\right) \geqq \dfrac{1}{3} + \dfrac{1}{9} \qquad \left(w + \dfrac{1}{3}\right)\left(\overline{w} + \dfrac{1}{3}\right) \geqq \dfrac{4}{9}$$

$$\left|w + \dfrac{1}{3}\right|^2 \geqq \dfrac{4}{9} \qquad \therefore \left|w - \left(-\dfrac{1}{3}\right)\right| \geqq \dfrac{2}{3}$$

よって，z 平面上の①
の円の周とその内部は，
w 平面上の中心 $-\dfrac{1}{3}$，
半径 $\dfrac{2}{3}$ の円の周とその
外部に写される。…（答）

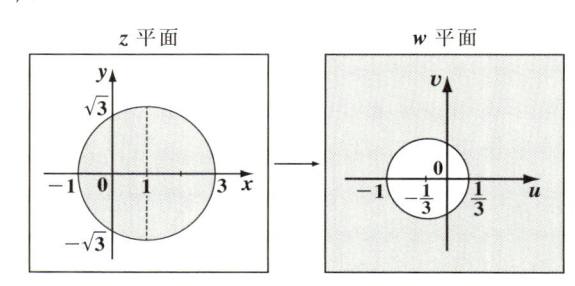

44

演習問題 21　　　● 複素関数 $w = \dfrac{1}{z}$ （Ⅲ）●

複素関数 $w = \dfrac{1}{z}$ により，z 平面上の図形：$|z - i| \leqq 1$ は，w 平面上でどのような図形に写されるか，調べて図示せよ。ただし，$w = u + iv$（u, v：実数）として解け。

ヒント！ $z = \dfrac{1}{w}$ を，円の方程式 $|z - i| \leqq 1$ に代入して，計算しよう。

解答＆解説

z 平面上の中心 $\boxed{(\text{ア})}$，半径 1 の円：$|z - i| \leqq 1$ ……① が

複素関数 $w = \dfrac{1}{z}$ ……② により，w 平面上に写される図形を調べる。

② より，$z = \dfrac{1}{w}$ ……②′　　②′ を① に代入して変形すると，

$$\left| \frac{1}{w} - i \right| \leqq 1 \qquad \frac{\left| 1 - \boxed{(\text{イ})} \right|}{|w|} \leqq 1 \qquad \left| 1 - \boxed{(\text{イ})} \right| \leqq |w|$$

両辺を 2 乗して，

$$\left| 1 - \boxed{(\text{イ})} \right|^2 \leqq |w|^2 \qquad (1 - iw)(1 + \boxed{(\text{ウ})}) \leqq w\overline{w}$$

$$1 - iw + i\overline{w} \leqq 0 \qquad i(w - \overline{w}) \geqq 1 \quad \text{……③}$$

ここで，$w = u + iv$ より，$\overline{w} = u - iv$

これらを③ に代入してまとめると，

$$i \cdot \boxed{(\text{エ})} \geqq 1 \qquad \therefore v \leqq \boxed{(\text{オ})} \quad \text{となる。}$$

よって，z 平面上の① の円：$|z - i| \leqq 1$ は，w 平面上で，半無限領域：$v \leqq \boxed{(\text{オ})}$ に写される。………………（答）

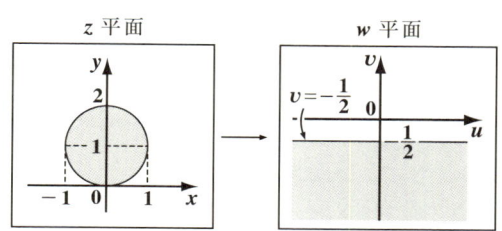

解答　(ア) i　　(イ) iw　　(ウ) $i\overline{w}$　　(エ) $2iv$　　(オ) $-\dfrac{1}{2}$

複素関数 $w = \dfrac{1}{z}$ により，z 平面上の図形：$0 < x \leqq 1$，$0 < y \leqq 1$ は，w 平面上でどのような図形に写されるか，調べて図示せよ。

ただし，$z = x + iy$，$w = u + iv$ （x，y，u，v：実数）とする。

ヒント！　$x = \dfrac{1}{2}(z + \bar{z})$，$y = \dfrac{1}{2i}(z - \bar{z})$ を，$0 < x \leqq 1$，$0 < y \leqq 1$ に代入し，

$z = \dfrac{1}{w}$ を使って，w の方程式にもち込んで解いていこう。

解答＆解説

z 平面上の図形：$0 < x \leqq 1$ ……①，$0 < y \leqq 1$ ……② が

複素関数 $w = \dfrac{1}{z}$ ……③ により，w 平面上に写される

図形を調べる。

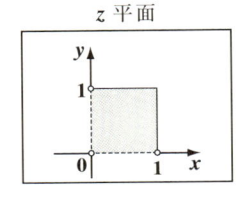

z 平面

$z = x + iy$，$\bar{z} = x - iy$ より，$x = \dfrac{1}{2}(z + \bar{z})$ ……④，$y = \dfrac{1}{2i}(z - \bar{z})$ ……⑤

（ⅰ）まず，④を①に代入して，

$\qquad 0 < \dfrac{1}{2}(z + \bar{z}) \leqq 1 \qquad 0 < z + \bar{z} \leqq 2$ ……⑥

$\qquad$③より，$z = \dfrac{1}{w}$ ……③´　$\bar{z} = \dfrac{1}{\bar{w}}$ ……③´´　③´と③´´を⑥に代入して，

$\qquad 0 < \dfrac{1}{w} + \dfrac{1}{\bar{w}} \leqq 2 \qquad 0 < \dfrac{w + \bar{w}}{w\bar{w}} \leqq 2 \qquad$ 各辺に $w\bar{w}$ （$= |w|^2 > 0$）をかけて，

$\qquad \underset{(ア)}{\underline{0 < w + \bar{w}}} \underset{(イ)}{\underline{\leqq 2w\bar{w}}}$

ここで，（ア）と（イ）の 2 つの不等式に分けて調べると，

（ア）$\underset{\boxed{u + iv + u - iv}}{\underline{0 < w + \bar{w}}} \qquad w = u + iv$ より，$\bar{w} = u - iv$ よって，

$\qquad 0 < 2u \qquad \therefore \underline{u > 0}$ ……⑦

（イ）$w + \bar{w} \leqq 2w\bar{w} \qquad \underline{w\bar{w} - \dfrac{1}{2}w - \dfrac{1}{2}\bar{w} \geqq 0}$

$$w\left(\overline{w} - \frac{1}{2}\right) - \frac{1}{2}\left(\overline{w} - \frac{1}{2}\right) \geqq \frac{1}{4} \qquad \left(w - \frac{1}{2}\right)\left(\overline{w} - \frac{1}{2}\right) \geqq \frac{1}{4}$$

$$\left(w - \frac{1}{2}\right)\overline{\left(w - \frac{1}{2}\right)} \geqq \frac{1}{4} \qquad \left|w - \frac{1}{2}\right|^2 \geqq \frac{1}{4}$$

$$\therefore \left|w - \frac{1}{2}\right| \geqq \frac{1}{2} \quad \cdots\cdots ⑧$$

中心 $\frac{1}{2}$，半径 $\frac{1}{2}$ の円の周と外部

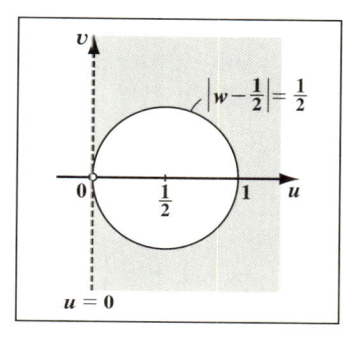

以上 ⑦，⑧ より，w 平面上の
右図のような領域になる。

(ⅱ) 次に，⑤ を ② に代入して，

$$0 < \frac{1}{2i}(z - \overline{z}) \leqq 1$$

$$0 < \frac{1}{i}(z - \overline{z}) \leqq 2 \quad \cdots\cdots ⑨$$

実数

各辺に，i をかけてはいけない。何故なら，実数同士のみに大小関係はあるからである。

$z = \dfrac{1}{w} \ \cdots\cdots ③'$ と $\overline{z} = \dfrac{1}{\overline{w}} \ \cdots\cdots ③''$ を ⑨ に代入して，

$$0 < \frac{1}{i}\left(\frac{1}{w} - \frac{1}{\overline{w}}\right) \leqq 2 \qquad 0 < \frac{1}{i} \cdot \frac{\overline{w} - w}{w\overline{w}} \leqq 2$$

各辺に，$w\overline{w}\ \left(= |w|^2 > 0\right)$ をかけて，

$$0 < \frac{1}{i}(\overline{w} - w) \leqq 2w\overline{w}$$

(ウ) (エ)

ここで，(ウ) と (エ) の 2 つの不等式に分けて調べると，

(ウ) $0 < \dfrac{1}{i}(\overline{w} - w)$ $\qquad w = u + iv$ より，$\overline{w} = u - iv$ よって，

$u - iv - (u + iv) = -2iv$

$$0 < \frac{1}{i}(-2iv) \qquad 0 < -2v \qquad \therefore v < 0 \quad \cdots\cdots ⑩$$

$(\text{エ})\dfrac{1}{i}(\overline{w}-w) \leqq 2w\overline{w} \qquad -i(\overline{w}-w) \leqq 2w\overline{w}$

$\boxed{-\dfrac{i^2}{i}=-i}$

$w\overline{w}-\dfrac{1}{2}iw+\dfrac{1}{2}i\overline{w} \geqq 0$

$w\left(\overline{w}-\dfrac{1}{2}i\right)+\dfrac{1}{2}i\left(\overline{w}-\dfrac{1}{2}i\right) \geqq 0 - \dfrac{1}{4}\overset{(-1)}{i^2}$

$\left(w+\dfrac{1}{2}i\right)\left(\overline{w}-\dfrac{1}{2}i\right) \geqq \dfrac{1}{4} \qquad \left(w+\dfrac{1}{2}i\right)\overline{\left(w+\dfrac{1}{2}i\right)} \geqq \dfrac{1}{4}$

$\left|w+\dfrac{1}{2}i\right|^2 \geqq \dfrac{1}{4}$

$\left|w-\left(-\dfrac{1}{2}i\right)\right| \geqq \dfrac{1}{2} \quad \cdots\cdots \text{⑪}$

$\boxed{\text{中心}-\dfrac{1}{2}i,\ \text{半径}\dfrac{1}{2}\ \text{の円の周と外部}}$

以上， $v < 0$ $\cdots\cdots$⑩と⑪より，

w 平面上の右図のような領域

になる。

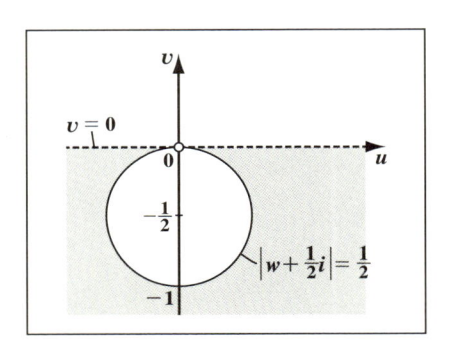

以上（ⅰ）（ⅱ）をまとめると，z 平
面上の図形 $0 < x \leqq 1$，$0 < y \leqq 1$ は，
w 平面上では，

$$\begin{cases} (\text{ⅰ})\,u > 0,\ \left|w-\dfrac{1}{2}\right| \geqq \dfrac{1}{2} \\ \text{かつ} \\ (\text{ⅱ})\,v < 0,\ \left|w+\dfrac{1}{2}i\right| \geqq \dfrac{1}{2} \end{cases}$$

で表される図形（右図の網目部）
に写される。 $\cdots\cdots\cdots\cdots\cdots$（答）

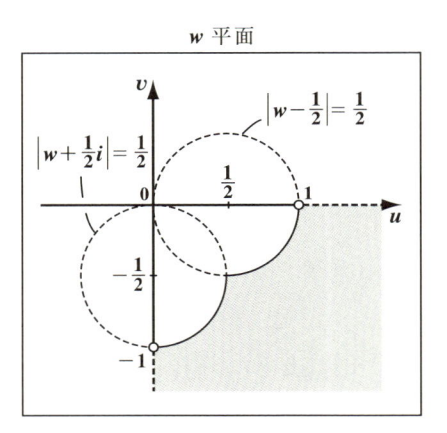

w 平面

演習問題 23　　　●1次分数関数（Ⅰ）●

1次分数関数 $w = \dfrac{\alpha z + \beta}{\gamma z + \delta}$ により，z 平面上の **3点 0，1，∞** が，w 平面上

の **3点 $-2i$，∞，$-i$** に順に対応するとき，この **1次分数関数**を決定せよ。

ヒント！　**3** 点の対応関係から，β，γ，δ を α で表すことができるので，

この **1 次分数関数**を決定することができる。$z = \infty$（無限遠点）のときは，

$z = \dfrac{1}{\zeta}$ として，$\zeta = 0$ とおけばよい。

解答 & 解説

1 次分数関数 $w = \dfrac{\alpha z + \beta}{\gamma z + \delta}$ ……① について，**3** 組の点の対応関係

(ⅰ)$0 \to -2i$，(ⅱ)$1 \to \infty$，(ⅲ)$\infty \to -i$　を用いると，

(ⅰ)$-2i = \dfrac{\alpha \cdot 0 + \beta}{\gamma \cdot 0 + \delta} = \dfrac{\beta}{\delta}$　より，　　　　　　　　$\beta = -2i\delta$ ……②

(ⅱ)$\infty = \dfrac{\alpha \cdot 1 + \beta}{\gamma \cdot 1 + \delta} = \dfrac{\alpha + \beta}{\boxed{\gamma + \delta}}$　より，$\gamma + \delta = 0$　∴ $\delta = -\gamma$ ………③

（**0 とおく**）

(ⅲ)$\infty \to -i$ より，$z = \infty$ のとき，$z = \dfrac{1}{\zeta}$ $(\zeta = 0)$ とおくと，

$$-i = \dfrac{\alpha \cdot \dfrac{1}{\zeta} + \beta}{\gamma \cdot \dfrac{1}{\zeta} + \delta} = \dfrac{\alpha + \beta \cdot \zeta^{\,0}}{\gamma + \delta \cdot \zeta_{\,0}} = \dfrac{\alpha}{\gamma}　　\therefore \gamma = -\dfrac{\alpha}{i} = \dfrac{i^2}{i}\alpha = i\alpha ……④$$

・④を③に代入して，$\delta = -i\alpha$ ……………………③′

・③′を②に代入して，$\beta = -2i \cdot (-i\alpha) = -2\alpha$ ……②′

以上②′，④，③′を①に代入して，

②′，④，③′より，β，γ，δ がすべて α で表せた！

$$w = \dfrac{\alpha z - 2\alpha}{i\alpha z - i\alpha} = \dfrac{\alpha(z - 2)}{\alpha(iz - i)} = \dfrac{z - 2}{iz - i} ……⑤ \quad となる。……………（答）$$

$w = f(z) = \dfrac{\alpha z + \beta}{\gamma z + \delta}$ の逆関数 $z = f^{-1}(w) = \dfrac{\delta w - \beta}{-\gamma w + \alpha}$ より

⑤は，$z = \dfrac{-iw + 2}{-iw + 1}$ と変形できる。この知識は後の問

題を解く際に役に立つ。

α と δ を入れ替え，β と γ は符号 $(\oplus, \ominus)$ を変える。

1 次分数関数 $w = \dfrac{\alpha z + \beta}{\gamma z + \delta}$ により，z 平面上の 3 点 0，i，∞ が，w 平面上の 3 点 1，∞，2 に順に対応するとき，この 1 次分数関数を決定せよ。

ヒント！ 3 組の点の対応関係から，今回は α，β，δ を γ で表してみよう。

解答＆解説

1 次分数関数 $w = \dfrac{\alpha z + \beta}{\gamma z + \delta}$ ……① について，3 組の点の対応関係

(ⅰ)$0 \to 1$，(ⅱ)$i \to \infty$，(ⅲ)$\infty \to 2$　を用いると，

(ⅰ)$1 = \dfrac{\alpha \cdot 0 + \beta}{\gamma \cdot 0 + \delta} = \dfrac{\beta}{\delta}$　より，　　　　$\beta = \boxed{(ア)}$ ……②

(ⅱ)$\infty = \dfrac{\alpha \cdot i + \beta}{\boxed{\gamma \cdot i + \delta}}$　より，$i\gamma + \delta = 0$　$\therefore \delta = \boxed{(イ)}$ ……③

(ⅲ)$\infty \to 2$　より，$z = \infty$ (無限遠点) のとき，$z = \dfrac{1}{\zeta}$ ($\zeta = 0$) とおくと，

$2 = \dfrac{\alpha \cdot \dfrac{1}{\zeta} + \beta}{\gamma \cdot \dfrac{1}{\zeta} + \delta} = \dfrac{\alpha + \beta \zeta}{\gamma + \delta \cdot \zeta} = \dfrac{\alpha}{\gamma}$　　$\therefore \alpha = 2\gamma$ ……④

④，②′，③ より，α，β，δ を γ で表すことができた。

・③を②に代入して，$\beta = \boxed{(ウ)}$ ……②′

④，②′，③を①に代入して，

$w = \dfrac{2\gamma \cdot z - i\gamma}{\gamma z - i\gamma} = \dfrac{\gamma(2z - i)}{\gamma(z - i)} = \boxed{(エ)}$ ……⑤となる。 ……………………(答)

⑤より，$z = \boxed{(オ)}$　と変形できる。　←　$w = f(z)$ より，$z = f^{-1}(w)$ を求めた。

....

解答　(ア) δ　　(イ) $-i\gamma$　　(ウ) $-i\gamma$　　(エ) $\dfrac{2z - i}{z - i}$　　(オ) $\dfrac{-iw + i}{-w + 2}$

演習問題 25 | ● **1 次分数関数 (Ⅲ)** ●

1 次分数関数 $w = \dfrac{iz - 4i}{z - 1}$ により，z 平面上の図形 $z - 2| \leqq 1$ は，w 平面上でどのような図形に写されるか，調べて図示せよ。

ヒント! $w = \dfrac{iz - 4i}{z - 1}$ は，$z = \dfrac{-1 \cdot w + 4i}{-1 \cdot w + i}$ と変形できる。よって，これを $|z - 2| \leqq 1$ に代入して，w の式に持ち込んで解けばいい。

解答＆解説

z 平面上の中心 2，半径 1 の円の周とその内部：$|z - 2| \leqq 1$ …① が，1 次分数関数

$w = \dfrac{iz - 4i}{z - 1}$ ……② により，w 平面上に写される図形を調べる。② を変形して，

$w = f(z) = \dfrac{\alpha z + \beta}{\gamma z + \delta}$ のとき，
$z = f^{-1}(w) = \dfrac{\delta w - \beta}{-\gamma w + \alpha}$ となる。

$z = \dfrac{-1 \cdot w + 4i}{-1 \cdot w + i} = \dfrac{w - 4i}{w - i}$ ……②´となる。

②´を①に代入してまとめると，

$\left| \dfrac{w - 4i}{w - i} - 2 \right| \leqq 1$ $\qquad \dfrac{|-w - 2i|}{|w - i|} \leqq 1$ $\qquad |w + 2i| \leqq |w - i|$

$\dfrac{w - 4i - 2w + 2i}{w - i} = \dfrac{-w - 2i}{w - i}$

両辺は共に 0 以上より，両辺を 2 乗して，

$|w + 2i|^2 \leqq |w - i|^2$ $\qquad (w + 2i)(\overline{w} - 2i) \leqq (w - i)(\overline{w} + i)$

$w\overline{w} - 2iw + 2i\overline{w} + 4 \leqq w\overline{w} + iw - i\overline{w} + 1$

$3iw - 3i\overline{w} \geqq 3$ $\qquad i\underbrace{w}_{(u+iv)} - i\underbrace{\overline{w}}_{(u-iv)} \geqq 1$

ここで $w = u + iv$，$\overline{w} = u - iv$ とおくと，

$i(u + iv) - i(u - iv) \geqq 1$ $\qquad -2v \geqq 1$

$\therefore v \leqq -\dfrac{1}{2}$

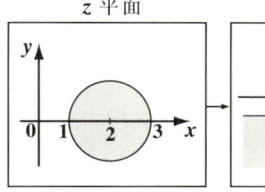

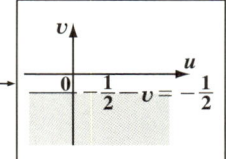

$\therefore$ ①の円の周とその内部は，w 平面上で，$v \leqq -\dfrac{1}{2}$ で表される上図のような半無限領域に写される。……………………………………………(答)

1 次分数関数 $w = \dfrac{z-2}{iz-i}$ により，z 平面上の図形 $|z-1|=1$ は，w 平面上でどのような図形に写されるか，調べて図示せよ。

ヒント！ $w = \dfrac{1 \cdot z - 2}{iz - i}$ は，$z = \dfrac{-i \cdot w + 2}{-i \cdot w + 1}$ と変形できる。よって，これを $|z-1|=1$ に代入して，w の方程式を導けばよい。

解答 & 解説

z 平面上の中心 1，半径 1 の円 $|z-1|=1$ ……① が，1 次分数関数

$w = \dfrac{z-2}{iz-i}$ ……② により，w 平面上に写される図形を調べる。② を変形して，

$z = \dfrac{-i \cdot w + 2}{-i \cdot w + 1} = \dfrac{-iw - 2i^2}{-i \cdot w - i^2} = \dfrac{-i(w + 2i)}{-i(w + i)}$

$\therefore z = \dfrac{w + 2i}{w + i}$ ……②′ となる。

> $w = f(z) = \dfrac{\alpha z + \beta}{\gamma z + \delta}$ のとき，
> $z = f^{-1}(w) = \dfrac{\delta w - \beta}{-\gamma w + \alpha}$ となる。

②′ を ① に代入してまとめると，

$\left| \dfrac{w + 2i}{w + i} - 1 \right| = 1$ 　　$\dfrac{\overset{1}{\boxed{|i|}}}{|w + i|} = 1$ 　　$\therefore |w - (-i)| = 1$ となる。

$\dfrac{(w + 2i) - (w + i)}{w + i} = \dfrac{i}{w + i}$

> これは，中心 $-i$，半径 1 の円

よって，z 平面上の円 $|z-1|=1$ は，w 平面上の中心 $-i$，半径 1 の円 $|w + i| = 1$ に写される。 …………(答)

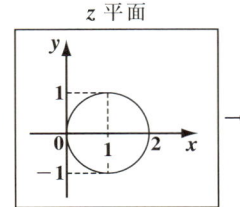
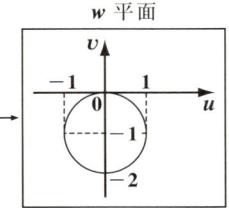

演習問題 27　　　　● 1 次分数関数 (Ｖ) ●

1 次分数関数 $w = \dfrac{2z - i}{z - i}$ により，z 平面上の図形 $|z - i| = 2$ は，w 平面上でどのような図形に写されるか，調べて図示せよ。

ヒント！　$w = \dfrac{2z - i}{z - i}$ を，$z = \dfrac{-iw + i}{-w + 2}$ と変形して，これを $|z - i| = 2$ に代入しよう。

解答＆解説

z 平面上の中心 i，半径 2 の円 $|z - i| = 2$ ……① が，1 次分数関数

$w = \dfrac{2z - i}{z - i}$ ……② により，w 平面上に写される図形を調べる。②を変形して，

$z = \dfrac{-iw + i}{-w + 2} = \dfrac{\boxed{(\text{ア})}}{w - 2}$ ……②′ となる。

$w = f(z) = \dfrac{\alpha z + \beta}{\gamma z + \delta}$ のとき，
$z = f^{-1}(w) = \dfrac{\delta w - \beta}{-\gamma w + \alpha}$ となる。

②′を①に代入してまとめると，

$\left| \dfrac{\boxed{(\text{ア})}}{w - 2} - i \right| = 2$　　$\dfrac{\boxed{(\text{イ})}}{|w - 2|} = 2$　　$\therefore \left| w - \boxed{(\text{ウ})} \right| = \boxed{(\text{エ})}$ ……(答)

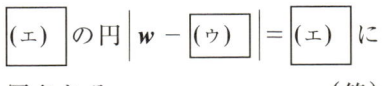

$\dfrac{\boxed{(\text{ア})} - i(w - 2)}{w - 2} = \dfrac{i}{w - 2}$

これは，中心 $\boxed{(\text{ウ})}$，半径 $\boxed{(\text{エ})}$ の円

よって，z 平面上の円 $|z - i| = 2$ は，w 平面上の中心 $\boxed{(\text{ウ})}$，半径 $\boxed{(\text{エ})}$ の円 $\left| w - \boxed{(\text{ウ})} \right| = \boxed{(\text{エ})}$ に写される。 …………(答)

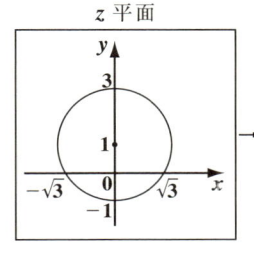
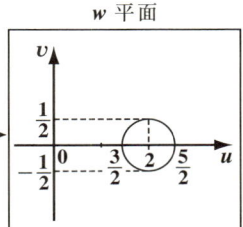

複素関数 $w = \dfrac{z-2}{iz-i}$ により，z 平面上の図形 $0 \leqq x \leqq 1$，$0 \leqq y \leqq 1$ は，w 平面上でどのような図形に写されるか，調べて図示せよ。

ただし，$z = x + iy$，$w = u + iv$ （x, y, u, v：実数）とする。

ヒント！ $x = \dfrac{z + \bar{z}}{2}$，$y = \dfrac{z - \bar{z}}{2i}$ より，$0 \leqq \dfrac{z + \bar{z}}{2} \leqq 1$，$0 \leqq \dfrac{z - \bar{z}}{2i} \leqq 1$ となる。

これに $z = \dfrac{w + 2i}{w + i}$ と $\bar{z} = \dfrac{\bar{w} - 2i}{\bar{w} - i}$ を代入して，w の不等式にもち込んで，解いていこう。

解答＆解説

z 平面上の図形：$0 \leqq x \leqq 1$ ……①，$0 \leqq y \leqq 1$ ……②が，

複素関数 $w = \dfrac{z-2}{iz-i}$ ……③により，w 平面上に写される図形を調べる。

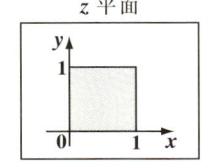

z 平面

$z = x + iy$，$\bar{z} = x - iy$ より，$x = \dfrac{z + \bar{z}}{2}$ ……④，$y = \dfrac{z - \bar{z}}{2i}$ ……⑤

③より，

$$z = \dfrac{-iw + 2}{-iw + 1} = \dfrac{\cancel{-i}(w + 2i)}{\cancel{-i}(w + i)} = \dfrac{w + 2i}{w + i} \quad \cdots\cdots ⑥$$

> $w = f(z) = \dfrac{\alpha z + \beta}{\gamma z + \delta}$ のとき，
> $z = f^{-1}(w) = \dfrac{\delta w - \beta}{-\gamma w + \alpha}$

（ⅰ）まず，④を①に代入して，

$$0 \leqq \dfrac{z + \bar{z}}{2} \leqq 1 \qquad 0 \leqq z + \bar{z} \leqq 2 \quad \cdots\cdots ⑦$$

⑥より，$\bar{z} = \overline{\left(\dfrac{w + 2i}{w + i}\right)} = \dfrac{\bar{w} - 2i}{\bar{w} - i}$ ……⑥′　　　⑥と⑥′を⑦に代入して，

$$0 \leqq \dfrac{w + 2i}{w + i} + \dfrac{\bar{w} - 2i}{\bar{w} - i} \leqq 2$$

$$\dfrac{(w + 2i)(\bar{w} - i) + (\bar{w} - 2i)(w + i)}{(w + i)(\bar{w} - i)} = \dfrac{w\bar{w} - iw + 2i\bar{w} + 2 + w\bar{w} - 2iw + i\bar{w} + 2}{|w + i|^2}$$

$$\boxed{(w + i)(\overline{w + i}) = |w + i|^2 \ (>0)\ (\text{ただし，}w \neq -i)}$$

$$= \dfrac{2w\bar{w} - 3iw + 3i\bar{w} + 4}{|w + i|^2}$$

$$0 \leqq \frac{2w\overline{w} - 3iw + 3i\overline{w} + 4}{|w + i|^2} \leqq 2 \quad (w \neq -i)$$

各辺に $|w + i|^2 (> 0)$ をかけて，$\boxed{(w + i)(\overline{w} - i) = w\overline{w} - iw + i\overline{w} + 1}$

$\underset{(ア)}{0 \leqq \underline{2w\overline{w} - 3iw + 3i\overline{w} + 4}} \leqq \underset{(イ)}{\underline{2\boxed{|w + i|^2}}}$ 　　（ア）と（イ）の不等式に分解して，

（ア）$2w\overline{w} - 3iw + 3i\overline{w} + 4 \geqq 0$ 　を変形すると，

$$w\overline{w} - \frac{3}{2}iw + \frac{3}{2}i\overline{w} \geqq -2$$

$$w\left(\overline{w} - \frac{3}{2}i\right) + \frac{3}{2}i\left(\overline{w} - \frac{3}{2}i\right) \geqq -2 - \left(\frac{3}{2}i\right)^2$$

右辺：$-2 + \frac{9}{4} = \frac{1}{4}$

$$\left(w + \frac{3}{2}i\right)\left(\overline{w} - \frac{3}{2}i\right) \geqq \frac{1}{4} \qquad \left(w + \frac{3}{2}i\right)\overline{\left(w + \frac{3}{2}i\right)} \geqq \frac{1}{4}$$

$$\left|w + \frac{3}{2}i\right|^2 \geqq \frac{1}{4} \qquad \therefore \left|w + \frac{3}{2}i\right| \geqq \frac{1}{2} \quad \cdots\cdots \text{⑧} \quad (w \neq -i)$$

$\boxed{\text{中心} -\frac{3}{2}i, \text{ 半径} \frac{1}{2} \text{ の円の周とその外部}}$

（イ）$2w\overline{w} - 3iw + 3i\overline{w} + 4 \leqq 2(w\overline{w} - iw + i\overline{w} + 1)$

$$\underset{\boxed{(u+iv)}}{iw} - \underset{\boxed{(u-iv)}}{i\overline{w}} \geqq 2$$

ここで $w = u + iv$, $\overline{w} = u - iv$ より，

$$i(u + iv) - i(u - iv) \geqq 2$$

$$-2v \geqq 2 \quad \therefore v \leqq -1 \quad \cdots\cdots \text{⑨}$$

以上⑧，⑨より，w 平面上の右図のような
領域（図形）になる。

（ⅱ）次に，$y = \frac{z - \overline{z}}{2i} \cdots\cdots$ ⑤を $0 \leqq y \leqq 1 \cdots\cdots$ ②に代入して，

$$0 \leqq \frac{z - \overline{z}}{2i} \leqq 1$$

$$0 \leqq \frac{1}{i}(z - \overline{z}) \leqq 2 \quad \cdots\cdots \text{⑩}$$

各辺に，i をかけてはいけない。何故なら，実数同士のみに大小関係があるからだ。

⑩に，$z = \frac{w + 2i}{w + i} \cdots\cdots$ ⑥と $\overline{z} = \frac{\overline{w} - 2i}{\overline{w} - i} \cdots\cdots$ ⑥´ を代入して，

$$0 \leqq \frac{1}{i}\left(\frac{w+2i}{w+i} - \frac{\overline{w}-2i}{\overline{w}-i}\right) \leqq 2$$

$$\frac{(w+2i)(\overline{w}-i)-(\overline{w}-2i)(w+i)}{(w+i)(\overline{w}-i)} = \frac{w\overline{w}-iw+2i\overline{w}+2-(w\overline{w}-2iw+i\overline{w}+2)}{|w+i|^2}$$

$$|w+i|^2(>0)\,(\,\text{ただし},\ w\neq -i\,)$$

$$= \frac{iw+i\overline{w}}{|w+i|^2} = \frac{i(w+\overline{w})}{|w+i|^2}$$

$$0 \leqq \frac{1}{i}\cdot\frac{i(w+\overline{w})}{|w+i|^2} \leqq 2 \quad (w\neq -i) \qquad \text{各辺に}\ |w+i|^2(>0)\ \text{をかけて,}$$

$$(w+i)(\overline{w}-i) = w\overline{w}-iw+i\overline{w}+1$$

$$\underset{(\text{ウ})}{0 \leqq w+\overline{w}} \underset{(\text{エ})}{\leqq 2|w+i|^2} \qquad \text{ここで,}\ (\text{ウ})\ \text{と}\ (\text{エ})\ \text{の不等式に分解して,}$$

(ウ) $0 \leqq \underset{(u+iv)}{w} + \underset{(u-iv)}{\overline{w}}$ これに $w = u+iv$, $\overline{w} = u-iv$ を代入して,

$$0 \leqq u+iv+u-iv \qquad 2u \geqq 0 \quad \therefore\ u \geqq 0 \ \cdots\cdots ⑪$$

(エ) $w+\overline{w} \leqq 2(w\overline{w}-iw+i\overline{w}+1)$

$$2w\overline{w}-(1+2i)w-(1-2i)\overline{w}+2 \geqq 0$$

$$w\overline{w}-\left(\frac{1}{2}+i\right)w-\left(\frac{1}{2}-i\right)\overline{w} \geqq -1$$

$$\frac{1}{4}-i^2 = \frac{1}{4}+1 = \frac{5}{4}$$

$$w\left\{\overline{w}-\left(\frac{1}{2}+i\right)\right\}-\left(\frac{1}{2}-i\right)\left\{\overline{w}-\left(\frac{1}{2}+i\right)\right\} \geqq -1 + \left(\frac{1}{2}-i\right)\left(\frac{1}{2}+i\right)$$

$$\left\{w-\left(\frac{1}{2}-i\right)\right\}\left\{\overline{w}-\left(\frac{1}{2}+i\right)\right\} \geqq \frac{1}{4} \qquad \left|w-\left(\frac{1}{2}-i\right)\right|^2 \geqq \frac{1}{4}$$

$$\overline{\left\{w-\left(\frac{1}{2}-i\right)\right\}}$$

$$\therefore\ \left|w-\left(\frac{1}{2}-i\right)\right| \geqq \frac{1}{2} \ \cdots\cdots ⑫$$

$$\text{中心}\frac{1}{2}-i,\ \text{半径}\frac{1}{2}\ \text{の円の周とその外部}$$

以上⑪, ⑫より, w 平面上の右図のような領域 (図形) になる。

$$\left|w-\left(\frac{1}{2}-i\right)\right| = \frac{1}{2}$$

以上 (i)(ii) をまとめると，z 平面上の図形 $0 \leqq x \leqq 1$，$0 \leqq y \leqq 1$ は，w 平面上では，

$$\begin{cases} \left| w + \dfrac{3}{2} i \right| \geqq \dfrac{1}{2} & \cdots\cdots\cdots\cdots ⑧ \\[3mm] v \leqq -1 & \cdots\cdots\cdots\cdots\cdots ⑨ \end{cases}$$

かつ

$$\begin{cases} u \geqq 0 & \cdots\cdots\cdots\cdots\cdots ⑪ \\[3mm] \left| w - \left(\dfrac{1}{2} - i \right) \right| \geqq \dfrac{1}{2} & \cdots\cdots ⑫ \end{cases}$$

で表される図形 (右図の網目部) に写される。$\cdots\cdots\cdots\cdots\cdots\cdots$(答)

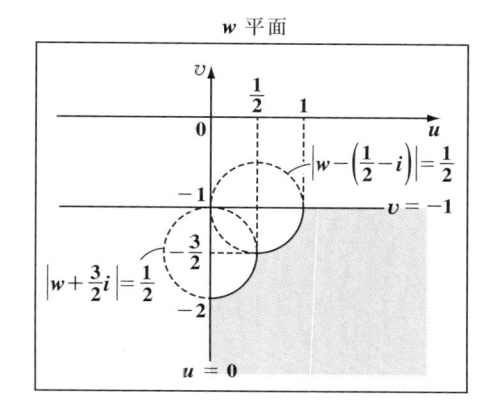

w 平面

次の値を求めよ。

(1) $e^{\pi i} \cdot e^{2 - \frac{\pi}{4}i}$　　　(2) $\dfrac{e^i}{e^{1-3i}}$　　　(3) $\left(e^{\frac{1+\pi i}{2}}\right)^5$

(4) $\left| e^{i(\pi + i)} \right|$　　　(5) $e^{(2n+1)\pi i}$　　(n：整数)

> **ヒント！**　$z = x + iy$ のとき，$e^z = e^{x+iy} = e^x(\cos y + i\sin y)$　(x，y：実数) である。
> また，$\left| e^{(実数)i} \right| = 1$ となることも，問題を解く上で重要なポイントである。

解答＆解説

(1) $e^{\pi i} \cdot e^{2 - \frac{\pi}{4}i} = e^{\pi i + 2 - \frac{\pi}{4}i} = e^{2 + \frac{3}{4}\pi i} = e^2 \cdot e^{\frac{3}{4}\pi i}$

$\qquad = e^2 \left(\cos\dfrac{3}{4}\pi + i\sin\dfrac{3}{4}\pi \right) = e^2 \left(-\dfrac{1}{\sqrt{2}} + \dfrac{1}{\sqrt{2}}i \right)$

$\qquad = \dfrac{e^2}{\sqrt{2}}(-1 + i)$ ………………………………………………（答）

(2) $\dfrac{e^i}{e^{1-3i}} = e^{i - (1-3i)} = e^{-1+4i} = e^{-1} \cdot e^{4i}$

$\qquad = \dfrac{1}{e}(\cos 4 + i\sin 4)$ ………………………………………（答）

(3) $\left(e^{\frac{1+\pi i}{2}}\right)^5 = e^{\frac{5}{2} + \frac{5}{2}\pi i} = e^{\frac{5}{2}} \cdot e^{\frac{5}{2}\pi i} = e^2\sqrt{e}\left(\cos\dfrac{5}{2}\pi + i\sin\dfrac{5}{2}\pi \right)$

$\qquad\qquad\qquad\quad \boxed{e^2 \cdot \sqrt{e}} \qquad\qquad \boxed{\cos\dfrac{\pi}{2} = 0} \quad \boxed{\sin\dfrac{\pi}{2} = 1}$

$\qquad = e^2\sqrt{e}\,i$ ……………………………………………………（答）

(4) $\left| e^{i(\pi + i)} \right| = \left| e^{-1 + \pi i} \right| = \left| e^{-1} \cdot e^{\pi i} \right| = e^{-1}\left| e^{\pi i} \right| = e^{-1}$ …………（答）

$\qquad\qquad \boxed{\oplus の実数} \qquad\qquad \boxed{1 \left(\because \left| e^{(実数)i} \right| = 1 \right)}$

(5) $e^{(2n+1)\pi i} = e^{2n\pi i} \cdot e^{\pi i} = 1 \cdot (\cos\pi + i\sin\pi) = -1$ ……………………（答）

$\boxed{\begin{array}{c} \underset{1}{\underline{\cos 2n\pi}} + \underset{0}{\underline{i\sin 2n\pi}} = 1 \\ (n：整数) \end{array}}$

演習問題 30　　　● 指数計算（Ⅱ）●

次の値を求めよ。

$(1)\, e^{-\pi i} \cdot e^{1+\frac{\pi}{3}i}$ 　　　　$(2)\, \dfrac{e^{-i}}{e^{3-2i}}$ 　　　　$(3)\, \left(e^{\frac{1-\pi i}{3}}\right)^6$

$(4)\, \left| e^{-i\left(\frac{\pi}{2}-i\right)} \right|$ 　　　　$(5)\, e^{(2n-1)\pi i}$ 　　（n：整数）

ヒント!　複素指数関数の定義 $e^z = e^{x+iy} = e^x(\cos y + i\sin y)$ を使って解こう。

解答＆解説

$(1)\, e^{-\pi i} \cdot e^{1+\frac{\pi}{3}i} = e^{-\pi i + 1 + \frac{\pi}{3}i} = e^{1-\frac{2}{3}\pi i} = e^1 \cdot e^{-\frac{2}{3}\pi i}$

$\quad = e\left\{\cos\left(-\dfrac{2}{3}\pi\right) + i\sin\left(-\dfrac{2}{3}\pi\right)\right\} = e\left(-\dfrac{1}{2} - \dfrac{\sqrt{3}}{2}i\right)$

$\quad = \boxed{(ア)}$ ………………………………（答）

$(2)\, \dfrac{e^{-i}}{e^{3-2i}} = e^{-i-(3-2i)} = e^{-3+i} = e^{-3} \cdot e^{i}$

$\quad = \boxed{(イ)}$ ………………………………（答）

$(3)\, \left(e^{\frac{1-\pi i}{3}}\right)^6 = e^{2-2\pi i} = e^2 \cdot e^{-2\pi i} = e^2\{\underbrace{\cos(-2\pi)}_{1} + \underbrace{i\sin(-2\pi)}_{0}\}$

$\quad = \boxed{(ウ)}$ ………………………………（答）

$(4)\, \left| e^{-i\left(\frac{\pi}{2}-i\right)} \right| = \left| e^{-1-\frac{\pi}{2}i} \right| = \left| \underbrace{e^{-1}}_{\oplus\,\text{の実数}} \cdot e^{-\frac{\pi}{2}i} \right| = e^{-1} \cdot \underbrace{\left| e^{-\frac{\pi}{2}i} \right|}_{1} = \boxed{(エ)}$ ………………（答）

$(5)\, e^{(2n-1)\pi i} = \underbrace{e^{2n\pi i}}_{1} \cdot e^{-\pi i} = 1 \cdot \{\underbrace{\cos(-\pi)}_{-1} + \underbrace{i\sin(-\pi)}_{0}\} = \boxed{(オ)}$ …………（答）

解答　$(ア)\, -\dfrac{e}{2}(1+\sqrt{3}i)$ 　$(イ)\, \dfrac{1}{e^3}(\cos 1 + i\sin 1)$ 　$(ウ)\, e^2$ 　$(エ)\, e^{-1}\left(\text{または},\ \dfrac{1}{e}\right)$ 　$(オ)\, -1$

次の方程式をみたす複素数 z を求めよ。

$(1)e^z = e^{-1}$ ……① $(2)e^z = 3 - \sqrt{3}\,i$ ……②

ヒント！ $z = x + iy$ とおくと，$e^z = e^{x+iy} = e^x \cdot e^{iy} = e^x(\cos y + i\sin y)$ となるので，$|e^z| = e^x$，$\arg e^z = y$ である。よって，$(1)|e^z| = e^{-1}$，$(2)|e^z| = 2\sqrt{3}$ であることがすぐに分かる。

解答＆解説

$z = x + iy$ （x，y：実数）とおくと，$e^z = \underbrace{e^x}_{|e^z|}(\underbrace{\cos y + i\sin y}_{\arg e^z})$ である。

$(1)e^z = e^{-1}$ ……① より，$|e^z| = e^x = e^{-1}$　∴$x = -1$

これから，$z = -1 + iy$ となる。よって，

$e^z = e^{-1}(1 + 0i) = \underbrace{e^{-1}}_{e^x}(\cos \underbrace{0}_{y} + i\sin \underbrace{0}_{y})$ より，$\underline{y = 0 + 2n\pi}$ （n：整数）

> $y = 0$ が解であるということは，
> $y = 0 + 2n\pi$ も解になる。

以上より，$z = x + iy = -1 + 2n\pi i$ （n：整数）である。 ……………(答)

$(2)e^z = 3 - \sqrt{3}\,i$ ……② より，

$|e^z| = e^x = \sqrt{3^2 + (\sqrt{3})^2} = \sqrt{12} = 2\sqrt{3}$

∴$x = \log 2\sqrt{3}$

これから，$z = \log 2\sqrt{3} + iy$ となる。よって，

$e^z = 2\sqrt{3}\left(\dfrac{\sqrt{3}}{2} - \dfrac{1}{2}i\right) = \underbrace{2\sqrt{3}}_{e^x}\left\{\cos\left(\underbrace{-\dfrac{\pi}{6}}_{y}\right) + i\sin\left(\underbrace{-\dfrac{\pi}{6}}_{y}\right)\right\}$ より，

$y = -\dfrac{\pi}{6} + 2n\pi$ （n：整数）

> $y = -\dfrac{\pi}{6}$ が解であるということは，
> $y = -\dfrac{\pi}{6} + 2n\pi$ も解である。

以上より，$z = \log 2\sqrt{3} + \left(-\dfrac{\pi}{6} + 2n\pi\right)i$ （n：整数）である。 …………(答)

演習問題 32　　　　　● 指数計算 (Ⅳ) ●

次の方程式をみたす複素数 z を求めよ。

(1) $e^z = e^3$ ……①　　　　(2) $e^z = -2 + 2i$ ……②

ヒント！　$e^z = e^{x+iy} = e^x(\cos y + i\sin y)$ を利用して，複素数 z の値を求めよう。

解答＆解説

$z = x + iy$　$(x,\ y：実数)$ とおくと　$e^z = e^x(\cos y + i\sin y)$ である。

(1) $e^z = e^3$ ……① より，$|e^z| = e^x = e^3$　∴ $x = \boxed{(ア)}$

これから，$z = \boxed{(ア)} + iy$ となる。よって，

$e^z = e^3(1 + 0i) = \underset{e^x}{e^3}(\cos \underset{y}{0} + i\sin \underset{y}{0})$ より，$\underline{y = 0 + 2n\pi}$　$(n：整数)$

$y = 0$ から，一般角 $y = 0 + 2n\pi$ となる。

以上より，$z = x + iy = \boxed{(ア)} + \boxed{(イ)}\,i$　$(n：整数)$ である。………(答)

(2) $e^z = -2 + 2i$ ……② より，

$|e^z| = e^x = \sqrt{(-2)^2 + 2^2} = \sqrt{8} = 2\sqrt{2}$　∴ $x = \log \boxed{(ウ)}$

これから，$z = \log \boxed{(ウ)} + iy$ となる。よって，

$e^z = 2\sqrt{2}\left(-\dfrac{1}{\sqrt{2}} + \dfrac{1}{\sqrt{2}}i\right) = \underset{e^x}{2\sqrt{2}}\left(\cos \underset{y}{\dfrac{3}{4}\pi} + i\sin \underset{y}{\dfrac{3}{4}\pi}\right)$ より，

$y = \dfrac{3}{4}\pi + 2n\pi$　$(n：整数)$　←　$y = \dfrac{3}{4}\pi$ から，一般角 $y = \dfrac{3}{4}\pi + 2n\pi$ となる。

以上より，$z = \log \boxed{(ウ)} + \left(\boxed{(エ)}\right)i$ $(n：整数)$ である。……(答)

解答　(ア) 3　　(イ) $2n\pi$　　(ウ) $2\sqrt{2}$　　(エ) $\dfrac{3}{4}\pi + 2n\pi$

$z = re^{i\theta}$ ($r > 0$) のとき，次の値を求めよ。

(1) $|e^{z^2}|$ （2）$\left|e^{\frac{1}{z}}\right|$ （3）$|e^{-iz}|$ （4）$\left|e^{\frac{i}{z}}\right|$

ヒント！ x, y が実数のとき，$|e^{x+iy}| = |e^x||e^{iy}| = e^x$ となる。つまり，$|e^{(実数)i}| = 1$ となることを利用して解いていこう。 $\oplus$ $\boxed{|\cos y + i\sin y| = \sqrt{\cos^2 y + \sin^2 y} = 1}$

解答＆解説

$z = re^{i\theta} = r(\cos\theta + i\sin\theta)$ のとき，

(1) $e^{z^2} = e^{r^2 e^{2\theta i}} = e^{r^2(\cos 2\theta + i\sin 2\theta)} = e^{r^2\cos 2\theta} \cdot e^{ir^2\sin 2\theta}$ より，

$|e^{z^2}| = |e^{r^2\cos 2\theta} \cdot e^{ir^2\sin 2\theta}| = e^{r^2\cos 2\theta} \cdot \underbrace{|e^{ir^2\sin 2\theta}|}_{1(\because |e^{(実数)\cdot i}| = 1)}$

$\therefore |e^{z^2}| = e^{r^2\cos 2\theta}$ である。 $\cdots\cdots$（答）

(2) $e^{\frac{1}{z}} = e^{\frac{1}{r}} \cdot e^{-i\theta} = e^{\frac{1}{r}\{(\cos(-\theta) + i\sin(-\theta)\}} = e^{\frac{1}{r}(\cos\theta - i\sin\theta)}$
$= e^{\frac{1}{r}\cos\theta} \cdot e^{-i\frac{1}{r}\sin\theta}$

$\left|e^{\frac{1}{z}}\right| = \left|e^{\frac{1}{r}\cos\theta} \cdot e^{-i\frac{1}{r}\sin\theta}\right| = e^{\frac{1}{r}\cos\theta} \underbrace{\left|e^{i\left(-\frac{1}{r}\sin\theta\right)}\right|}_{1(\because |e^{(実数)\cdot i}| = 1)}$

$\therefore \left|e^{\frac{1}{z}}\right| = e^{\frac{1}{r}\cos\theta}$ である。 $\cdots\cdots$（答）

(3) $e^{-iz} = e^{-ire^{i\theta}} = e^{-ir(\cos\theta + i\sin\theta)} = e^{-ir\cos\theta - \overset{(-1)}{\boxed{i^2}}r\sin\theta}$
$= e^{r\sin\theta} \cdot e^{-ir\cos\theta}$ より，

$|e^{-iz}| = |e^{r\sin\theta} \cdot e^{i\cdot(-r\cos\theta)}| = e^{r\sin\theta} \underbrace{|e^{i(-r\cos\theta)}|}_{1(\because |e^{(実数)\cdot i}| = 1)}$

$\therefore |e^{-iz}| = e^{r\sin\theta}$ である。 $\cdots\cdots$（答）

(4) $e^{\frac{i}{z}} = e^{\frac{i}{r}}e^{-i\theta} = e^{\frac{i}{r}(\cos\theta - i\sin\theta)} = e^{\frac{i}{r}\cos\theta} \cdot e^{\frac{1}{r}\sin\theta}$ より，

$\left|e^{\frac{i}{z}}\right| = \left|e^{\frac{1}{r}\sin\theta} \cdot e^{i\frac{1}{r}\cos\theta}\right| = e^{\frac{1}{r}\sin\theta} \underbrace{\left|e^{i\frac{1}{r}\cos\theta}\right|}_{1(\because |e^{(実数)\cdot i}| = 1)}$

$\therefore \left|e^{\frac{i}{z}}\right| = e^{\frac{1}{r}\sin\theta}$ である。 $\cdots\cdots$（答）

複素関数 $w = e^z$ により，z 平面上の図形 $|z - 1| = 1$ が，w 平面上に写される図形について，$z = e^{i\theta} + 1$（$-\pi < \theta \leqq \pi$）とおき，また $w = u + iv$ とおいたとき，u，v を媒介変数 θ で表せ。

ヒント！　z 平面上の中心 1，半径 1 の円 $|z - 1| = 1$ は，$z = e^{i\theta} + 1$（原点中心の単位円 $z = 1 \cdot e^{i\theta}$ を 1 だけ平行移動したもの）と表されるので，$w = u + iv = e^{e^{i\theta} + 1}$ として u，v を θ の式で表せばいい。

解答 & 解説

z 平面上の中心 1，半径 1 の円：$|z - 1| = 1$ ……①
は媒介変数 θ を用いて，

$z = \underset{\boxed{\cos\theta + i\sin\theta} \leftarrow \boxed{\text{オイラーの公式}}}{e^{i\theta}} + 1 = \cos\theta + 1 + i\sin\theta$ ……②（$-\pi < \theta \leqq \pi$）

と表せる。よって，②より $w = u + iv = e^z$ は，

$w = u + iv = e^z = e^{\cos\theta + 1 + i\sin\theta} = e^{\cos\theta + 1} \cdot e^{i\sin\theta}$

$= \underset{\boxed{|w|}}{e^{\cos\theta + 1}} \{ \underset{\boxed{\arg w}}{(\cos(\sin\theta) + i\sin(\sin\theta))} \}$

$= \underset{\boxed{u}}{e^{\cos\theta + 1} \cdot \cos(\sin\theta)} + \underset{\boxed{v}}{i e^{\cos\theta + 1} \cdot \sin(\sin\theta)}$

以上より，w の実部 u と虚部 v は θ を用いて，

$\begin{cases} u = e^{\cos\theta + 1} \cdot \cos(\sin\theta) & ……③ \\ v = e^{\cos\theta + 1} \cdot \sin(\sin\theta) & ……④ \end{cases}$

　　（$-\pi < \theta \leqq \pi$）と表せる。 …………（答）

①を w 平面上に写してできる図形③，④は θ を消去することが難しいので，これをコンピュータを使って描くと，右図のようになる。

z 平面

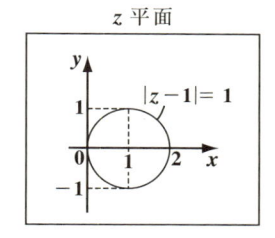

w 平面

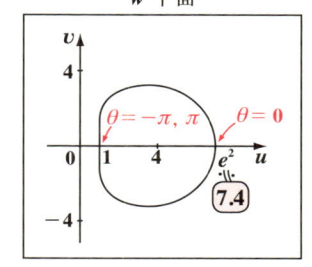

複素関数 $w = e^z$ により，z 平面上の右図に示すような正方形 **OABC** が，w 平面上でどのような図形に写されるか，調べて図示せよ。ただし，$z = x + iy$，$w = u + vi$ として解け。

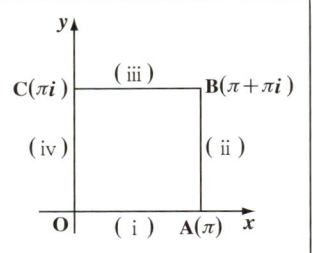

（ i ）**OA**，（ ii ）**AB**，（ iii ）**BC**，（ iv ）**CO** の **4** つに場合分けし，たとえば，（ i ）**OA** では $x = t$，$y = 0$（$0 \leq t \leq \pi$）のように，媒介変数 t を利用して解いていけばよい。

解答＆解説

$z = x + iy$，$w = u + iv$　（x，y，u，v：実数）とおいて，

複素指数関数 $w = e^z$ により，z 平面上の正方形 **OABC** が w 平面上に写される図形を，（ i ）**OA**，（ ii ）**AB**，（ iii ）**BC**，（ iv ）**CO** の **4** つの場合に分けて調べる。

（ i ）**OA** について，

　$x = t$，$y = 0$（$0 \leq t \leq \pi$）とおくと，

　$w = u + iv = e^z = e^{t + 0i} = e^t$　より，

これは，$w = \underset{u}{e^t} + i \cdot \underset{v}{0}$　と考える。

　$\begin{cases} u = e^t \quad (0 \leq t \leq \pi) \quad \boxed{実数} \\ v = 0 \end{cases}$

　（これは，u 軸上の $1 \leq u \leq e^\pi$ の線分を表す。）

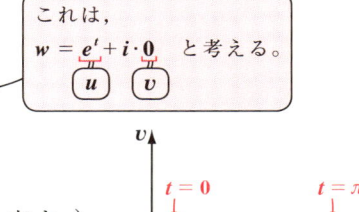

（ ii ）**AB** について，

　$x = \pi$，$y = t$（$0 \leq t \leq \pi$）とおくと，

　$w = u + iv = e^z = e^{\pi + it} = e^\pi \cdot e^{it} = e^\pi(\cos t + i\sin t)$

　　$= \underset{u}{e^\pi \cos t} + i\underset{v}{e^\pi \sin t}$　より，

　$\begin{cases} u = e^\pi \cos t \\ v = e^\pi \sin t \quad (0 \leq t \leq \pi) \end{cases}$

　$\left(\begin{array}{l} これは，原点を中心とする \\ 半径 e^\pi の上半円を表す。 \end{array} \right)$

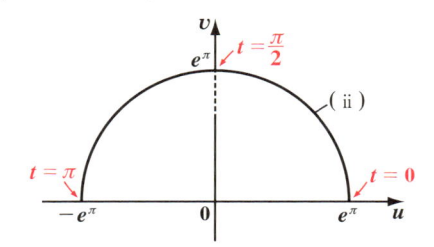

(ⅲ) **BC** について,

$x = t$, $y = \pi$ $(0 \le t \le \pi)$ とおくと,

$w = u + iv = e^{t+\pi i} = e^t(\underbrace{\cos\pi}_{-1} + \underbrace{i\sin\pi}_{0}) = \underbrace{-e^t}_{実数}$ より,

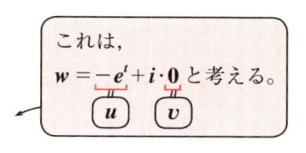

これは,
$w = \underbrace{-e^t}_{u} + i \cdot \underbrace{0}_{v}$ と考える。

$$\begin{cases} u = -e^t & (0 \le t \le \pi) \\ v = 0 \end{cases}$$

(これは, u 軸上の $-e^\pi \le t \le -1$ の線分を表す。)

(ⅳ) **CO** について,

$x = 0$, $y = t$ $(0 \le t \le \pi)$ とおくと,

$w = u + iv = e^{0+it} = e^{it} = \underbrace{\cos t}_{u} + i\underbrace{\sin t}_{v}$ より,

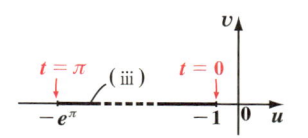

$$\begin{cases} u = \cos t \\ v = \sin t & (0 \le t \le \pi) \end{cases}$$

(これは, 原点を中心とする半径 1 の上半円を表す。)

以上 (ⅰ) ～ (ⅳ) より, z 平面上の正方形 **OABC** は複素関数 $w = e^z$ により, w 平面上で右図に示すような図形に写される。…………(答)

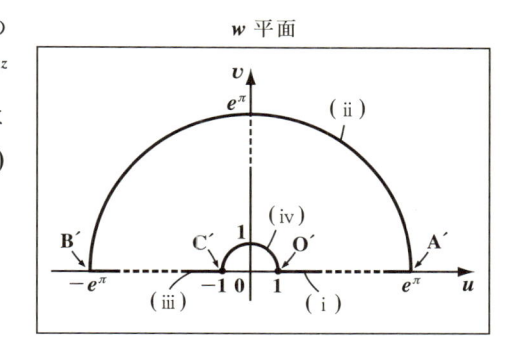

w 平面

次の複素数の自然対数とその主値を求めよ。

$(1) z_1 = e^{-2}$ $\qquad (2) z_2 = -2i$ $\qquad (3) z_3 = 1 - i$

ヒント！ $z_1 = r_1 e^{i\theta_1}$ $(r_1 > 0, \ -\pi < \theta_1 \leqq \pi)$ のとき，この自然対数 $\log z_1$ とその主値 $\text{Log} z_1$ は，$\log z_1 = \log r_1 + i(\theta_1 + 2n\pi)$，$\text{Log} z_1 = \log r_1 + i\theta_1$ となる。

解答＆解説

$(1) z_1 = \underset{\overset{\|}{|z_1| = r_1}}{e^{-2}} = e^{-2} \cdot (1 + 0i) = e^{-2} \cdot (\underset{\text{arg} z_1 = 0 + 2n\pi}{\cos 0} + i \underset{\text{主値の虚部}}{\sin 0})$ より，

z_1 の自然対数 $\log z_1$ とその主値 $\text{Log} z_1$ は，

$$\begin{cases} \log z_1 = \log e^{-2} + 2n\pi i = -2 + 2n\pi i \quad (n：整数) \\ \text{Log} z_1 = \text{Log} e^{-2} = \log e^{-2} + 0 \cdot i = -2 \end{cases} \quad \cdots\cdots\cdots\cdots (答)$$

$(2) z_2 = -2i = \underset{\overset{\|}{|z_2| = r_2}}{2} \cdot (-i) = 2\{0 + i \cdot (-1)\} = 2\left\{ \cos\left(\underset{\text{arg} z_2 = -\frac{\pi}{2} + 2n\pi}{-\frac{\pi}{2}} \right) + i \sin\left(\underset{\text{主値の虚部}}{-\frac{\pi}{2}} \right) \right\}$ より，

z_2 の自然対数 $\log z_2$ とその主値 $\text{Log} z_2$ は，

$$\begin{cases} \log z_2 = \log 2 + \left(2n - \dfrac{1}{2} \right)\pi i \quad (n：整数) \\ \text{Log} z_2 = \text{Log}(-2i) = \log 2 - \dfrac{\pi}{2} i \end{cases} \quad \cdots\cdots\cdots\cdots (答)$$

$(3) z_3 = 1 - i = \underset{\overset{\|}{|z_3| = r_3 = \sqrt{1^2 + (-1)^2}}}{\sqrt{2}} \left(\dfrac{1}{\sqrt{2}} - \dfrac{1}{\sqrt{2}} i \right) = \sqrt{2} \left\{ \cos\left(\underset{\text{arg} z_3 = -\frac{\pi}{4} + 2n\pi}{-\frac{\pi}{4}} \right) + i \sin\left(\underset{\text{主値の虚部}}{-\frac{\pi}{4}} \right) \right\}$ より，

z_3 の自然対数 $\log z_3$ とその主値 $\text{Log} z_3$ は，

$$\begin{cases} \log z_3 = \underset{\log 2^{\frac{1}{2}} = \frac{1}{2}\log 2}{\log \sqrt{2}} + \left(-\dfrac{\pi}{4} + 2n\pi \right)i = \dfrac{1}{2}\log 2 + \left(2n - \dfrac{1}{4} \right)\pi i \quad (n：整数) \\ \text{Log} z_3 = \text{Log}(1 - i) = \dfrac{1}{2}\log 2 - \dfrac{\pi}{4} i \end{cases}$$

$\cdots (答)$

演習問題 37　　● 自然対数の計算 (Ⅱ) ●

次の複素数の自然対数とその主値を求めよ。

$(1)z_1 = -e^2$　　　$(2)z_2 = ie^{-1}$　　　$(3)z_3 = 1-\sqrt{3}\,i$

ヒント！　自然対数とその主値の公式通りに計算して，結果を出そう。

解答＆解説

$(1)z_1 = \underset{|z_1|=r_1}{\underline{e^2}}\cdot(-1) = e^2(-1+0i) = e^2(\underset{\arg z_1=\pi+2n\pi}{\cos\pi} + i\underset{主値の虚部}{\sin\pi})$　より，

z_1 の自然対数 $\log z_1$ とその主値 $\mathrm{Log}\,z_1$ は，

$$\begin{cases} \log z_1 = \log e^2 + (\pi+2n\pi)i = 2 + \boxed{(ア)} & (n：整数) \\ \mathrm{Log}\,z_1 = \log e^2 + \pi i = \boxed{(イ)} + \pi i \end{cases}$$ ………(答)

$(2)z_2 = \underset{|z_2|=r_2}{\underline{e^{-1}}}\cdot i = e^{-1}(0+1\cdot i) = e^{-1}\left(\underset{\arg z_2=\frac{\pi}{2}+2n\pi}{\cos\frac{\pi}{2}} + i\underset{主値の虚部}{\sin\frac{\pi}{2}}\right)$　より，

z_2 の自然対数 $\log z_2$ とその主値 $\mathrm{Log}\,z_2$ は，

$$\begin{cases} \log z_2 = \log e^{-1} + \left(\frac{\pi}{2}+2n\pi\right)i = -1 + \boxed{(ウ)} & (n：整数) \\ \mathrm{Log}\,z_2 = \log e^{-1} + \frac{\pi}{2}i = \boxed{(エ)} + \frac{\pi}{2}i \end{cases}$$ ……(答)

$(3)z_3 = 1-\sqrt{3}\,i = \underset{|z_3|=r_3=\sqrt{1^2+(-\sqrt{3})^2}}{\underline{2}}\left(\frac{1}{2}-\frac{\sqrt{3}}{2}i\right) = 2\left\{\underset{\arg z_3=-\frac{\pi}{3}+2n\pi}{\cos\left(-\frac{\pi}{3}\right)} + i\underset{主値の虚部}{\sin\left(-\frac{\pi}{3}\right)}\right\}$　より，

z_3 の自然対数 $\log z_3$ とその主値 $\mathrm{Log}\,z_3$ は，

$$\begin{cases} \log z_3 = \log 2 + \boxed{(オ)} & (n：整数) \\ \mathrm{Log}\,z_3 = \log 2 - \frac{1}{3}\pi i \end{cases}$$ ……………………(答)

解答　(ア) $(2n+1)\pi i$　(イ) 2　(ウ) $\left(2n+\frac{1}{2}\right)\pi i$　(エ) -1　(オ) $\left(2n-\frac{1}{3}\right)\pi i$

67

複素関数 $w = \mathbf{Log}\, z$ により，z 平面上の図形 $|z-1| = 1\,(z \neq 0)$ が，w 平面上に写される図形について，$z = e^{i\theta} + 1\,(-\pi < \theta < \pi)$ とおき，また，$w = u + iv$ とおいたとき，u，v を媒介変数 θ で表せ。

ただし，$\mathbf{Log}\, z$ は，$\log z$ の主値を表す。

ヒント！　z 平面上の中心 1，半径 1 の円 $|z-1| = 1$ は，$z = e^{i\theta} + 1 = \cos\theta + 1 + i\sin\theta$ と表されるので，これを基に，$w = u + iv = \mathbf{Log}\, z$ の u と v を媒介変数 θ で表示することができる。

解答 & 解説

z 平面上の中心 1，半径 1 の円：$|z-1| = 1$ ……① $(z \neq 0)$ は，媒介変数 θ を用いて，

$$z = \underbrace{e^{i\theta}}_{\cos\theta + i\sin\theta} + 1 = \underbrace{\cos\theta + 1}_{x\,(実部)} + i\underbrace{\sin\theta}_{y\,(虚部)} \quad \cdots\cdots② \quad (-\pi < \theta < \pi)$$

と表せる。②より，

$$|z|^2 = (\cos\theta + 1)^2 + \sin^2\theta = \underbrace{\cos^2\theta + \sin^2\theta}_{1} + 2\cos\theta + 1$$

$$= 2(1 + \cos\theta) = 2 \cdot 2\cos^2\frac{\theta}{2} = 4\cos^2\frac{\theta}{2}$$

半角の公式
$$\cos^2\frac{\theta}{2} = \frac{1 + \cos\theta}{2}$$

$$\therefore |z| = \sqrt{4\cos^2\frac{\theta}{2}} = 2\left|\cos\frac{\theta}{2}\right| = 2\cos\frac{\theta}{2} \quad \cdots\cdots③$$

0 より大 $\left(\because -\dfrac{\pi}{2} < \dfrac{\theta}{2} < \dfrac{\pi}{2}\right)$

②，③より，z を極形式で表すと，

$$z = \underbrace{1 + \cos\theta}_{2\cos^2\frac{\theta}{2}} + i\underbrace{\sin\theta}_{2\sin\frac{\theta}{2}\cdot\cos\frac{\theta}{2}} = 2\cos\frac{\theta}{2}\left(\cos\frac{\theta}{2} + i\sin\frac{\theta}{2}\right)$$

2 倍角の公式

68

$$\therefore z = 2\cos\frac{\theta}{2} \cdot e^{i\frac{\theta}{2}} \quad \cdots\cdots ④ \quad (-\pi < \theta < \pi) \text{ となる。}$$

$\underbrace{\phantom{2\cos\frac{\theta}{2}}}\ \boxed{|z| = r} \quad \boxed{\text{主値の虚部}}$

よって，④ より，$w = u + iv = \mathrm{Log}\, z$ は，

$$w = u + iv = \mathrm{Log}\, z = \underbrace{\log\left(2\cos\frac{\theta}{2}\right)}_{\boxed{u}} + i\underbrace{\frac{\theta}{2}}_{\boxed{v}}$$

$$\boxed{\log z = \log\left(2\cos\frac{\theta}{2}\right) + \left(\frac{\theta}{2} + 2n\pi\right)i \ (n：\text{整数}) \text{ の主値 }(n = 0 \text{ のときのもの})}$$

以上より，w の実部 u と虚部 v は
媒介変数 θ を用いて，

$$\begin{cases} u = \log\left(2\cos\dfrac{\theta}{2}\right) \quad\cdots\cdots\cdots\cdots ⑤ \\ v = \dfrac{\theta}{2} \quad\cdots\cdots\cdots\cdots\cdots\cdots\cdots\cdots ⑥ \end{cases}$$

$(-\pi < \theta < \pi)$ となる。$\cdots\cdots$(答)

①を w 平面上に写してできる図
形⑤，⑥のグラフは右図のよ
うになる。これは，⑥を⑤に
代入して，$u = \log(2\cos v)$
$\left(-\dfrac{\pi}{2} < v < \dfrac{\pi}{2}\right)$ のグラフである。

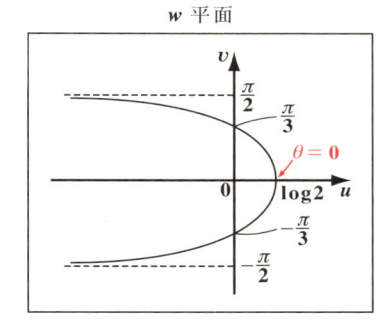

w 平面

複素関数 $w = \text{Log}\,z$ により，z 平面上の右図に示すような正方形 OABC（ただし，O を除く）が，w 平面上でどのような図形に写されるか，調べよ。ただし，$z = x + iy$，$w = u + iv$ とし，$\text{Log}\,z$ は $\log z$ の主値とする。

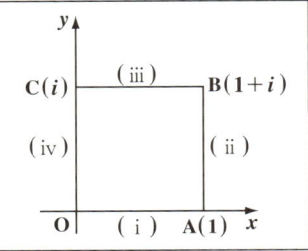

ヒント！（i）OA，（ii）AB，（iii）BC，（iv）CO の 4 つの部分に場合分けして，たとえば（i）OA では，$x = t$，$y = 0\ (0 < t \leqq 1)$ のように，媒介変数 t を用いて解こう。

解答＆解説

$z = x + iy$，$w = u + iv$　（x，y，u，v：実数）とおいて，複素対数関数 $w = \text{Log}\,z$ により，z 平面上の正方形 OABC（O を除く）が w 平面上に写される図形を，（i）OA，（ii）AB，（iii）BC，（iv）CO の 4 つの部分に場合分けして調べる。

（i）OA について，

$x = t$，$y = 0\ (0 < t \leqq 1)$ とおくと，$z = t$（正の実数）

$z = t \cdot (1 + 0i) = t \cdot (\cos 0 + i \sin 0)$　より，

$w = u + iv = \text{Log}\,z = \underset{u}{\underline{\log t}} + \underset{v}{\underline{0i}}$

$z = r(\cos\theta + i\sin\theta)$ のとき，$\text{Log}\,z = \log r + i \cdot \theta$

$\therefore \begin{cases} u = \log t\ \ (0 < t \leqq 1) \\ v = 0 \end{cases}$

（これは，u 軸上の半直線 $u \leqq 0$ を表す。）

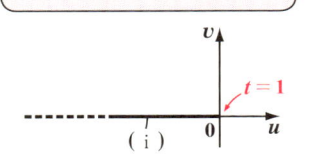

（ii）AB について，

$x = 1$，$y = t$　$(0 \leqq t \leqq 1)$ とおくと，$z = 1 + i \cdot t$

$\therefore z = \sqrt{1 + t^2}\,(\cos\theta + i\sin\theta)\,(\theta = \tan^{-1}t)$　より，

$w = u + iv = \text{Log}\,z = \underset{u}{\underline{\log \sqrt{1 + t^2}}} + \underset{v}{\underline{i \cdot \tan^{-1}t}}$

$|z| = \sqrt{1 + t^2}$
$\theta = \arg z = \tan^{-1}t$
$\left(\because \tan\theta = \dfrac{t}{1}\right)$

$\therefore \begin{cases} u = \log \sqrt{1 + t^2} \\ v = \tan^{-1}t \end{cases}\qquad (0 \leqq t \leqq 1)$

$\left(\begin{array}{l}\text{これは } u = \log \sqrt{1 + \tan^2 v}\ \text{と表せ，コン}\\ \text{ピュータで作図すると，右図のようになる。}\end{array}\right)$

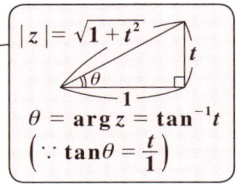
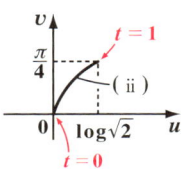

(ⅲ) **BC** について，

$x = t, \quad y = 1 \quad (0 \leqq t \leqq 1)$ とおくと，$z = t + 1 \cdot i$

よって，$z = \sqrt{1 + t^2}\,(\cos\theta + i\sin\theta)\,\left(\theta = \tan^{-1}\dfrac{1}{t}\right)$ より，

$$w = u + iv = \mathrm{Log}\,z = \underbrace{\log\sqrt{1 + t^2}}_{u} + \underbrace{i \cdot \tan^{-1}\dfrac{1}{t}}_{v}$$

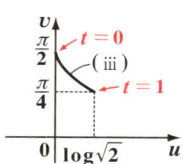

$$|z| = \sqrt{1 + t^2}$$
$$\theta = \arg z = \tan^{-1}\dfrac{1}{t}$$
$$\left(\because \tan\theta = \dfrac{1}{t}\right)$$

$$\therefore \begin{cases} u = \log\sqrt{1 + t^2} \\ v = \tan^{-1}\dfrac{1}{t} \end{cases} \quad (0 \leqq t \leqq 1)$$

$t = 0$ のとき $v = \tan^{-1}\infty = \dfrac{\pi}{2}$ と定義する。

$\left(\begin{array}{l}\text{これは } u = \log\sqrt{1 + \dfrac{1}{\tan^2 v}} \text{ と表せ，コン} \\ \text{ピュータで作図すると右図のようになる。}\end{array}\right)$

(ⅳ) **CO** について，

$x = 0, \quad y = t \quad (0 < t \leqq 1)$ とおくと，$z = 0 + i \cdot t$

$z = t \cdot (0 + 1 \cdot i) = t\left(\cos\dfrac{\pi}{2} + i\sin\dfrac{\pi}{2}\right)$ より，

$$w = u + iv = \mathrm{Log}\,z = \underbrace{\log t}_{u} + \underbrace{\dfrac{\pi}{2}i}_{v}$$

$$\therefore \begin{cases} u = \log t \quad (0 < t \leqq 1) \\ v = \dfrac{\pi}{2} \end{cases}$$

$\left(\text{これは，半直線 } v = \dfrac{\pi}{2} \ (u \leqq 0) \text{ を表す。}\right)$

以上より，z 平面上の **O** を除く正方形 **OABC** は，
複素関数 $w = \mathrm{Log}\,z$ により，w 平面上の図形

$\left\{\begin{array}{l}(ⅰ)\,u = \log t, \quad v = 0 \quad\quad (0 < t \leqq 1) \\[4pt] (ⅱ)\,u = \log\sqrt{1 + t^2}, \quad v = \tan^{-1}t \quad\quad (0 \leqq t \leqq 1) \\[4pt] (ⅲ)\,u = \log\sqrt{1 + t^2}, \quad v = \tan^{-1}\dfrac{1}{t} \quad\quad (0 \leqq t \leqq 1) \\[4pt] (ⅳ)\,u = \log t, \quad v = \dfrac{\pi}{2} \quad\quad (0 < t \leqq 1)\end{array}\right.$

に写される。w 平面上のこの図を示すと右図
のようになる。……………………………(答)

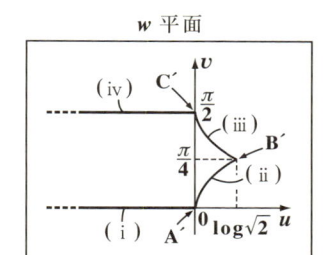

次の複素数を計算せよ。

(1) i^{2i}　　　　　　**(2)** $(-i)^{-i}$　　　　　　**(3)** $16^{\frac{1}{4}}$

ヒント！　2つの複素数 α, β $(\alpha \neq 0)$ について，$\alpha^{\beta} = e^{\beta \log \alpha}$ となる。$\alpha = re^{i\theta}$ $(-\pi < \theta \leq \pi)$ のとき，$\alpha^{\beta} = e^{\beta\{\log r + i(\theta + 2n\pi)\}}$ $(n = 整数)$ となる。

解答 & 解説

(1) $i^{2i} = e^{2i\log \boxed{i}} = e^{2i\left\{\log 1 + \left(\frac{\pi}{2} + 2n\pi\right)i\right\}}$　←　公式 $\alpha^{\beta} = e^{\beta \log \alpha}$

（上に吹き出し：$1 \cdot e^{\frac{\pi}{2}i}$）

$= e^{-2\left(\frac{\pi}{2} + 2n\pi\right)} = e^{-\pi - 4n\pi}$　$(n：整数)$　$\cdots\cdots\cdots\cdots\cdots$（答）

$n = 0$ のとき $i^{2i} = e^{-\pi}$ （主値）となる。

(2) $(-i)^{-i} = e^{-i \cdot \log(\boxed{-i})} = e^{-i\left\{\log 1 + \left(-\frac{\pi}{2} + 2n\pi\right)i\right\}}$

（上に吹き出し：$1 \cdot e^{-\frac{\pi}{2}i}$）

$= e^{-\frac{\pi}{2} + 2n\pi}$　$(n：整数)$　$\cdots\cdots\cdots\cdots\cdots\cdots$（答）

$n = 0$ のとき $(-i)^{-i} = e^{-\frac{\pi}{2}}$ （主値）となる。

(3) $16^{\frac{1}{4}} = e^{\frac{1}{4}\log \boxed{16}} = e^{\frac{1}{4}\{\log 16 + (0 + 2n\pi)i\}}$

（上に吹き出し：$16e^{0 \cdot i}$）

$= e^{\frac{1}{4}\log 16} \cdot e^{\frac{n\pi}{2}i} = 2\left(\cos\frac{n}{2}\pi + i\sin\frac{n}{2}\pi\right)$　$(n：整数)$　$\cdots\cdots$（答）

（下に吹き出し：$e^{\log(2^4)^{\frac{1}{4}}} = e^{\log 2} = 2$）

これは，実質的に 16 の 4乗根の問題なので，$n = 0, 1, 2, 3$ の 4通りを調べると，

・$n = 0$ のとき，$16^{\frac{1}{4}} = 2(\cos 0 + i\sin 0) = 2 \cdot 1 = 2$

・$n = 1$ のとき，$16^{\frac{1}{4}} = 2\left(\cos\frac{\pi}{2} + i\sin\frac{\pi}{2}\right) = 2 \cdot i = 2i$

・$n = 2$ のとき，$16^{\frac{1}{4}} = 2(\cos\pi + i\sin\pi) = 2 \cdot (-1) = -2$

・$n = 3$ のとき，$16^{\frac{1}{4}} = 2\left(\cos\frac{3}{2}\pi + i\sin\frac{3}{2}\pi\right) = 2 \cdot (-i) = -2i$　となる。

当然これは，方程式 $z^4 = 16$ の解と一致する。

演習問題 41　　　● ベキ乗計算（Ⅱ）●

次の複素数を計算せよ。

(1) $(1-i)^i$　　　　**(2)** $(1+\sqrt{3}\,i)^{2i}$　　　　**(3)** $(3-\sqrt{3}\,i)^{-2i}$

ヒント！ これらも，複素数のベキ乗計算の公式：$\alpha^{\beta}=e^{\beta\log\alpha}$ を利用して解けばよい。

解答＆解説

$$\sqrt{2}\left\{\cos\left(-\frac{\pi}{4}\right)+i\sin\left(-\frac{\pi}{4}\right)\right\}=\sqrt{2}\,e^{-\frac{\pi}{4}i}$$

(1) $(1-i)^i=e^{i\log(\boxed{1-i})}=e^{i\left\{\log\sqrt{2}+\left(-\frac{\pi}{4}+2n\pi\right)i\right\}}$

公式 $\alpha^{\beta}=e^{\beta\log\alpha}$
$=e^{\beta\{\log r+(\theta+2n\pi)i\}}$
$(\alpha=re^{i\theta})$

$\qquad=e^{\frac{\pi}{4}-2n\pi}\cdot e^{i\log\sqrt{2}}$

$\qquad=e^{\frac{\pi}{4}-2n\pi}\left\{\cos(\log\sqrt{2})+i\sin(\log\sqrt{2})\right\}$　（n：整数）…………(答)

$$2\left(\cos\frac{\pi}{3}+i\sin\frac{\pi}{3}\right)=2e^{\frac{\pi}{3}i}$$

(2) $(1+\sqrt{3}\,i)^{2i}=e^{2i\log(\boxed{1+\sqrt{3}\,i})}=e^{2i\left\{\log 2+\left(\frac{\pi}{3}+2n\pi\right)i\right\}}$

$\qquad=e^{i\cdot 2\log 2-2\left(\frac{\pi}{3}+2n\pi\right)}$

$\qquad=e^{-\frac{2}{3}\pi-4n\pi}\cdot e^{i\cdot 2\log 2}$

$\qquad=e^{-\frac{2}{3}\pi-4n\pi}\left\{\cos(2\log 2)+i\sin(2\log 2)\right\}$　（n：整数）……(答)

$$2\sqrt{3}\left(\frac{\sqrt{3}}{2}-\frac{1}{2}i\right)=2\sqrt{3}\left\{\cos\left(-\frac{\pi}{6}\right)+i\sin\left(-\frac{\pi}{6}\right)\right\}=2\sqrt{3}\,e^{-\frac{\pi}{6}i}$$

(3) $(3-\sqrt{3}\,i)^{-2i}=e^{-2i\log(\boxed{3-\sqrt{3}\,i})}$

$\qquad=e^{-2i\left\{\log 2\sqrt{3}+\left(-\frac{\pi}{6}+2n\pi\right)i\right\}}$

$\qquad=e^{i\cdot(-2\log 2\sqrt{3})+2\left(-\frac{\pi}{6}+2n\pi\right)}$

$\qquad=e^{-\frac{\pi}{3}+4n\pi}\cdot e^{i(-2\log 2\sqrt{3})}$

$\qquad=e^{-\frac{\pi}{3}+4n\pi}\left\{\cos(-2\log 2\sqrt{3})+i\sin(-2\log 2\sqrt{3})\right\}$

$\boxed{\cos(-\log(2\sqrt{3})^2)=\cos(\log 12)}$　$\boxed{\sin(-\log(2\sqrt{3})^2)=-\sin(\log 12)}$

$\qquad=e^{-\frac{\pi}{3}+4n\pi}\left\{\cos(\log 12)-i\sin(\log 12)\right\}$　（n：整数）………(答)

複素関数 $w = z^{\frac{1}{2}}$ により，z 平面上の図形 $|z-1|=1$ が w 平面上に写される図形について，$z = e^{i\theta} + 1$（$-\pi < \theta \leqq \pi$）とおき，また，$w = u + iv$ とおいたとき，u, v を媒介変数 θ で表せ。

ヒント！ $z = e^{i\theta} + 1$ を極形式 $z = r \cdot e^{\varphi i}$（$-\pi < \varphi \leqq \pi$）で表すと，$w = z^{\frac{1}{2}} = e^{\frac{1}{2}\log z}$ から，$w = e^{\frac{1}{2}\{\log r + (\varphi + 2n\pi)i\}}$（$n = 0, 1$）となる。$w = z^{\frac{1}{2}}$ は 2 価関数なので，$n = 0, 1$ の 2 通りの場合を調べよう。

解答 & 解説

z 平面上の中心 1，半径 1 の円：$|z-1| = 1$ ……① を
媒介変数 θ を用いて，

$z = e^{i\theta} + 1 = \cos\theta + 1 + i\sin\theta$ ……②（$-\pi < \theta \leqq \pi$）

と表すと，

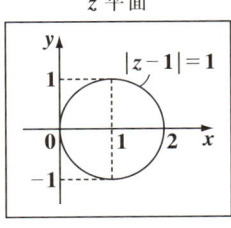

z 平面

$|z| = \sqrt{(\cos\theta + 1)^2 + \sin^2\theta} = 2\left|\cos\dfrac{\theta}{2}\right| = 2\cos\dfrac{\theta}{2}$ ……③ より，

$$2 + 2\cos\theta = 2(1 + \cos\theta) = 4\cos^2\dfrac{\theta}{2}$$

$$0 \text{ 以上}\left(\because -\dfrac{\pi}{2} < \dfrac{\theta}{2} \leqq \dfrac{\pi}{2}\right)$$

半角の公式：
$$\cos^2\dfrac{\theta}{2} = \dfrac{1 + \cos\theta}{2}$$

z を極形式で表すと，

$$z = 2\cos^2\dfrac{\theta}{2} + i \cdot 2\sin\dfrac{\theta}{2} \cdot \cos\dfrac{\theta}{2} = 2\cos\dfrac{\theta}{2}\left(\cos\dfrac{\theta}{2} + i\sin\dfrac{\theta}{2}\right)$$

$|z| = r$（③より）　　$\arg z$ の主値

$\therefore z = 2\cos\dfrac{\theta}{2} \cdot e^{i\left(\frac{\theta}{2} + 2n\pi\right)}$ ……④（n：整数）（$-\pi < \theta \leqq \pi$）となる。

よって，④をベキ関数 $w = z^{\frac{1}{2}}$ ……⑤ に代入すると，

$$2\cos\dfrac{\theta}{2} \cdot e^{i\left(\frac{\theta}{2} + 2n\pi\right)}$$

$w = z^{\frac{1}{2}} = e^{\frac{1}{2}\log z} = e^{\frac{1}{2}\left\{\log\left(2\cos\frac{\theta}{2}\right) + i\left(\frac{\theta}{2} + 2n\pi\right)\right\}}$（$-\pi < \theta \leqq \pi$）

$\quad = e^{\frac{1}{2}\log\left(2\cos\frac{\theta}{2}\right)} \cdot e^{i\left(\frac{\theta}{4} + n\pi\right)}$

$\quad = e^{\log\sqrt{2\cos\frac{\theta}{2}}} \cdot \left\{\cos\left(\dfrac{\theta}{4} + n\pi\right) + i\sin\left(\dfrac{\theta}{4} + n\pi\right)\right\}$

$w = z^{\frac{1}{2}}$ は，2 価関数なので，$n = 0, 1$ の 2 通りで十分である。

$\therefore w = \sqrt{2\cos\dfrac{\theta}{2}}\left\{\cos\left(\dfrac{\theta}{4} + n\pi\right) + i\sin\left(\dfrac{\theta}{4} + n\pi\right)\right\}$ ……⑥（$n = 0, 1$）

(ⅰ) $n=0$ のとき，$w=u+iv$ とおくと，⑥ より，

$$w=\sqrt{2\cos\frac{\theta}{2}}\left(\cos\frac{\theta}{4}+i\sin\frac{\theta}{4}\right)=\underbrace{\sqrt{2\cos\frac{\theta}{2}}\cdot\cos\frac{\theta}{4}}_{u}+i\underbrace{\sqrt{2\cos\frac{\theta}{2}}\cdot\sin\frac{\theta}{4}}_{v}$$

$$\therefore\begin{cases}u=\sqrt{2\cos\dfrac{\theta}{2}}\cos\dfrac{\theta}{4}\\[3mm]v=\sqrt{2\cos\dfrac{\theta}{2}}\sin\dfrac{\theta}{4}\end{cases}\cdots\cdots⑦\ \text{となる。}\cdots\cdots\text{(答)}$$
$$(-\pi<\theta\leqq\pi)$$

$\begin{pmatrix}\text{コンピュータにより，⑦のグラフは}\\\text{右図のようになる。}\end{pmatrix}$

(ⅱ) $n=1$ のとき，$w=u+iv$ とおくと，⑥ より，

$$w=\sqrt{2\cos\frac{\theta}{2}}\Big\{\underbrace{\cos\Big(\frac{\theta}{4}+\pi\Big)}_{-\cos\frac{\theta}{4}}+i\underbrace{\sin\Big(\frac{\theta}{4}+\pi\Big)}_{-\sin\frac{\theta}{4}}\Big\}$$

$$=\underbrace{-\sqrt{2\cos\frac{\theta}{2}}\cos\frac{\theta}{4}}_{u}+i\underbrace{\Big(-\sqrt{2\cos\frac{\theta}{2}}\cdot\sin\frac{\theta}{4}\Big)}_{v}$$

$$\therefore\begin{cases}u=-\sqrt{2\cos\dfrac{\theta}{2}}\cos\dfrac{\theta}{4}\\[3mm]v=-\sqrt{2\cos\dfrac{\theta}{2}}\sin\dfrac{\theta}{4}\end{cases}\cdots\cdots⑧\ \text{となる。}\cdots\cdots\text{(答)}$$
$$(-\pi<\theta\leqq\pi)$$

$\begin{pmatrix}\text{コンピュータにより，⑧のグラフは}\\\text{右図のようになる。}\end{pmatrix}$

以上 (ⅰ)(ⅱ) より，z 平面上の図形 $|z-1|=1$ を $w=z^{\frac{1}{2}}$ によって w 平面上に写した図形は右図のようになる。

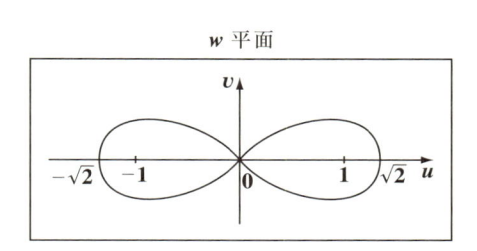

w 平面

複素関数 $w = z^{\frac{1}{2}}$ により，z 平面上の図形 $0 \leqq x \leqq 1$, $0 \leqq y \leqq 1$ は w 平面上のどのような図形に写されるか，調べて図示せよ。
(ただし，$z = x + iy$, $w = u + iv$ とおく。)

ヒント! $x = \dfrac{z + \bar{z}}{2}$, $y = \dfrac{z - \bar{z}}{2i}$ に，$z = w^2$, $\bar{z} = \bar{w}^2$ を代入して，x と y の不等式 $0 \leqq x \leqq 1$ と $0 \leqq y \leqq 1$ を u と v の不等式に書き換えればよい。

解答＆解説

z 平面上の正方形の領域：$0 \leqq x \leqq 1$ …①, $0 \leqq y \leqq 1$ …②
が，$w = z^{\frac{1}{2}}$ …③ により w 平面上に写される図形を調べる。
$z = x + iy$, $\bar{z} = x - iy$ より，

$x = \dfrac{z + \bar{z}}{2}$ ……④, $y = \dfrac{z - \bar{z}}{2i}$ ……⑤ となる。

z 平面

（ⅰ）④を①に代入して，

$0 \leqq \dfrac{z + \bar{z}}{2} \leqq 1$　　　$0 \leqq z + \bar{z} \leqq 2$ ……①´

③より $z = w^2$, $\bar{z} = \bar{w}^2 = \overline{w \cdot w} = \bar{w} \cdot \bar{w} = \bar{w}^2$ を①´に代入して，

$0 \leqq w^2 + \bar{w}^2 \leqq 2$ ……①´´　となる。

$(u+iv)^2$　$(u-iv)^2$

さらに，$w = u + iv$, $\bar{w} = u - iv$ より，これらを①´´に代入してまとめると，

$0 \leqq \underbrace{(u+iv)^2 + (u-iv)^2}_{u^2 + 2iuv - v^2 + u^2 - 2iuv - v^2 = 2u^2 - 2v^2} \leqq 2$ より，　$\underset{(\mathcal{ア})}{0 \leqq u^2 - v^2} \underset{(\mathcal{イ})}{\leqq 1}$ となる。よって，

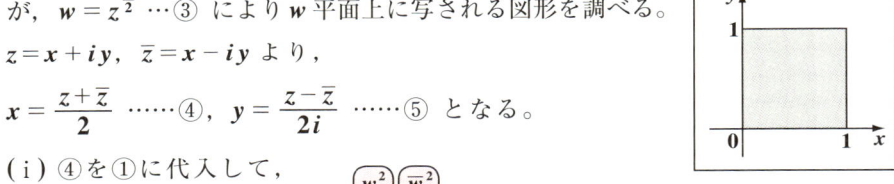

（ア）$u^2 - v^2 \geqq 0$　$(u+v)(u-v) \geqq 0$ …⑥

> 2 直線 $v = u$ と $v = -u$ の左右外側の領域

（イ）$u^2 - v^2 \leqq 1$ ……………………………⑦

> 2 直線 $v = u$ と $v = -u$ を漸近線にもつ
> 左右の双曲線の内側の領域

以上⑥，⑦より，右図の領域が描ける。

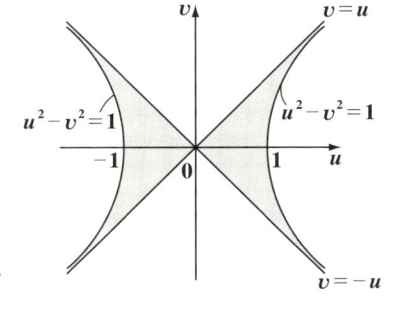

(ii) ⑤を②に代入して,

$$0 \le \frac{z - \bar{z}}{2i} \le 1 \qquad 0 \le \frac{1}{i}\,(\overset{w^2}{z} - \overset{\bar{w}^2}{\bar{z}}) \le 2 \quad \cdots\cdots ②'$$

各辺に, i をかけてはいけない。

②' に $z = w^2 = (u + iv)^2$, $\bar{z} = \bar{w}^2 = (u - iv)^2$ を代入してまとめると,

$$0 \le \frac{1}{i}\{(u+iv)^2 - (u-iv)^2\} \le 2 \qquad 0 \le \frac{1}{i} \times 4iuv \le 2$$

$$\boxed{u^2 + 2iuv - v^2 - (u^2 - 2iuv - v^2) = 4iuv}$$

$$\therefore \underset{(ウ)}{\mathbf{0} \le} uv \underset{(エ)}{\le \frac{1}{2}} \quad \text{となる。よって,}$$

(ウ) $uv \ge 0$ $\quad\cdots\cdots\cdots$ ⑧

2 直線 $u = 0$ と $v = 0$ の右上と左下の領域

(エ) $uv \le \frac{1}{2}$ $\quad\cdots\cdots\cdots$ ⑨

2 つの曲線 $v = \dfrac{1}{2u}$ の内側の領域

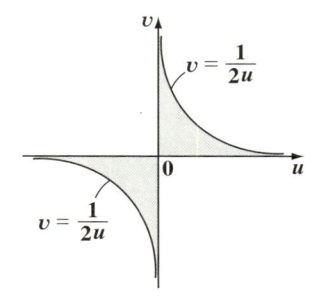

以上⑧, ⑨より, 右上図の領域が描ける。

以上 (i)(ii)より, z 平面上の正方形の領域 $0 \le x \le 1$, $0 \le y \le 1$ は複素関数 $w = z^{\frac{1}{2}}$ により, w 平面上において,

$$\begin{cases} (u+v)(u-v) \ge 0 & \cdots\cdots\cdots ⑥ \\ u^2 - v^2 \le 1 & \cdots\cdots\cdots\cdots ⑦ \end{cases}$$

かつ,

$$\begin{cases} uv \ge 0 & \cdots\cdots\cdots\cdots\cdots ⑧ \\ uv \le \frac{1}{2} & \cdots\cdots\cdots\cdots\cdots ⑨ \end{cases}$$

で表される右図の網目部で示す領域に写される。 $\quad\cdots\cdots\cdots\cdots\cdots\cdots$ (答)

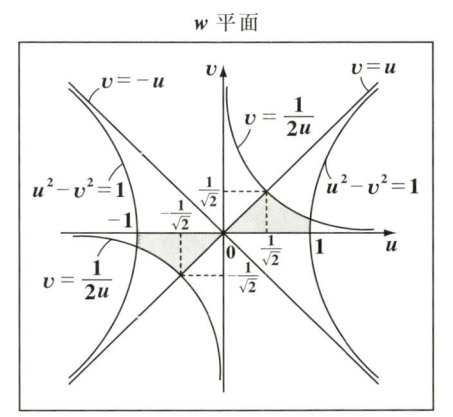

w 平面

次の三角関数の値を求めよ。

(1) $\cos(-i)$　　　　　(2) $\sin(\pi+i)$　　　　　(3) $\tan 2i$

ヒント！ 複素三角関数の公式：$\cos z = \dfrac{e^{iz}+e^{-iz}}{2}$, $\sin z = \dfrac{e^{iz}-e^{-iz}}{2i}$, $\tan z = \dfrac{e^{iz}-e^{-iz}}{i(e^{iz}+e^{-iz})}$

および，$\cos(x+iy)=\cos x \cosh y - i\sin x \sinh y$, $\sin(x+iy)=\sin x \cosh y + i\cos x \sinh y$

を利用して解いていこう。

解答＆解説

(1) $\cos(-i) = \dfrac{e^{i(-i)}+e^{-i(-i)}}{2}$　　　公式：$\cos z = \dfrac{e^{iz}+e^{-iz}}{2}$

$$= \frac{1}{2}(e^{-i^2}+e^{i^2}) = \frac{1}{2}(e+e^{-1}) \quad \cdots\cdots\cdots\cdots (答)$$

$\cos(0+(-1)\cdot i) = \underset{1}{\underline{\cos 0}} \cdot \underset{\frac{1}{2}(e^{-1}+e^{-(-1)})}{\underline{\cosh(-1)}} - \underset{0}{\underline{\sin 0}} \cdot \sinh(-1) = \dfrac{1}{2}(e+e^{-1})$ としてもよい。

公式：$\cos(x+iy)=\cos x \cos hy - i\sin x \sin hy$

(2) $\sin(\pi+i) = \dfrac{e^{i(\pi+i)}-e^{-i(\pi+i)}}{2i}$　　　公式：$\sin z = \dfrac{e^{iz}-e^{-iz}}{2i}$

$$= \frac{1}{2i}(\underset{\cos\pi+i\sin\pi=-1}{\underline{e^{-1}\cdot e^{\pi i}}} - \underset{\cos\pi-i\sin\pi=-1}{\underline{e^{1}\cdot e^{-\pi i}}}) = \frac{1}{2i}(-e^{-1}+e)$$

$$= -\frac{i^2}{2i}(e-e^{-1}) = -\frac{i}{2}(e-e^{-1}) \quad \cdots\cdots\cdots\cdots (答)$$

(3) $\tan 2i = \dfrac{e^{i\cdot 2i}-e^{-i\cdot 2i}}{i(e^{i\cdot 2i}+e^{-i\cdot 2i})}$　　　公式：$\tan z = \dfrac{e^{iz}-e^{-iz}}{i(e^{iz}+e^{-iz})}$

$$= \frac{e^{-2}-e^{2}}{i(e^{-2}+e^{2})} = \frac{i^2(e^2-e^{-2})}{i(e^2+e^{-2})} = \frac{i(e^2-e^{-2})}{e^2+e^{-2}} \quad \cdots\cdots\cdots\cdots (答)$$

演習問題 45　　　　　　　● 三角関数 (Ⅱ) ●

次の三角関数の値を求めよ。

(1) $\cos 2i$　　　　　(2) $\sin\left(i+\dfrac{\pi}{2}\right)$　　　　　(3) $\tan(-2i)$

ヒント！ 複素三角関数の公式通りに計算して解けばよい。

解答＆解説

(1) $\cos 2i = \dfrac{e^{i\cdot 2i}+e^{-i\cdot 2i}}{2}$ ← 公式：$\cos z = \dfrac{e^{iz}+e^{-iz}}{2}$

$\qquad = \dfrac{1}{2}(e^{-2}+e^2)=\boxed{(ア)}$ ……………………………………（答）

$\cos(0+2i)=\underset{1}{\cos 0}\cdot\underset{\frac{1}{2}(e^2+e^{-2})}{\cosh 2}-i\cdot\underset{0}{\sin 0}\cdot\sinh 2=\boxed{(ア)}$ としてもよい。

公式：$\cos(x+iy)=\cos x\cosh y-i\sin x\sinh y$

(2) $\sin\left(i+\dfrac{\pi}{2}\right)=\dfrac{e^{i\left(i+\frac{\pi}{2}\right)}-e^{-i\left(i+\frac{\pi}{2}\right)}}{2i}$ ← 公式：$\sin z=\dfrac{e^{iz}-e^{-iz}}{2i}$

$\qquad = \dfrac{1}{2i}\left(e^{-1}\cdot e^{\frac{\pi}{2}i}-e^{1}\cdot e^{-\frac{\pi}{2}i}\right)=\dfrac{1}{2i}\left(ie^{-1}+ie\right)$

$\underset{\cos\frac{\pi}{2}+i\sin\frac{\pi}{2}=i}{\qquad}$ $\underset{\cos\frac{\pi}{2}-i\sin\frac{\pi}{2}=-i}{\qquad}$

$\qquad = \boxed{(イ)}$ …………………………………（答）

(3) $\tan(-2i)=\dfrac{e^{i(-2i)}-e^{-i\cdot(-2i)}}{i\left(e^{i\cdot(-2i)}+e^{-i\cdot(-2i)}\right)}$ ← 公式：$\tan z=\dfrac{e^{iz}-e^{-iz}}{i\left(e^{iz}+e^{-iz}\right)}$

$\qquad = \dfrac{e^2-e^{-2}}{i(e^2+e^{-2})}=-\dfrac{i^2(e^2-e^{-2})}{i(e^2+e^{-2})}=\boxed{(ウ)}$ ……………（答）

解答　(ア) $\dfrac{1}{2}(e^2+e^{-2})$　　(イ) $\dfrac{1}{2}(e+e^{-1})$　　(ウ) $-\dfrac{i(e^2-e^{-2})}{e^2+e^{-2}}$

複素三角関数の公式：$\cos^2 z + \sin^2 z = 1$ ……($*1$)

　$\cos(z_1+z_2) = \cos z_1 \cos z_2 - \sin z_1 \sin z_2$ ……($*2$)

　$\sin(z_1+z_2) = \sin z_1 \cos z_2 + \cos z_1 \sin z_2$ ……($*3$) を用いて，

次の公式が成り立つことを示せ。

(ⅰ) $\cos 2z = \cos^2 z - \sin^2 z$　　　　(ⅱ) $\cos^2 z = \dfrac{1+\cos 2z}{2}$

(ⅲ) $\sin^2 z = \dfrac{1-\cos 2z}{2}$　　　　(ⅳ) $\sin 2z = 2\sin z \cos z$

> **ヒント！**　公式 ($*1$)($*2$)($*3$) を用いて，2 倍角の公式や半角の公式を導こう。
> 実三角関数の公式と同様に導けることが分かるはずだ。

解答＆解説

(ⅰ) ($*2$) に $z_1 = z_2 = z$ を代入すると，2 倍角の公式：

　　$\cos 2z = \cos^2 z - \sin^2 z$ ……① が導ける。　………………………………(終)

(ⅱ) ($*1$) を用いると，①は，

　　$\cos 2z = \cos^2 z - (\underline{1 - \cos^2 z}) = 2\cos^2 z - 1$　となる。

　　　　　　　　$\boxed{\sin^2 z\ ((*1)より)}$

　　これから，半角の公式：$\cos^2 z = \dfrac{1+\cos 2z}{2}$　が導ける。……………(終)

(ⅲ) ($*1$) を用いると，①は，

　　$\cos 2z = \underline{1 - \sin^2 z} - \sin^2 z = 1 - 2\sin^2 z$　となる。

　　　　　　$\boxed{\cos^2 z\ ((*1)より)}$

　　これから，半角の公式：$\sin^2 z = \dfrac{1-\cos 2z}{2}$　が導ける。……………(終)

(ⅳ) ($*3$) に $z_1 = z_2 = z$ を代入すると，

　　$\sin 2z = \sin z \cos z + \cos z \sin z$

　　これから，2 倍角の公式：$\sin 2z = 2\sin z \cos z$　が導ける。　………(終)

> 同様に，3 倍角の公式：$\sin 3z = 3\sin z - 4\sin^3 z$ や $\cos 3z = 4\cos^3 z - 3\cos z$，
> および，積→和 (差)，和 (差)→積の公式も導ける。確認されるといい。

演習問題 47	● 三角関数 $w = \cos z$ (Ⅳ) ●

複素関数 $w = \cos z$ により，z 平面上の図形 $|z-1|=1$ が w 平面上に写される図形について，$z = e^{i\theta}+1$ $(-\pi < \theta \leq \pi)$ とおき，また，$w = u + iv$ とおいたとき，u, v を媒介変数 θ で表せ。

ヒント！ $z = x + iy$ $(x, y：実数)$ のとき，$\cos z = \cos x \cosh y - i \sin x \sinh y$ と表せることを利用して，u, v を θ で表そう。

解答 & 解説

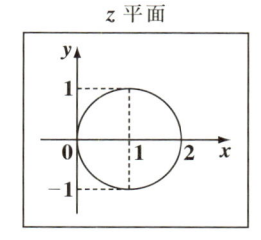

z 平面上の中心 1，半径 1 の円：$|z-1|=1$ ……① を

媒介変数 θ を用いて，①は，

$$z = e^{i\theta}+1 = \underset{x}{\underline{\cos\theta+1}} + i\underset{y}{\underline{\sin\theta}} \quad \cdots\cdots ② \quad (-\pi < \theta \leq \pi)$$

と表せる。ここで，$w = \cos z$ を $w = u + iv$ とおくと，②より，

$$w = u + iv = \cos z = \cos(\underset{x}{\underline{\cos\theta+1}} + i\underset{y}{\underline{\sin\theta}})$$

$$= \underset{u}{\underline{\cos(\cos\theta+1)\cdot\cosh(\sin\theta)}} - i\underset{-v}{\underline{\sin(\cos\theta+1)\cdot\sinh(\sin\theta)}} \quad (-\pi < \theta \leq \pi)$$

公式：$\cos(x+iy) = \cos x \cosh y - i \sin x \sinh y$ を用いた。

$$\therefore \begin{cases} u = \cos(\cos\theta+1)\cdot\cosh(\sin\theta) \\ v = -\sin(\cos\theta+1)\cdot\sinh(\sin\theta) \end{cases} \cdots\cdots ③ \quad\cdots\cdots\cdots\cdots\cdots\cdots\cdots (答)$$

$$(-\pi < \theta \leq \pi)$$

以上より，z 平面上の円 $|z-1|=1$ を $w = \cos z$ によって w 平面上に写した図形③を，コンピュータを使って描くと右図のようになる。

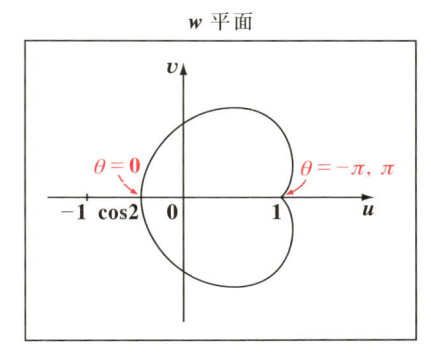

複素関数 $w = \cos z$ により，z 平面上の右図に
示すような正方形 **OABC** が w 平面上でどの
ような図形に写されるか，調べて図示せよ。
（ただし，$z = x + iy$，$w = u + iv$ とする。）

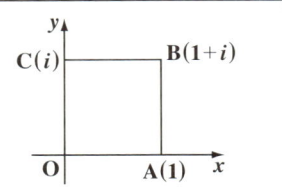

ヒント！（ⅰ）**OA**，（ⅱ）**AB**，（ⅲ）**BC**，（ⅳ）**CO** の 4 つの部分に場合分けして，たとえば，
（ⅱ）**AB** では，$x = 1$，$y = t$，すなわち $z = 1 + ti$（$0 \leqq t \leqq 1$）などとして，解いていこう。

解答 & 解説

$z = x + iy$，$w = u + iv$（x，y，u，v：実数）とおいて，
複素関数 $w = \cos z$ により，z 平面上の正方形 **OABC** が w 平面上に写される図
形を（ⅰ）**OA**，（ⅱ）**AB**，（ⅲ）**BC**，（ⅳ）**CO** の 4 つの部分に場合分けして，調べる。

（ⅰ）**OA** について，

　　$x = t$，$y = 0$（$0 \leqq t \leqq 1$）とおくと，$z = t + 0i = t$（実数）より，

　　$w = u + iv = \cos z = \cos(t + 0i) = \cos t \underbrace{\cosh 0}_{\frac{e^0 + e^0}{2} = 1} - i \underbrace{\sin t \sinh 0}_{\frac{e^0 - e^0}{2} = 0} = \underbrace{\cos t}_{u} + \underbrace{0 \cdot i}_{v}$

　　公式：$\cos(x + iy) = \cos x \cosh y - i \sin x \sinh y$

　　$\therefore \begin{cases} u = \cos t & (0 \leqq t \leqq 1) \\ v = 0 \end{cases}$

　　　　（これは，u 軸上の線分 $\cos 1 \leqq u \leqq 1$ を表す。）

（ⅱ）**AB** について，

　　$x = 1$，$y = t$（$0 \leqq t \leqq 1$）とおくと，$z = 1 + ti$ より，

　　$w = u + iv = \cos z = \cos(1 + ti) = \underbrace{\cos 1 \cdot \cosh t}_{u} - i \cdot \underbrace{\sin 1 \cdot \sinh t}_{-v}$

　　公式：$\cos(x + iy) = \cos x \cosh y - i \sin x \sinh y$

　　$\therefore \begin{cases} u = \cos 1 \cdot \cosh t = \dfrac{1}{2} \cos 1 \cdot (e^t + e^{-t}) \\ v = -\sin 1 \cdot \sinh t = -\dfrac{1}{2} \sin 1 \cdot (e^t - e^{-t}) \quad (0 \leqq t \leqq 1) \end{cases}$

　　（右図に，このグラフを示す。）

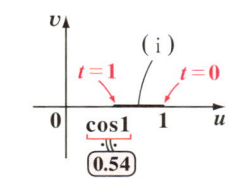

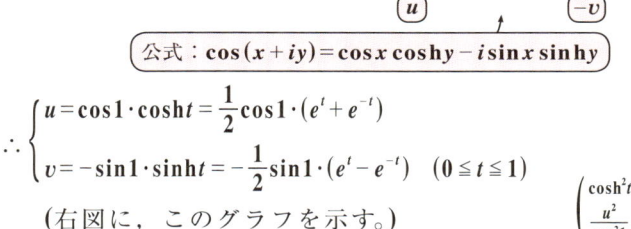

(iii) **BC** について，

$x = t,\ y = 1\ (0 \le t \le 1)$ とおくと，$z = t + 1 \cdot i$ より，

$w = u + iv = \cos z = \cos(t + i) = \underbrace{\cos t \cosh 1}_{(u)} - i\underbrace{\sin t \sinh 1}_{(-v)}$

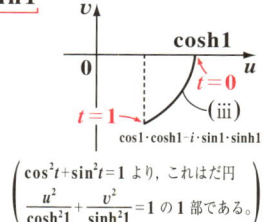

$$\therefore \begin{cases} u = \cos t \cdot \cosh 1 = \dfrac{e + e^{-1}}{2}\cos t \\[2mm] v = -\sin t \sinh 1 = -\dfrac{e - e^{-1}}{2}\sin t \quad (0 \le t \le 1) \end{cases}$$

（右図に，このグラフを示す。）

$$\left(\begin{array}{l}\cos^2 t + \sin^2 t = 1 \text{ より，これはだ円}\\[1mm] \dfrac{u^2}{\cosh^2 1} + \dfrac{v^2}{\sinh^2 1} = 1 \text{ の1部である。}\end{array}\right)$$

(iv) **CO** について，

$x = 0,\ y = t\ (0 \le t \le 1)$ とおくと，$z = 0 + t \cdot i$ より，

$w = u + iv = \cos z = \cos(0 + t \cdot i) = \underbrace{\cos 0}_{(1)}\underbrace{\cosh t}_{} - i\underbrace{\sin 0}_{(0)}\sinh t = \underbrace{\cosh t}_{(u)} + \underbrace{0}_{(v)} \cdot i$

$$\therefore \begin{cases} u = \cosh t = \dfrac{e^t + e^{-t}}{2} \quad (0 \le t \le 1) \\[2mm] v = 0 \end{cases}$$

（これは，u 軸上の線分 $1 \le u \le \cosh 1$ を表す。）

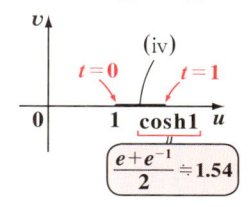

以上より，z 平面上の正方形 **OABC** は，複素関数

$w = \cos z$ により，w 平面上の図形

$$\begin{cases} (\text{i})\ u = \cos t,\ v = 0\ (0 \le t \le 1) \\ (\text{ii})\ u = \cos 1 \cdot \cosh t,\ v = -\sin 1 \cdot \sinh t\ (0 \le t \le 1) \\ (\text{iii})\ u = \cos t \cdot \cosh 1,\ v = -\sin t \cdot \sinh 1\ (0 \le t \le 1) \\ (\text{iv})\ u = \cosh t,\ v = 0\ (0 \le t \le 1) \end{cases}$$

に写される。w 平面上にこの図を示すと，

右図のようになる。……………………………(答)

w 平面

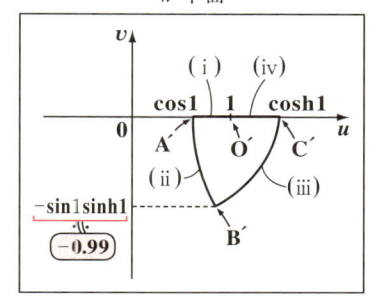

$$\left(\begin{array}{l}z \text{ 平面上の4点 O, A, B, C は，}\\ \text{それぞれ } w \text{ 平面上の4点 O}', \\ \text{A}', \text{B}', \text{C}' \text{ に写される。}\end{array}\right)$$

実双曲線関数の公式：
$\cosh t = \dfrac{e^t + e^{-t}}{2},\ \sinh t = \dfrac{e^t - e^{-t}}{2}$ を利用した。

複素関数 $w = \sin z$ により, z 平面上の右図に示すような正方形 $OABC$ が w 平面上でどのような図形に写されるか, 調べて図示せよ。
(ただし, $z = x + iy$, $w = u + iv$ とする。)

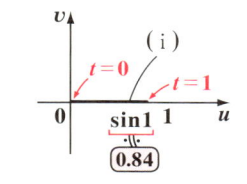

ヒント！ これも, OA, AB, BC, CO の 4 つの部分に場合分けして調べよう。

解答＆解説

$z = x + iy$, $w = u + iv$　$(x, y, u, v：実数)$ とおいて,

複素関数 $w = \sin z$ により, z 平面上の正方形 $OABC$ が w 平面上に写される図形を (ⅰ) OA, (ⅱ) AB, (ⅲ) BC, (ⅳ) CO の 4 つの部分に場合分けして, 調べる。

(ⅰ) OA について,

　　$x = t$, $y = 0$　$(0 \leq t \leq 1)$ とおくと, $z = t + 0 \cdot i = t$　（実数）より,

　　$w = u + iv = \sin z = \sin(t + 0i) = \underbrace{\sin t}_{u} + \underbrace{0}_{v} \cdot i$

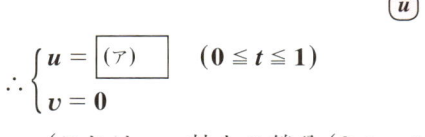

　　$\therefore \begin{cases} u = \boxed{(ア)} & (0 \leq t \leq 1) \\ v = 0 \end{cases}$

　　　　（これは, u 軸上の線分 $(0 \leq u \leq \sin 1)$ を表す。）

(ⅱ) AB について,

　　$x = 1$, $y = t$　$(0 \leq t \leq 1)$ とおくと, $z = 1 + t \cdot i$　より,

　　$w = u + iv = \sin z = \sin(1 + t \cdot i)$

　　　$= \underbrace{\sin 1 \cdot \cosh t}_{u} + i \cdot \underbrace{\cos 1 \cdot \sinh t}_{v}$

　　　公式：$\sin(x + iy) = \sin x \cosh y + i \cos x \sinh y$

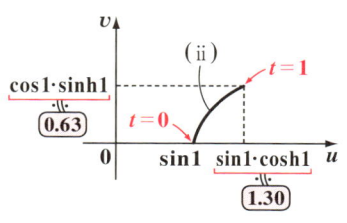

　　$\therefore \begin{cases} u = \boxed{(イ)} \\ v = \cos 1 \cdot \sinh t & (0 \leq t \leq 1) \end{cases}$

　　　　（右図に, このグラフを示す。）

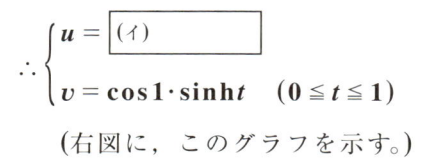

$\left(\begin{array}{l} \cosh^2 t - \sinh^2 t = 1 \text{ より, これは双曲線} \\ \dfrac{u^2}{\sin^2 1} - \dfrac{v^2}{\cos^2 1} = 1 \text{ の 1 部である。} \end{array} \right)$

(iii) **BC** について，

$x = t$, $y = 1$ $(0 \leqq t \leqq 1)$ とおくと，$z = t + 1 \cdot i$ より，

$w = u + iv = \sin z = \sin(t + 1 \cdot i)$

$= \underbrace{\sin t \cdot \cosh 1}_{u} + \underbrace{i \cos t \cdot \sinh 1}_{v}$

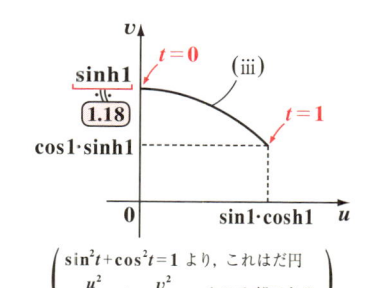

$\therefore \begin{cases} u = \boxed{\text{(ウ)}} \\ v = \cos t \cdot \sinh 1 \quad (0 \leqq t \leqq 1) \end{cases}$

（右図に，このグラフを示す。）

$\left(\begin{array}{l} \sin^2 t + \cos^2 t = 1 \text{ より，これはだ円} \\ \dfrac{u^2}{\cosh^2 1} + \dfrac{v^2}{\sinh^2 1} = 1 \text{ の 1 部である。} \end{array} \right)$

(iv) **CO** について，

$x = 0$, $y = t$ $(0 \leqq t \leqq 1)$ とおくと，$z = 0 + t \cdot i$ より，

$w = u + iv = \sin(0 + t \cdot i)$

$= \underbrace{\sin 0}_{0} \cdot \cosh t + i \underbrace{\cos 0}_{1} \cdot \sinh t = \underbrace{0}_{u} + i \cdot \underbrace{\sinh t}_{v}$

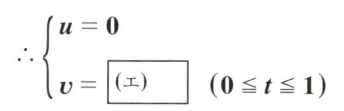

$\therefore \begin{cases} u = 0 \\ v = \boxed{\text{(エ)}} \quad (0 \leqq t \leqq 1) \end{cases}$

（これは，v 軸上の線分 $(0 \leqq v \leqq \sinh 1)$ を表す。）

以上より，z 平面上の正方形 **OABC** は，複素関数

$w = \sin z$ により，w 平面上の図形

$\begin{cases} (\text{i}) \ u = \boxed{\text{(ア)}}, \ v = 0 \quad (0 \leqq t \leqq 1) \\ (\text{ii}) \ u = \boxed{\text{(イ)}}, \ v = \cos 1 \cdot \sinh t \quad (0 \leqq t \leqq 1) \\ (\text{iii}) \ u = \boxed{\text{(ウ)}}, \ v = \cos t \cdot \sinh 1 \quad (0 \leqq t \leqq 1) \\ (\text{iv}) \ u = 0, \ v = \boxed{\text{(エ)}} \quad (0 \leqq t \leqq 1) \end{cases}$

に写される。w 平面上にこの図を示すと，

右図のようになる。$\cdots\cdots\cdots\cdots\cdots\cdots$（答）

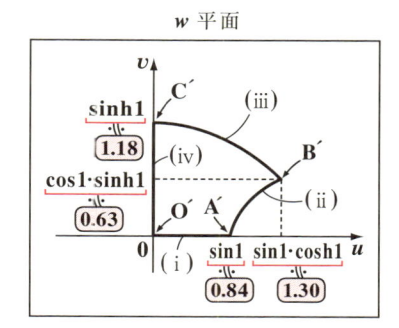

解答 （ア）$\sin t$ （イ）$\sin 1 \cdot \cosh t$ （ウ）$\sin t \cdot \cosh 1$ （エ）$\sinh t$

複素関数 $w = \cosh z$ により，z 平面上の図形 $|z-1| = 1$ が w 平面上に写される図形について，$z = e^{i\theta} + 1$ $(-\pi < \theta \leqq \pi)$ とおき，また，$w = u + iv$ とおいたとき，u, v を媒介変数 θ で表せ。

ヒント！ $w = \cosh z = \dfrac{e^z + e^{-z}}{2}$ に，$z = e^{i\theta} + 1$ を代入して解いていこう。

解答 & 解説

z 平面上の中心 **1**，半径 **1** の円：$|z-1| = 1$ ……① を

$z = e^{i\theta} + 1 = \cos\theta + 1 + i\sin\theta$ ……② $(-\pi < \theta \leqq \pi)$

とおくと，$w = u + iv$ は，

$\cos z = \dfrac{1}{2}(e^{iz} + e^{-iz})$ と対比して覚えよう。

$$w = u + iv = \cosh z = \frac{1}{2}(e^z + e^{-z})$$

z 平面

y / $|z-1| = 1$ / 0 / 1 / 2 / x

$$= \frac{1}{2}\left(e^{\cos\theta + 1 + i\sin\theta} + e^{-\cos\theta - 1 - i\sin\theta}\right)$$

$$= \frac{1}{2}\left[e^{\cos\theta + 1}\cdot\underbrace{\{\cos(\sin\theta) + i\sin(\sin\theta)\}}_{e^{i\sin\theta}} + e^{-\cos\theta - 1}\cdot\underbrace{\{\cos(\sin\theta) - i\sin(\sin\theta)\}}_{e^{-i\sin\theta}}\right]$$

$$= \underbrace{\cos(\sin\theta)}\underbrace{\frac{1}{2}(e^{\cos\theta + 1} + e^{-\cos\theta - 1})}_{\cosh(\cos\theta + 1)} + i\underbrace{\sin(\sin\theta)\cdot\frac{1}{2}(e^{\cos\theta + 1} - e^{-\cos\theta - 1})}_{\sinh(\cos\theta + 1)}$$

実双曲線関数

$$= \underbrace{\cos(\sin\theta)\cdot\cosh(\cos\theta + 1)}_{u} + i\cdot\underbrace{\sin(\sin\theta)\sinh(\cos\theta + 1)}_{v}$$

$$\therefore \begin{cases} u = \cos(\sin\theta)\cdot\cosh(\cos\theta + 1) \\ v = \sin(\sin\theta)\cdot\sinh(\cos\theta + 1) \end{cases} \cdots\cdots ③$$

$$(-\pi < \theta \leqq \pi) \cdots\cdots\cdots\cdots (答)$$

以上より，z 平面上の円 $|z-1| = 1$ を $w = \cosh z$ によって w 平面上に写した図形③を，コンピュータを使って描くと右図のようになる。

w 平面

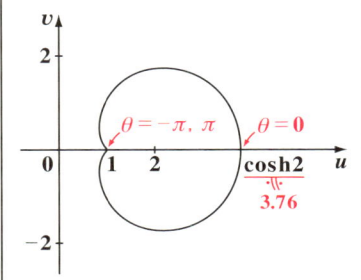

v / 2 / 0 / 1 / 2 / $\theta = -\pi, \pi$ / $\theta = 0$ / $\cosh 2$ / 3.76 / u / -2

演習問題 51 ● 双曲線関数 $w = \sinh z\,(\mathrm{II})$ ●

複素関数 $w = \sinh z$ により，z 平面上の図形 $|z-i|=1$ が w 平面上に写される図形について，$z = e^{i\theta}+i\ (-\pi < \theta \leqq \pi)$ とおき，また，$w = u + iv$ とおいたとき，u，v を媒介変数 θ で表せ。

ヒント! $w = \sinh z = \dfrac{e^z - e^{-z}}{2}$ に，$z = e^{i\theta}+i$ を代入して，解けばよい。

解答&解説

z 平面

z 平面上の中心 i，半径 1 の円：$|z-i|=1$ ……① を

$z = e^{i\theta}+i = \cos\theta + i(\sin\theta + 1)$ ……②　$(-\pi < \theta \leqq \pi)$

とおくと，$w = u + iv$ は，

$w = u + iv = \sinh z = \dfrac{1}{2}\left(\boxed{(ア)}\right)$

$= \dfrac{1}{2}\left(e^{\cos\theta + i(\sin\theta+1)} - e^{-\cos\theta - i(\sin\theta+1)}\right)$

$= \dfrac{1}{2}\left[e^{\cos\theta}\cdot\underbrace{\{\cos(\sin\theta+1)+i\sin(\sin\theta+1)\}}_{e^{i(\sin\theta+1)}} - \boxed{(イ)}\cdot\underbrace{\{\cos(\sin\theta+1)-i\sin(\sin\theta+1)\}}_{e^{-i(\sin\theta+1)}}\right]$

$= \cos(\sin\theta+1)\cdot\dfrac{1}{2}(e^{\cos\theta} - e^{-\cos\theta}) + i\cdot\sin(\sin\theta+1)\cdot\dfrac{1}{2}\left(\boxed{(ウ)}\right)$

$= \underbrace{\cos(\sin\theta+1)\cdot\sinh(\cos\theta)}_{u} + i\cdot\underbrace{\sin(\sin\theta+1)\cdot\boxed{(エ)}}_{v}$

$\therefore \begin{cases} u = \cos(\sin\theta+1)\cdot\sinh(\cos\theta) \\ v = \sin(\sin\theta+1)\cdot\boxed{(エ)} \end{cases}$ ……③

　　　　$(-\pi < \theta \leqq \pi)$ ……………(答)

以上より，z 平面上の円 $|z-i|=1$ を $w = \sinh z$ によって w 平面上に写した図形③を，コンピュータを使って描くと右図のようになる。

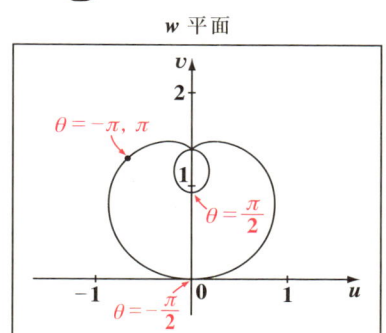

w 平面

解答　(ア) $e^z - e^{-z}$　(イ) $e^{-\cos\theta}$　(ウ) $e^{\cos\theta}+e^{-\cos\theta}$　(エ) $\cosh(\cos\theta)$

複素関数 $w = \sinh z$ により，z 平面上の右図に示すような正方形 **OABC** が w 平面上でどのような図形に写されるか，調べて図示せよ。

(ただし，$z = x + iy$，$w = u + iv$ とする。)

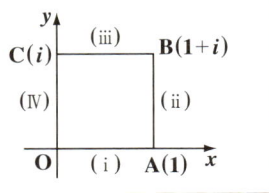

ヒント! 各辺毎に **4** 通りに場合分けし，$w = \sinh z = \dfrac{1}{2}(e^z - e^{-z})$ を利用して解いていけばよい。

解答&解説

$z = x + iy$，$w = u + iv$ （x, y, u, v : 実数） とおいて，

複素関数 $w = \sinh z = \dfrac{1}{2}(e^z - e^{-z})$ により，z 平面上の正方形 **OABC** が w 平面上に写される図形を (ⅰ) **OA**, (ⅱ) **AB**, (ⅲ) **BC**, (ⅳ) **CO** の **4** つの部分に場合分けして，調べる。

(ⅰ) **OA** について，

$x = t$，$y = 0$ （$0 \leqq t \leqq 1$） とおくと，$z = t + 0 \cdot i = t$ （実数） より，

$$w = u + iv = \sinh z = \sinh t = \underbrace{\frac{1}{2}(e^t - e^{-t})}_{\boxed{u = \sinh t}} + \underbrace{0 \cdot i}_{\boxed{v}}$$

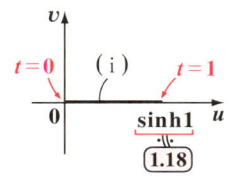

$$\therefore \begin{cases} u = \sinh t & (0 \leqq t \leqq 1) \\ v = 0 \end{cases}$$

（これは，u 軸上の線分 $(0 \leqq u \leqq \sinh 1)$ を表す。）

(ⅱ) **AB** について，

$x = 1$，$y = t$ （$0 \leqq t \leqq 1$） とおくと，$z = 1 + t \cdot i$ より，

$$w = u + iv = \sinh z = \frac{1}{2}(e^{1+ti} - e^{-1-ti})$$

$$= \frac{1}{2}\{e \cdot \underbrace{(\cos t + i \sin t)}_{\boxed{e^{ti}}} - e^{-1}\underbrace{(\cos t - i \sin t)}_{\boxed{e^{-ti}}}\}$$

$$= \cos t \cdot \underbrace{\frac{1}{2}(e - e^{-1})}_{\boxed{\sinh 1}} + i \cdot \sin t \cdot \underbrace{\frac{1}{2}(e + e^{-1})}_{\boxed{\cosh 1}}$$

$$w = \underbrace{\sinh 1 \cdot \cos t}_{u} + i \cdot \underbrace{\cosh 1 \cdot \sin t}_{v}$$

$$\therefore \begin{cases} u = \sinh 1 \cdot \cos t \\ v = \cosh 1 \cdot \sin t \quad (0 \le t \le 1) \end{cases}$$

（右図に，このグラフを示す。）

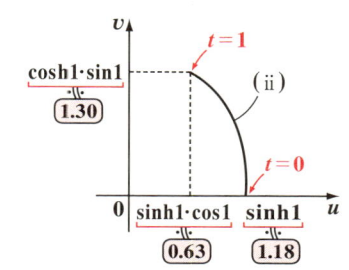

$$\left(\begin{array}{l} \cos^2 t + \sin^2 t = 1 \text{ より，これはだ円} \\ \dfrac{u^2}{\sinh^2 1} + \dfrac{v^2}{\cosh^2 1} = 1 \text{ の 1 部である。} \end{array} \right)$$

(iii) **BC** について，

$x = t, \ y = 1 \ (0 \le t \le 1)$ とおくと，$z = t + 1 \cdot i$ より，

$$w = u + iv = \sinh z = \frac{1}{2}(e^{t+i} - e^{-t-i})$$

$$= \frac{1}{2}\{e^t(\underbrace{\cos 1 + i \sin 1}_{e^{1 \cdot i}}) - e^{-t}(\underbrace{\cos 1 - i \sin 1}_{e^{-1 \cdot i}})\}$$

$$= \cos 1 \cdot \underbrace{\frac{1}{2}(e^t - e^{-t})}_{\sinh t} + i \cdot \sin 1 \cdot \underbrace{\frac{1}{2}(e^t + e^{-t})}_{\cosh t}$$

$$= \underbrace{\cos 1 \cdot \sinh t}_{u} + i \cdot \underbrace{\sin 1 \cdot \cosh t}_{v}$$

$$\therefore \begin{cases} u = \cos 1 \cdot \sinh t \\ v = \sin 1 \cdot \cosh t \quad (0 \le t \le 1) \end{cases}$$

（右図に，このグラフを示す。）

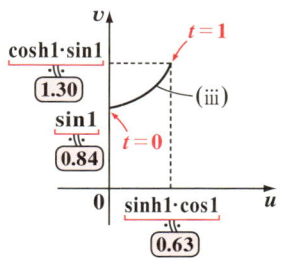

$$\left(\begin{array}{l} \cosh^2 t - \sinh^2 t = 1 \text{ より，これは双曲線} \\ \dfrac{u^2}{\cos^2 1} - \dfrac{v^2}{\sin^2 1} = -1 \text{ の 1 部である。} \end{array} \right)$$

(iv) **CO** について，

$x = 0, \ y = t \ (0 \le t \le 1)$ とおくと，$z = 0 + t \cdot i = t \cdot i$（純虚数）より，

$$w = u + iv = \sinh z = \frac{1}{2}(e^{ti} - e^{-ti}) = i \cdot \underbrace{\frac{e^{it} - e^{-it}}{2i}}_{\sin t}$$

$$= \underbrace{0}_{u} + i \cdot \underbrace{\sin t}_{v}$$

(iv) **CO** について,

$$\therefore \begin{cases} u = 0 \\ v = \sin t \quad (0 \leqq t \leqq 1) \end{cases}$$

（これは， v 軸上の線 $(0 \leqq v \leqq \sin 1)$ である。）

以上より， z 平面上の正方形 **OABC** は，複素関数

$w = \sinh z$ により， w 平面上の図形

$$\begin{cases} (\text{i})\ u = \sinh t,\ v = 0 \quad (0 \leqq t \leqq 1) \\ (\text{ii})\ u = \sinh 1 \cdot \cos t,\ v = \cosh 1 \cdot \sin t \\ \qquad\qquad\qquad\qquad\qquad (0 \leqq t \leqq 1) \\ (\text{iii})\ u = \cos 1 \cdot \sinh t,\ v = \sin 1 \cdot \cosh t \\ \qquad\qquad\qquad\qquad\qquad (0 \leqq t \leqq 1) \\ (\text{iv})\ u = 0,\ v = \sin t \quad (0 \leqq t \leqq 1) \end{cases}$$

に写される。 w 平面上にこの図を示すと，

右図のようになる。

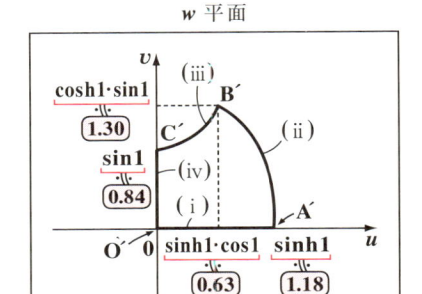

w 平面

（ z 平面上の **4** 点 **O**, **A**, **B**, **C** は，
それぞれ w 平面上の **4** 点 **O′**,
A′, **B′**, **C′** に写される。）

演習問題 53 　　　　● 逆双曲線関数 ●

双曲線関数 $\sinh z$ の逆関数 $\sinh^{-1} z$ は，

$\sinh^{-1} z = \log(z + \sqrt{z^2+1})$ ……($*1$) であることを示せ。

ヒント！ 双曲線関数 $\sinh z$ の逆関数 $\sinh^{-1} z$（"アーク・サインハイパホリック z" と読む）は，$w = \sinh^{-1} z$，すなわち $z = \sinh w$ を変形して，$w = (z の式)$ の形にもち込めばよい。複素関数では，多価関数を認めているので，1 対 1 対応でなくても，逆関数は存在する。

解答＆解説

$w = \sinh^{-1} z \Longleftrightarrow z = \sinh w$ ……① より，

①を変形して，$w = \underbrace{(z の式)}_{\boxed{\sinh^{-1} z}}$ の形にまとめて，$\sinh^{-1} z$ を求める。

①より，$z = \dfrac{1}{2}(e^w - e^{-w})$ 　　$e^w - e^{-w} = 2z$ 　　両辺に e^w をかけて，

$(e^w)^2 - 2z \cdot e^w - 1 = 0$

> $e^w = \overset{\text{カイ}}{\chi}$ とおくと，χ の 2 次方程式
> $\underset{\boxed{a}}{1} \cdot \chi^2 - \underset{\boxed{2b'}}{2z \cdot \chi} - \underset{\boxed{c}}{1} = 0$ を解いて，
> $\chi = z \pm \sqrt{z^2+1}$ となる。

この e^w の 2 次方程式を解いて，

$e^w = z \pm \sqrt{z^2+1}$

ここで，複素関数 $\sqrt{z^2+1}$ は 2 価関数

なので，$\pm\sqrt{z^2+1}$ は $\sqrt{z^2+1}$ と表せる。

> たとえば，$\sqrt{9} = 9^{\frac{1}{2}} = e^{\frac{1}{2}\log 9} = e^{\frac{1}{2}\log 9 \cdot e^{0 \cdot i}} = e^{\frac{1}{2}(\log 9 + 2n\pi i)}$
> $= \underset{\boxed{3}}{e^{\frac{1}{2}\log 9}} \cdot \underset{\boxed{n=0,1 のみで十分。}}{e^{n\pi i}} = 3 \times 1$ または $3 \times (-1) = \pm 3$ となる。

よって，$e^w = z + \sqrt{z^2+1}$ より，$w = \log(z + \sqrt{z^2+1})$ （$= \sinh^{-1} z$）となる。

∴ 逆双曲線関数 $\sinh^{-1} z = \log(z + \sqrt{z^2+1})$ ……($*1$) 　となる。 ………(終)

> 同様に，双曲線関数 $\cosh z = \dfrac{1}{2}(e^z + e^{-z})$ の逆双曲線関数 $\cosh^{-1} z$ は
> $\cosh^{-1} z = \log(z + \sqrt{z^2-1})$ ……($*2$) となる。ご自身で導かれるといい。

次の空欄を適切な用語または数値で埋めよ。

複素関数 $w = f(z) = z^{\frac{1}{2}}$ は $\boxed{(\mathcal{P})}$ 関数であるので $\boxed{(\mathcal{A})}$ の対応関係になる。よって，下図に示すように，z 平面の実軸（x 軸）の $x \geqq 0$ の部分を，$\boxed{(\mathcal{D})}$ とする $\boxed{(\mathcal{I})}$ のリーマン面を考える。ここで，$z = e^{i\theta}$ とおいて，リーマン面上に，$\theta = 0$，$\dfrac{\pi}{2}$，π，……，4π のときの点を順に z_1，z_2，z_3，……，z_9 とおくと，$z = 0$ のまわりを 2 回まわって，z_1 と z_9 は一致するので，$z = 0$ を $\boxed{(\mathcal{J})}$ の分岐点という。このとき，$w = e^{i\theta}$ とおくと，$w_n = f(z_n)$ $(n = 1, 2, \cdots, 9)$ より，w_1，w_2，w_3，……，w_9 に対応する Θ を示すと，$w = e^{i\Theta} = e^{i\frac{\theta}{2}}$ から，下の表のようになる。

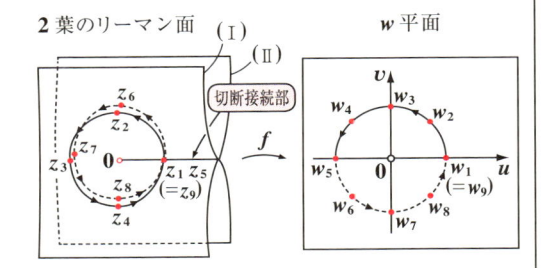

ここで，$w_1 = w_9$ より，$z_1 (= z_9)$ において，関数 $w = z^{\frac{1}{2}}$ は連続であり，かつ，$\boxed{(\mathcal{D})}$ に対応する関数になる。

表

		(リーマン面（Ⅰ）)				(リーマン面（Ⅱ）)			
z	z_1	z_2	z_3	z_4	z_5	z_6	z_7	z_8	$z_9(=z_1)$
θ	0	$\dfrac{\pi}{2}$	π	$\dfrac{3}{2}\pi$	2π	$\dfrac{5}{2}\pi$	3π	$\dfrac{7}{2}\pi$	$4\pi(=0)$
w	w_1	w_2	w_3	w_4	w_5	w_6	w_7	w_8	$w_9(=w_1)$
Θ	0	$\dfrac{\pi}{4}$	$\boxed{(\ddag)}$	$\boxed{(\mathcal{I})}$	π	$\boxed{(\mathcal{F})}$	$\dfrac{3}{2}\pi$	$\boxed{(\mathcal{I})}$	$2\pi(=0)$

> **ヒント！** 1 対多の対応関係の多価関数を，1 対 1 の対応関係の 1 価関数として取り扱えるように，リーマン面が考案された。今回は，$w = f(z) = \sqrt{z}$ の 2 価関数なので，2 葉のリーマン面を利用することにより，1 対 1 対応の 1 価関数として，取り扱うことができる。

解答 & 解説

複素関数 $w = f(z) = z^{\frac{1}{2}}$ は $\boxed{2\ \text{価}}^{(\text{ア})}$ 関数であるので，$\boxed{1\ \text{対}\ 2}^{(\text{イ})}$ の対応関係になる。

よって，問題文の図のように，z 平面の実軸（x 軸）の $x \geqq 0$ の部分を，

$\boxed{\text{切断接続部}}^{(\text{ウ})}$ とする $\boxed{2\ \text{葉}}^{(\text{エ})}$ のリーマン面を考える。ここで，$z = e^{i\theta}$ とおいて，

リーマン面上に，$\theta = 0,\ \dfrac{\pi}{2},\ \pi,\ \cdots\cdots,\ 4\pi$ のときの点を順に $z_1,\ z_2,\ z_3,\ \cdots\cdots,\ z_9$

とおくと，$z = 0$ のまわりを 2 回まわって，z_1 と z_9 は一致するので，$z = 0$

を $\boxed{2\ \text{位}}^{(\text{オ})}$ の分岐点という。このとき，$w = e^{i\Theta}$ とおくと，$w_n = f(z_n)\ (n = 1,\ 2,\ \cdots,\ 9)$

より，$w_1,\ w_2,\ w_3,\ \cdots\cdots,\ w_9$ に対応する Θ を示すと，$w = e^{i\Theta} = e^{i\frac{\theta}{2}}$ から，下の

表のようになる。

ここで，$w_1 = w_9$ より，$z_1 (= z_9)$ において，関数 $w = z^{\frac{1}{2}}$ は連続であり，かつ，

$\boxed{1\ \text{対}\ 1}^{(\text{カ})}$ に対応する関数になる。

表

		(リーマン面（Ⅰ）)				(リーマン面（Ⅱ）)			
z	z_1	z_2	z_3	z_4	z_5	z_6	z_7	z_8	$z_9 (= z_1)$
θ	0	$\dfrac{\pi}{2}$	π	$\dfrac{3}{2}\pi$	2π	$\dfrac{5}{2}\pi$	3π	$\dfrac{7}{2}\pi$	$4\pi (= 0)$
w	w_1	w_2	w_3	w_4	w_5	w_6	w_7	w_8	$w_9 (= w_1)$
Θ	0	$\dfrac{\pi}{4}$	$\dfrac{\pi}{2}$ (キ)	$\dfrac{3}{4}\pi$ (ク)	π	$\dfrac{5}{4}\pi$ (ケ)	$\dfrac{3}{2}\pi$	$\dfrac{7}{4}\pi$ (コ)	$2\pi (= 0)$

以上より，(ア) 2 価，(イ) 1 対 2，(ウ) 切断接続部，(エ) 2 葉，(オ) 2 位，

(カ) 1 対 1，(キ) $\dfrac{\pi}{2}$，(ク) $\dfrac{3}{4}\pi$，(ケ) $\dfrac{5}{4}\pi$，(コ) $\dfrac{7}{4}\pi$ …………(答)

§1. 複素数の微分と正則関数

z_0 の r 近傍は，$|z - z_0| < r$ で表される。また，領域の定義を下に示す。

領域（開領域）の定義

複素数平面における集合 D が次の 2 つの条件（ⅰ），（ⅱ）をみたすとき
集合 D を "**領域**" または "**開領域**" という。

（ⅰ）開集合であること：
D 内の任意の点には，D に含まれる近傍が存在する。

（ⅱ）連結性があること：
D 内の任意の 2 点を，D 内に含まれる折れ線で結ぶことができる。

複素数平面上の点 z_0 のある近傍で定義されている複素関数 $f(z)$ について，

$\begin{cases} z \to z_0 \text{ のとき，} f(z) \text{ が限りなく } \alpha \text{ に近づくならば，} \\ z \to z_0 \text{ のとき，} f(z) \text{ は極限値 } \alpha \text{ に "収束" するといい，} \displaystyle\lim_{z \to z_0} f(z) = \alpha \text{ と表す。} \end{cases}$

極限値 α が定まらない場合，$z \to z_0$ のとき $f(z)$ は "**発散**" するという。特に，絶対値 $|f(z)|$
が限りなく大きくなるとき，無限大に発散するといい，「$z \to z_0$ のとき，$f(z) \to \infty$」と表す。

これを，$\varepsilon - \delta$ 論法を使って，もっと厳密に表すと，

$^\forall \varepsilon > 0,\ ^\exists \delta > 0 \quad \textbf{s.t.} \quad 0 < |z - z_0| < \delta \Rightarrow |f(z) - \alpha| < \varepsilon$

このとき，$\displaystyle\lim_{z \to z_0} f(z) = \alpha$ となる。

複素関数の極限の公式を下に示す。

複素関数の極限の公式

$\displaystyle\lim_{z \to z_0} f(z) = \alpha,\ \lim_{z \to z_0} g(z) = \beta$ のとき，次の公式が成り立つ。

(1) $\displaystyle\lim_{z \to z_0} \{ f(z) \pm g(z) \} = \alpha \pm \beta$
（複号同順）

(2) $\displaystyle\lim_{z \to z_0} \gamma f(z) = \gamma \alpha$
（γ：複素定数）

(3) $\displaystyle\lim_{z \to z_0} f(z) \cdot g(z) = \alpha \cdot \beta$

(4) $\displaystyle\lim_{z \to z_0} \frac{f(z)}{g(z)} = \frac{\alpha}{\beta}$
（ただし，$g(z) \neq 0,\ \beta \neq 0$）

次に，複素関数の連続条件と，微分係数・導関数の定義を示そう。

複素関数の連続条件

複素関数 $f(z)$ が，$z=z_0$ で定義され，その値が $f(z_0)$ で，

かつ $\lim_{z \to z_0} f(z) = f(z_0)$ となるとき，$f(z)$ は $z=z_0$ で "連続" であるという。

微分係数の定義

$z=z_0$ のある近傍で定義された複素関数 $w=f(z)$ について，

$$\lim_{z \to z_0} \frac{f(z)-f(z_0)}{z-z_0} = \lim_{\Delta z \to 0} \frac{f(z_0+\Delta z)-f(z_0)}{\Delta z} \qquad (z=z_0+\Delta z)$$

が収束するとき，$f(z)$ は，$z=z_0$ で "微分可能" という。また，その

極限値を $z=z_0$ における "微分係数" と呼び，$f'(z_0)$ で表す。

同様に，導関数 $f'(z)$ は，次式で定義される。

$$導関数 \quad f'(z) = \lim_{\Delta z \to 0} \frac{f(z+\Delta z)-f(z)}{\Delta z}$$

右辺の極限がある関数に収束するとき，それを $f'(z)$ とおく。

複素関数の導関数の計算公式

z を複素変数，α を複素定数とする。対数は自然対数とする。

(1) $(e^z)' = e^z$

(2) $(\alpha^z)' = \alpha^z \log \alpha \quad (\alpha \neq 0)$

(3) $\{\log z\}' = \dfrac{1}{z} \quad (z \neq 0)$

(4) $\{\log f(z)\}' = \dfrac{f'(z)}{f(z)} \quad (f(z) \neq 0)$

(5) $(z^\alpha)' = \alpha z^{\alpha-1} \quad (z \neq 0)$

(6) $(\sin z)' = \cos z$

(7) $(\cos z) = -\sin z$

(8) $(\tan z)' = \dfrac{1}{\cos^2 z} \quad (\cos z \neq 0)$

複素関数の微分公式

領域 D で正則な複素関数 $f(z)$，$g(z)$ について，次の公式が成り立つ。

(1) $\{f(z) \pm g(z)\}' = f'(z) \pm g'(z) \quad$ （複号同順）

(2) $\{\gamma f(z)\}' = \gamma \cdot f'(z) \quad$ （γ：複素定数）

(3) $\{f(z) \cdot g(z)\}' = f'(z) \cdot g(z) + f(z) \cdot g'(z)$

(4) $\left\{\dfrac{f(z)}{g(z)}\right\}' = \dfrac{f'(z) \cdot g(z) - f(z) \cdot g'(z)}{\{g(z)\}^2} \quad$ （ただし，$g(z) \neq 0$）

§2. コーシー・リーマンの方程式（C-Rの方程式）

コーシー・リーマン$(\mathbf{C}\text{-}\mathbf{R})$の方程式を下に示す。

コーシー・リーマンの方程式（C-Rの方程式）

領域Dで定義された$z = x + iy$の関数$f(z) = u(x, y) + iv(x, y)$が正則
（微分可能）であるならば、

$$\frac{\partial u}{\partial x} = \frac{\partial v}{\partial y} \quad \text{かつ} \quad \frac{\partial v}{\partial x} = -\frac{\partial u}{\partial y} \quad \cdots\cdots (*)$$

> これは、$u_x = v_y,\ v_x = -u_y$
> と略記してもいい。

が成り立つ。これを、"**コーシー・リーマンの方程式**"という。
また、$f(z)$の導関数$f'(z)$は、

$$f'(z) = \frac{\partial u}{\partial x} + i\frac{\partial v}{\partial x} \quad \text{または} \quad \frac{\partial v}{\partial y} - i\frac{\partial u}{\partial y} \quad \text{で計算できる。}$$

$\mathbf{C}\text{-}\mathbf{R}$の方程式による、複素関数の正則条件は次の通りである。

$f(z)$の正則条件

関数$f(z) = u(x, y) + iv(x, y)$が、領域$D$で正則であるための必要十分
条件は、$u(x, y)$と$v(x, y)$が共に領域Dで連続な偏導関数をもち、かつ
コーシー・リーマンの方程式$u_x = v_y$かつ$v_x = -u_y$をみたすことである。

そして、$f(z)$が正則のとき、$f'(z) = u_x + iv_x$または$f'(z) = v_y - iu_y$となる。

次に、極形式表示の$\mathbf{C}\text{-}\mathbf{R}$の方程式を下に示す。

極形式表示のコーシー・リーマンの方程式

領域Dで定義された$z = r \cdot e^{i\theta}$の関数$f(z) = u(r, \theta) + iv(r, \theta)$が正則
であるならば、

$$\frac{\partial u}{\partial r} = \frac{1}{r} \cdot \frac{\partial v}{\partial \theta} \quad \text{かつ} \quad \frac{\partial v}{\partial r} = -\frac{1}{r} \cdot \frac{\partial u}{\partial \theta} \quad \cdots\cdots (**)$$

> これは、
> $u_r = \dfrac{1}{r}v_\theta,\ v_r = -\dfrac{1}{r}u_\theta$
> と略記してもいい。

が成り立つ。これを、"**極形式表示のコーシー・リーマンの方程式**"
と呼ぼう。また、導関数$f'(z)$は

$$f'(z) = \frac{1}{e^{i\theta}}\left(\frac{\partial u}{\partial r} + i\frac{\partial v}{\partial r}\right) \quad \text{または} \quad \frac{1}{re^{i\theta}}\left(\frac{\partial v}{\partial \theta} - i\frac{\partial u}{\partial \theta}\right) \quad \text{で計算できる。}$$

導関数は $f'(z) = \dfrac{1}{e^{i\theta}}(u_r + iv_r)$，または $f'(z) = \dfrac{1}{re^{i\theta}}(v_\theta - iu_\theta)$ と表せる。

§3. 等角写像

z 平面における滑らかな曲線の定義を下に示す。

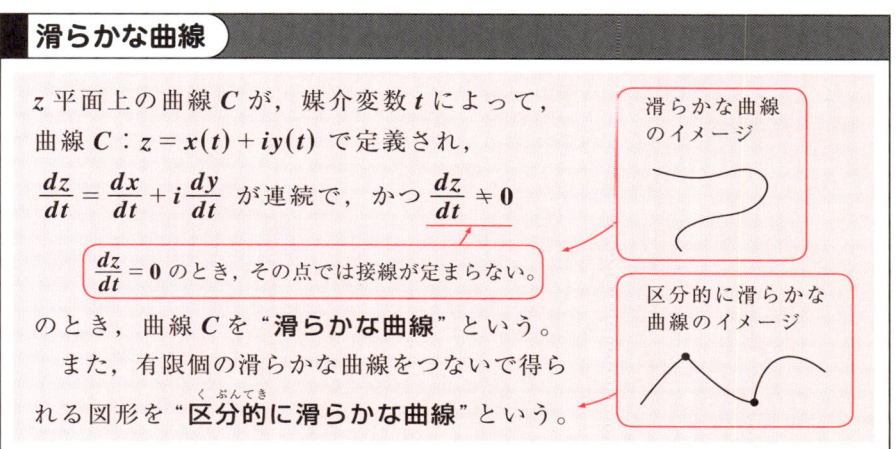

滑らかな曲線

z 平面上の曲線 C が，媒介変数 t によって，曲線 $C : z = x(t) + iy(t)$ で定義され，

$$\frac{dz}{dt} = \frac{dx}{dt} + i\frac{dy}{dt} \text{ が連続で，かつ } \frac{dz}{dt} \neq 0$$

滑らかな曲線のイメージ

$\dfrac{dz}{dt} = 0$ のとき，その点では接線が定まらない。

のとき，曲線 C を "**滑らかな曲線**" という。

また，有限個の滑らかな曲線をつないで得られる図形を "**区分的に滑らかな曲線**" という。

区分的に滑らかな曲線のイメージ

そして，この滑らかな 2 曲線 C_1，C_2 の交角に着目すると，次のような "**等角写像**"（とうかくしゃぞう）が定義される。

等角写像

z 平面上の滑らかな 2 曲線 C_1，C_2 の交点 z_0 における交角が，複素関数 $w = f(z)$ によって写された，それぞれの 2 曲線 Γ_1，Γ_2 の交点 w_0 における交角と等しいとき，

$w = f(z)$ を "**等角写像**"（*conformal map*）と呼ぶ。

Γ（ガンマ），大文字

さらに，正則関数と等角写像には，次のような密接な関係がある。

正則関数と等角写像

複素関数 $w = f(z)$ が点 z_0 で正則とする。

点 z_0 の近傍で微分可能，つまり $\displaystyle\lim_{z \to z_0} \frac{f(z) - f(z_0)}{z - z_0} = f'(z_0)$（収束）となる。

この z から z_0 への近づき方は多様だ。

このとき，$f'(z_0) \neq 0$ である点 z_0 について，$w = f(z)$ は等角写像になる。

導関数の定義式を用いて，次の関数 $f(z)$ の導関数 $f'(z)$ を求めよ。

(1) $f(z) = z^3 + iz^2$ 　　　　　　(2) $f(z) = \sqrt{z+2i}$

ヒント！　導関数の定義式：$f'(z) = \lim\limits_{\Delta z \to 0} \dfrac{f(z+\Delta z) - f(z)}{\Delta z}$ を利用する。

解答＆解説

(1) $f(z) = z^3 + iz^2$ の導関数 $f'(z)$ を求めると，

$$f'(z) = \lim\limits_{\Delta z \to 0} \frac{f(z+\Delta z) - f(z)}{\Delta z}$$

$$\overbrace{z^3+3z^2\Delta z+3z(\Delta z)^2+(\Delta z)^3}\qquad \overbrace{z^2+2z\Delta z+(\Delta z)^2}$$

$$f'(z) = \lim\limits_{\Delta z \to 0} \frac{\boxed{(z+\Delta z)^3} + i\boxed{(z+\Delta z)^2} - (z^3 + iz^2)}{\Delta z}$$

$$= \lim\limits_{\Delta z \to 0} \frac{\Delta z\{3z^2+3z\Delta z+(\Delta z)^2\} + i\cdot\Delta z(2z+\Delta z)}{\Delta z}$$

$$= \lim\limits_{\Delta z \to 0} \{3z^2 + 3z\underset{0}{\Delta z} + \underset{0}{(\Delta z)^2} + i(2z+\underset{0}{\Delta z})\}$$

$$\therefore f'(z) = 3z^2 + 2iz \quad \cdots\cdots\cdots\cdots\cdots\cdots\cdots\cdots\cdots\cdots\cdots\cdots\text{（答）}$$

(2) $f(z) = \sqrt{z+2i}$ の導関数 $f'(z)$ を求めると，

$$f'(z) = \lim\limits_{\Delta z \to 0} \frac{f(z+\Delta z) - f(z)}{\Delta z}$$

$$f'(z) = \lim\limits_{\Delta z \to 0} \frac{\sqrt{z+\Delta z+2i} - \sqrt{z+2i}}{\Delta z}$$

$$\overbrace{z+\Delta z+2i-(z+2i) = \Delta z}$$

$$= \lim\limits_{\Delta z \to 0} \frac{(\sqrt{z+\Delta z+2i} - \sqrt{z+2i})(\sqrt{z+\Delta z+2i} + \sqrt{z+2i})}{\Delta z(\sqrt{z+\Delta z+2i} + \sqrt{z+2i})}$$

分子・分母に $\sqrt{} + \sqrt{}$ をかけた

$$= \lim\limits_{\Delta z \to 0} \frac{1}{\sqrt{z+\underset{0}{\boxed{\Delta z}}+2i} + \sqrt{z+2i}}$$

$$\therefore f'(z) = \frac{1}{2\sqrt{z+2i}} \quad \cdots\cdots\cdots\cdots\cdots\cdots\cdots\cdots\cdots\cdots\cdots\text{（答）}$$

演習問題 56　　● 導関数の定義式（Ⅱ）●

導関数の定義式を用いて，次の関数 $f(z)$ の導関数 $f'(z)$ を求めよ。

(1) $f(z) = 2z^2 - iz$ 　　　　(2) $f(z) = \sqrt{i - z}$

ヒント！ 公式：$f'(z) = \lim\limits_{\Delta z \to 0} \dfrac{f(z + \Delta z) - f(z)}{\Delta z}$ を使って，求めよう。

解答 & 解説

(1) $f(z) = 2z^2 - iz$ の導関数 $f'(z)$ を求めると，

$$f'(z) = \lim_{\Delta z \to 0} \frac{f(z + \Delta z) - f(z)}{\Delta z}$$

$$f'(z) = \lim_{\Delta z \to 0} \frac{2\boxed{(z + \Delta z)^2} - i(z + \Delta z) - (2z^2 - iz)}{\Delta z}$$

$\{z^2 + 2z \cdot \Delta z + (\Delta z)^2\}$

$$= \lim_{\Delta z \to 0} \frac{\Delta z \cdot (\boxed{(\mathcal{7})}) - i \cdot \boxed{(\mathcal{1})}}{\Delta z}$$

$$= \lim_{\Delta z \to 0} (4z + 2 \cdot \Delta z - i) \qquad \therefore f'(z) = \boxed{(\mathcal{ウ})} \quad \cdots\cdots\cdots\cdots\text{(答)}$$

(2) $f(z) = \sqrt{i - z}$ の導関数 $f'(z)$ を求めると，

$$f'(z) = \lim_{\Delta z \to 0} \frac{f(z + \Delta z) - f(z)}{\Delta z}$$

$$f'(z) = \lim_{\Delta z \to 0} \frac{\sqrt{i - (z + \Delta z)} - \sqrt{i - z}}{\Delta z}$$

$i - z - \Delta z - (i - z) = -\Delta z$

$$= \lim_{\Delta z \to 0} \frac{\boxed{(\sqrt{i - z - \Delta z} - \sqrt{i - z})(\sqrt{i - z - \Delta z} + \sqrt{i - z})}}{\Delta z (\sqrt{i - z - \Delta z} + \sqrt{i - z})}$$

分子・分母に $\sqrt{} + \sqrt{}$ をかけた

$$= \lim_{\Delta z \to 0} \left(-\frac{1}{\sqrt{i - z - \Delta z} + \sqrt{i - z}} \right) \qquad \therefore f'(z) = -\boxed{(\mathcal{エ})} \quad \cdots\cdots\text{(答)}$$

解答　(ア) $4z + 2 \cdot \Delta z$ 　　(イ) Δz 　　(ウ) $4z - i$ 　　(エ) $\dfrac{1}{2\sqrt{i - z}}$

領域 D で定義された $z = x + iy$ の関数 $f(z) = u(x, y) + iv(x, y)$

が正則であるならば，次のコーシー・リーマン（**C-R**）の方程式

$$\frac{\partial u}{\partial x} = \frac{\partial v}{\partial y} \quad \cdots\cdots(*1) \quad \text{かつ} \quad \frac{\partial v}{\partial x} = -\frac{\partial u}{\partial y} \quad \cdots\cdots(*2)$$

が成り立つことを示せ。また，このとき，導関数 $f'(z)$ は，

$$f'(z) = \frac{\partial u}{\partial x} + i\frac{\partial v}{\partial x} \quad \cdots\cdots(*3) \quad \text{で求められることを示せ。}$$

ヒント！ 　導関数の定義式： $f'(z) = \lim\limits_{\Delta z \to 0} \dfrac{f(z+\Delta z)-f(z)}{\Delta z}$ を基に，$\Delta z \to 0$ を

（ⅰ）$\Delta y = 0$ かつ $\Delta x \to 0$ と（ⅱ）$\Delta x = 0$ かつ $\Delta y \to 0$ の 2 通りに場合分けして調べよう。

解答＆解説

領域 D で $f(z)$ が正則より，D 内のいずれの点においても，

$$f'(z) = \lim_{\Delta z \to 0} \frac{f(z+\Delta z)-f(z)}{\Delta z}$$

$$= \lim_{\substack{\Delta z \to 0 \\ (\Delta x + i\Delta y \to 0)}} \frac{\overbrace{u(x+\Delta x, y+\Delta y)+iv(x+\Delta x, y+\Delta y)}^{f(z+\Delta z)} - \overbrace{\{u(x, y)+iv(x, y)\}}^{f(z)}}{\underbrace{\Delta x + i\Delta y}_{\Delta z}} \quad \cdots\cdots①$$

が成り立つ。①の $\Delta z \to 0$ について，点 $z+\Delta z$ が点 z にどのような近づき方
をしても①は成り立つ。よって，（ⅰ）$\Delta y = 0$ かつ $\Delta x \to 0$ と（ⅱ）$\Delta x = 0$ かつ
$\Delta y \to 0$ の 2 つの場合について調べる。

（ⅰ）$\Delta y = 0$ かつ $\Delta x \to 0$ の場合，①より，

$$f'(z) = \lim_{\Delta x \to 0} \frac{u(x+\Delta x, y)+iv(x+\Delta x, y)-\{u(x, y)+iv(x, y)\}}{\Delta x}$$

$$= \lim_{\Delta x \to 0} \left\{ \underbrace{\frac{u(x+\Delta x, y)-u(x, y)}{\Delta x}}_{\frac{\partial u}{\partial x}} + i \underbrace{\frac{v(x+\Delta x, y)-v(x, y)}{\Delta x}}_{\frac{\partial v}{\partial x}} \right\}$$

$$\therefore f'(z) = \frac{\partial u}{\partial x} + i\frac{\partial v}{\partial x} \quad \cdots\cdots② \quad \text{となる。}$$

$z \quad z+\Delta z$
$\Delta y = 0$ かつ $\Delta x \to 0$ の近づき方

(ⅱ) $\Delta x = 0$ かつ $\Delta y \to 0$ の場合，① より，

$$f'(z) = \lim_{\Delta y \to 0} \frac{u(x,\ y+\Delta y)+iv(x,\ y+\Delta y)-\{u(x,\ y)+iv(x,\ y)\}}{i\Delta y}$$

$$= \lim_{\Delta y \to 0} \frac{1}{i}\left\{\frac{u(x,\ y+\Delta y)-u(x,\ y)}{\Delta y}+i\frac{v(x,\ y+\Delta y)-v(x,\ y)}{\Delta y}\right\}$$

$$\underbrace{-\frac{i^2}{i}=-i} \qquad \underbrace{\frac{\partial u}{\partial y}} \qquad \underbrace{\frac{\partial v}{\partial y}}$$

$$= -i\left(\frac{\partial u}{\partial y}+i\frac{\partial v}{\partial y}\right) = \frac{\partial v}{\partial y}-i\frac{\partial u}{\partial y}$$

$$\therefore f'(z) = \frac{\partial v}{\partial y}+i\left(-\frac{\partial u}{\partial y}\right) \cdots\cdots ③ \quad となる。$$

> ・z
> $\Delta x = 0$ かつ $\Delta y \to 0$
> の近づき方
> ・$z+\Delta z$

以上 (ⅰ)(ⅱ) より，② と ③ は同じ $f'(z)$ であるので，この実部と虚部を比較すると，コーシー・リーマンの方程式：

$$\frac{\partial u}{\partial x}=\frac{\partial v}{\partial y} \cdots\cdots (*1) \quad かつ \quad \frac{\partial v}{\partial x}=-\frac{\partial u}{\partial y} \cdots\cdots (*2) \ が導ける。 \quad \cdots\cdots\cdots(終)$$

> $\dfrac{\partial u}{\partial x}=u_x,\ \dfrac{\partial v}{\partial x}=v_x,\ \dfrac{\partial u}{\partial y}=u_y,\ \dfrac{\partial v}{\partial y}=v_y$ と略記すると，$(*1), (*2)$ は，
> $u_x=v_y \cdots\cdots(*1),\ v_x=-u_y \cdots\cdots(*2)$ とシンプルに表現できる。

また，このとき，② より，導関数 $f'(z)$ は，

$$f'(z) = \frac{\partial u}{\partial x}+i\frac{\partial v}{\partial x} = u_x+iv_x \cdots\cdots (*3) \ で求められる。 \quad \cdots\cdots\cdots\cdots\cdots(終)$$

> ③を用いれば，$f'(z)=v_y-iu_y$ として，求めてもよい。

> **注意**
>
> 本問題では，命題：
> 「領域 D で $f(z)$ が正則である $\Rightarrow u_x=v_y$ かつ $v_x=-u_y$（C-Rの方程式）」
> が成り立つことを示したが，u と v が領域 D で連続な導関数をもつとき，
> 命題：「領域 D で $f(z)$ が正則である $\Leftrightarrow u_x=v_y$ かつ $v_x=-u_y$（C-Rの方程式）」
> が成り立つ。つまり，このとき C-R の方程式は，領域 D で $f(z)$ が正則で
> あるための必要十分条件であることを頭に入れておこう。

$z = x + iy$ の関数 $f(z) = e^{iz}$ について，$f(z) = u + iv$ とおく。

C-R(コーシー・リーマン)の方程式を用いて，$f(z)$ が任意の点 z で

正則であることを示し，$f'(z) = ie^{iz}$ となることを示せ。

ヒント！ $f(z) = u + iv$ の形で表し，C-R の方程式：$u_x = v_y$ かつ $v_x = -u_y$ が成り

立つことを示し，導関数 $f'(z)$ は，$f'(z) = u_x + iv_x$ から求めればよい。

解答 & 解説

$z = x + iy$ より，

$$f(z) = e^{iz} = e^{i(x+iy)} = e^{-y} \cdot e^{ix} = e^{-y}(\cos x + i\sin x)$$
$$= \underbrace{e^{-y}\cos x}_{u} + i\underbrace{e^{-y}\sin x}_{v} \cdots\cdots ① \quad となる。$$

①より，$f(z) = u + iv$ とおくと，

$u = e^{-y}\cos x \cdots\cdots ②$，　$v = e^{-y}\sin x \cdots\cdots ③$ となる。

②，③より，u と v の x と y による偏微分 u_x，v_y と v_x，u_y を求めると，

(ⅰ) $u_x = \dfrac{\partial}{\partial x}(e^{-y}\cos x) = -e^{-y}\sin x$，　$v_y = \dfrac{\partial}{\partial y}(e^{-y}\sin x) = -e^{-y}\sin x$

　　　　　　　 定数扱い 　　　　　　　　　　　　　　　　　 定数扱い

　　$\therefore u_x = v_y \cdots\cdots ④$ となる。

(ⅱ) $v_x = \dfrac{\partial}{\partial x}(e^{-y}\sin x) = e^{-y}\cos x$，　$u_y = \dfrac{\partial}{\partial y}(e^{-y}\cos x) = -e^{-y}\cos x$

　　　　　　　 定数扱い 　　　　　　　　　　　　　　　　　 定数扱い

　　$\therefore v_x = -u_y \cdots\cdots ⑤$ となる。

以上 (ⅰ)，(ⅱ) より，C-R の方程式④，⑤ が成り立つので，任意の点 z で，

$f(z)$ は正則 (微分可能) である。 $\cdots\cdots\cdots\cdots\cdots\cdots\cdots\cdots\cdots\cdots\cdots\cdots\cdots$ (終)

次に，導関数 $f'(z)$ を，公式：$f'(z) = u_x + iv_x$ を使って求めると，

$$f'(z) = u_x + iv_x = \underbrace{-e^{-y}}_{i^2 e^{-y}}\sin x + ie^{-y}\cos x = ie^{-y}(\cos x + i\sin x)$$

$$= ie^{-y}e^{ix} = ie^{i^2y+ix} = ie^{i(x+iy)} = ie^{iz} \quad となる。\cdots\cdots\cdots\cdots\cdots\cdots\cdots (終)$$

演習問題 59 ● C-R の方程式 (Ⅲ) ●

$z = x + iy$ の関数 $f(z) = e^{i-z}$ について，$f(z) = u + iv$ とおく。

C-R(コーシー・リーマン)の方程式を用いて，$f(z)$ が任意の点 z で

正則であることを示し，$f'(z) = -e^{i-z}$ となることを示せ。

ヒント！ C-R の方程式：$u_x = v_y$ かつ $v_x = -u_y$ を示し，$f'(z) = u_x + iv_x$ を求めればいい。

解答＆解説

$f(z) = e^{i-z} = e^{i-(x+iy)} = e^{-x} \cdot e^{i(1-y)} = e^{-x}\{\cos(1-y) + i\sin(1-y)\}$

$\quad = e^{-x}\cos(1-y) + ie^{-x}\sin(1-y) \cdots\cdots ①$ となる。
$\qquad\qquad \underbrace{\quad}_{u} \qquad\qquad \underbrace{\quad}_{v}$

①より，$u = e^{-x}\cos(1-y) \cdots\cdots ②$，$v = \boxed{(ア)} \cdots\cdots ③$ となる。

②，③より，u と v の x, y による偏微分 u_x, v_y と v_x, u_y を求めると，

(ⅰ) $u_x = \dfrac{\partial}{\partial x}(e^{-x}\cos(1-y)) = -e^{-x}\cos(1-y)$, $v_y = \dfrac{\partial}{\partial y}(e^{-x}\sin(1-y)) = \boxed{(イ)}$
$\qquad\qquad\qquad \boxed{定数扱い} \qquad\qquad\qquad\qquad\qquad\qquad \boxed{定数扱い}$

$\quad \therefore u_x = v_y \cdots\cdots ④$ となる。

(ⅱ) $v_x = \dfrac{\partial}{\partial x}(e^{-x}\sin(1-y)) = -e^{-x}\sin(1-y)$, $u_y = \dfrac{\partial}{\partial y}(e^{-x}\cos(1-y)) = \boxed{(ウ)}$
$\qquad\qquad\qquad \boxed{定数扱い} \qquad\qquad\qquad\qquad\qquad\qquad \boxed{定数扱い}$

$\quad \therefore v_x = -u_y \cdots\cdots ⑤$ となる。

以上 (ⅰ), (ⅱ) より，**C-R の方程式**④，⑤が成り立つので，任意の点 z で，

$f(z)$ は正則 (微分可能) である。 $\cdots\cdots\cdots\cdots\cdots\cdots\cdots\cdots\cdots\cdots\cdots\cdots\cdots\cdots$(終)

次に，導関数 $f'(z)$ を，公式：$f'(z) = \underline{u_x} + i\underline{v_x}$ を使って求めると，

$f'(z) = \underline{u_x} + i\underline{v_x} = -e^{-x}\cos(1-y) + i(-e^{-x})\sin(1-y) = -e^{-x}\{\cos(1-y) + i\sin(1-y)\}$

$\quad = -e^{-x}e^{i(1-y)} = -e^{i-(\boxed{(エ)})} = -e^{i-z}$ となる。 $\cdots\cdots\cdots\cdots\cdots\cdots\cdots\cdots$(終)

$\cdots\cdots\cdots\cdots\cdots\cdots\cdots\cdots\cdots\cdots\cdots\cdots\cdots\cdots\cdots\cdots\cdots\cdots\cdots\cdots\cdots\cdots\cdots\cdots\cdots\cdots\cdots\cdots$

解答 (ア) $e^{-x}\sin(1-y)$ (イ) $-e^{-x}\cos(1-y)$ (ウ) $e^{-x}\sin(1-y)$ (エ) $x+iy$

$z = x + iy$ の関数 $f(z) = \cos(z+i)$ について，$f(z) = u + iv$ とおく。

C-R の方程式を用いて，$f(z)$ が z 平面上のすべての点で正則であることを示し，$f'(z)$ を求めよ。

> **ヒント！** **C-R** の方程式：$u_x = v_y$ かつ $v_x = -u_y$ が成り立つことを示し，導関数 $f'(z)$ は，$f'(z) = u_x + iv_x$ （または，$f'(z) = v_y - iu_y$）から求めればよい。

解答 & 解説

$z = x + iy$ より，

$$f(z) = \cos(z+i) = \cos(x + i(y+1))$$
$$= \underbrace{\cos x \cdot \cosh(y+1)}_{u} - i \underbrace{\sin x \cdot \sinh(y+1)}_{-v} \quad \cdots\cdots ①$$

> $\cos(a+bi)$
> $= \cos a \cosh b - i \sin a \sinh b$
> $(a, b : 実数)$

①より，$f(z) = u + iv$ とおくと，

$u = \cos x \cdot \cosh(y+1)$ ……②，$\quad v = -\sin x \cdot \sinh(y+1)$ ……③ となる。

②，③より，u と v の x, y による偏微分 u_x, v_y と v_x, u_y を求めると，

(i) $u_x = \dfrac{\partial}{\partial x}(\cos x \cdot \cosh(y+1)) = -\sin x \cdot \cosh(y+1)$，$\quad v_y = \dfrac{\partial}{\partial y}(-\sin x \cdot \sinh(y+1)) = -\sin x \cdot \cosh(y+1)$

（定数扱い）　　　　　　　　　　（定数扱い）　　　$\because (\sinh x)' = \cosh x$

$\quad\quad \therefore u_x = v_y$ ……④ となる。

(ii) $v_x = \dfrac{\partial}{\partial x}(-\sin x \cdot \sinh(y+1)) = -\cos x \cdot \sinh(y+1)$，$\quad u_y = \dfrac{\partial}{\partial y}(\cos x \cdot \cosh(y+1)) = \cos x \cdot \sinh(y+1)$

（定数扱い）　　　　　　　　　　（定数扱い）　　　$\because (\cosh x)' = \sinh x$

$\quad\quad \therefore v_x = -u_y$ ……⑤ となる。

以上 (i)，(ii) より，**C-R** の方程式④，⑤が成り立つので，z 平面上のすべての点で $f(z)$ は正則 (微分可能) である。………………………………(終)

次に，導関数 $f'(z)$ を，公式：$f'(z) = u_x + iv_x$ を使って求めると，

$$f'(z) = u_x + iv_x = -\sin x \cdot \cosh(y+1) + i(-\cos x)\sinh(y+1)$$
$$= -\{\sin x \cdot \cosh(y+1) + i\cos x \cdot \sinh(y+1)\} = -\sin(x + i(y+1))$$

> 公式：$\sin(a+ib) = \sin a \cosh b + i \cos a \sinh b$ $(a, b : 実数)$

$$= -\sin(x + iy + i) = -\sin(z+i) \quad\quad\quad\quad ………………(答)$$

演習問題 61　　●　C-R の方程式（V）●

$z = x + iy$ の関数 $f(z) = \sin(z+i)$ について，$f(z) = u + iv$ とおく。
C-R の方程式を用いて，$f(z)$ が z 平面上のすべての点で正則であることを示し，$f'(z)$ を求めよ。

ヒント! $u_x = v_y$ かつ $v_x = -u_y$ を示し，$f'(z)$ は，$f'(z) = u_x + iv_x$ から求めよう。

解答＆解説

$$\sin(a+bi) = \sin a \cosh b + i \cos a \sinh b \quad (a, b：実数)$$

$f(z) = \sin(z+i) = \sin(x + i(y+1))$
$\quad = \underbrace{\sin x \cdot \cosh(y+1)}_{u} + \underbrace{i \cos x \cdot \sinh(y+1)}_{v} \cdots\cdots ①$

①より，$u = \sin x \cdot \cosh(y+1) \cdots\cdots ②$，$v = \boxed{(ア)} \cdots\cdots ③$ となる。

②，③より，u と v の x, y による偏微分 u_x, v_y と v_x, u_y を求めると，

（ i) $u_x = \dfrac{\partial}{\partial x}(\underbrace{\sin x \cdot \cosh(y+1)}_{定数扱い}) = \cos x \cdot \cosh(y+1)$，$v_y = \dfrac{\partial}{\partial y}(\underbrace{\cos x \cdot \sinh(y+1)}_{定数扱い}) = \boxed{(イ)}$

$\quad \therefore u_x = v_y \cdots\cdots ④$ となる。

（ ii) $v_x = \dfrac{\partial}{\partial x}(\underbrace{\cos x \cdot \sinh(y+1)}_{定数扱い}) = -\sin x \cdot \sinh(y+1)$，$u_y = \dfrac{\partial}{\partial y}(\underbrace{\sin x \cdot \cosh(y+1)}_{定数扱い}) = \boxed{(ウ)}$

$\quad \therefore v_x = -u_y \cdots\cdots ⑤$ となる。

以上（ i),（ ii)より，C-R の方程式④，⑤が成り立つので，z 平面上のすべての点で $f(z)$ は正則（微分可能）である。$\cdots\cdots\cdots\cdots\cdots$（終）

次に，導関数 $f'(z)$ を，公式：$f'(z) = u_x + iv_x$ を使って求めると，

$f'(z) = \underline{u_x} + i\underline{v_x} = \cos x \cdot \cosh(y+1) + i(-\sin x)\sinh(y+1)$

$\quad = \cos x \cdot \cosh(y+1) - i\sin x \cdot \sinh(y+1) = \cos(x + i(y+1))$

$\boxed{公式：\cos(a+ib) = \cos a \cosh b - i \sin a \sinh b \ (a, b：実数)}$

$\quad = \cos(x + iy + i) = \boxed{(エ)} \quad \cdots\cdots\cdots\cdots\cdots$（答）

解答　（ア）$\cos x \cdot \sinh(y+1)$　（イ）$\cos x \cdot \cosh(y+1)$　（ウ）$\sin x \cdot \sinh(y+1)$　（エ）$\cos(z+i)$

$z = x + iy$ の関数 $f(z) = e^{i\bar{z}}$ について，$f(z) = u + iv$ とおく。z 平面上のいずれの点においても，**C-R**の方程式が成り立たないことを示し，$f(z)$ が正則でないことを示せ。

ヒント！ $f(z)$ が共役複素数 $\bar{z}$ の関数になっているので，これは z 平面上のいずれの点においても正則でないことを，**C-R**の方程式が成り立たないことから示す。

解答＆解説

$z = x + iy$ より，$\bar{z} = x - iy$ となる。よって，

$$f(z) = e^{i\bar{z}} = e^{i(x-iy)} = e^{-i^2 y} \cdot e^{ix} = e^y \cdot e^{ix} = e^y(\cos x + i\sin x)$$

$$= \underbrace{e^y\cos x}_{u} + i\underbrace{e^y\sin x}_{v} \cdots\cdots ① \quad \text{となる。}$$

①より，$f(z) = u + iv$ とおくと，

$u = e^y\cos x$ $\cdots\cdots②$，$v = e^y\sin x$ $\cdots\cdots③$ となる。

②，③より，u と v の x, y による偏微分 u_x, v_y と v_x, u_y を求めると，

(ⅰ) $u_x = \dfrac{\partial}{\partial x}(e^y\cos x) = -e^y\sin x$，$v_y = \dfrac{\partial}{\partial y}(e^y\sin x) = e^y\sin x$

（定数扱い）　　　　　　　　　　　（定数扱い）

$\therefore u_x = -v_y$ となって，一般に **C-R**の方程式 $u_x = v_y$ をみたさない。

(ⅱ) $v_x = \dfrac{\partial}{\partial x}(e^y\sin x) = e^y\cos x$，$u_y = \dfrac{\partial}{\partial y}(e^y\cos x) = e^y\cos x$

（定数扱い）　　　　　　　　　　　（定数扱い）

$\therefore v_x = u_y$ となって，一般に **C-R**の方程式 $v_x = -u_y$ をみたさない。

> ここで，・$u_x = v_y$　すなわち，$-e^y\sin x = e^y\sin x$ となるとき，$2e^y\sin x = 0$
>
> 　　$\sin x = 0$ より，$x = n\pi$　（n：整数）$\cdots\cdots\cdots\cdots ㋐$
>
> 　　・$v_x = -u_y$　すなわち，$e^y\cos x = -e^y\cos x$ となるとき，$2e^y\cos x = 0$
>
> 　　$\cos x = 0$ より，$x = \dfrac{\pi}{2} + n\pi$　（n：整数）$\cdots\cdots ㋑$
>
> よって，**C-R**の方程式㋐，㋑を共にみたす x は存在しない。

以上 (ⅰ), (ⅱ) より，z 平面上のいずれの点においても，**C-R**の方程式は成り立たない。

よって，$f(z)$ は，z 平面上のいずれの点においても正則ではない。$\cdots\cdots\cdots\cdots$(終)

演習問題 63 ● C-R の方程式 (Ⅶ) ●

$z = x + iy$ の関数 $f(z) = e^{i-\bar{z}}$ について，$f(z) = u + iv$ とおく。z 平面上のいずれの点においても，C-R の方程式が成り立たないことを示し，$f(z)$ が正則でないことを示せ。

ヒント！ z 平面上のいずれの点でも，$u_x = v_y$ かつ $v_x = -u_y$ が成り立たないことを示そう。

解答＆解説

$f(z) = e^{i-\bar{z}} = e^{i-(x-iy)} = e^{-x} \cdot e^{i(1+y)} = e^{-x}\{\cos(1+y) + i\sin(1+y)\}$

$\qquad = \underbrace{e^{-x}\cos(1+y)}_{u} + \underbrace{ie^{-x}\sin(1+y)}_{v}$ ……① となる。

①より，$u = e^{-x}\cos(1+y)$ ……②，$v = \boxed{(\textit{ア})}$ ……③ となる。

②，③より，u と v の x, y による偏微分 u_x, v_y と v_x, u_y を求めると，

(ⅰ) $u_x = \dfrac{\partial}{\partial x}(e^{-x}\underbrace{\cos(1+y)}_{\text{定数扱い}}) = -e^{-x}\cos(1+y)$，$v_y = \dfrac{\partial}{\partial y}(\underbrace{e^{-x}}_{\text{定数扱い}}\sin(1+y)) = \boxed{(\textit{イ})}$

$\qquad \therefore u_x = -v_y$ となって，一般に C-R の方程式 $u_x = v_y$ をみたさない。

(ⅱ) $v_x = \dfrac{\partial}{\partial x}(e^{-x}\underbrace{\sin(1+y)}_{\text{定数扱い}}) = -e^{-x}\sin(1+y)$，$u_y = \dfrac{\partial}{\partial y}(\underbrace{e^{-x}}_{\text{定数扱い}}\cos(1+y)) = \boxed{(\textit{ウ})}$

$\qquad \therefore v_x = u_y$ となって，一般に C-R の方程式 $v_x = -u_y$ をみたさない。

> ここで，$\cdot u_x = v_y$ すなわち，$-e^{-x}\cos(1+y) = e^{-x}\cos(1+y)$ となるとき，$2e^{-x}\cos(1+y) = 0$
>
> $\qquad \cos(1+y) = 0 \quad \therefore y = -1 + \dfrac{\pi}{2} + n\pi \quad (n : \text{整数})$ ……㋐
>
> $\qquad \cdot v_x = -u_y$ すなわち，$-e^{-x}\sin(1+y) = e^{-x}\sin(1+y)$ となるとき，$2e^{-x}\sin(1+y) = 0$
>
> $\qquad \sin(1+y) = 0 \quad \therefore y = -1 + n\pi \quad (n : \text{整数})$ …………㋑
>
> よって，C-R の方程式㋐，㋑を共にみたす y は存在しない。

以上 (ⅰ)，(ⅱ)より，z 平面上のいずれの点においても，C-R の方程式は成り立たない。

よって，$f(z)$ は，z 平面上のいずれの点においても $\boxed{(\textit{エ})}$ ではない。…………(終)

解答 $\quad (\textit{ア}) \, e^{-x}\sin(1+y) \quad (\textit{イ}) \, e^{-x}\cos(1+y) \quad (\textit{ウ}) \, -e^{-x}\sin(1+y) \quad (\textit{エ}) \, 正則$

$z = x + iy$ の関数 $f(z) = u + iv$ の C-R の方程式：

$u_x = v_y$ ……(*1)　かつ　$v_x = -u_y$ ……(*2)　を基にして，

極形式 $z = re^{i\theta}$ で表示された場合の C-R の方程式：

$u_r = \dfrac{1}{r} v_\theta$ ……(*3)　かつ　$v_r = -\dfrac{1}{r} u_\theta$ ……(*4)　を導き，

また，導関数の公式 $f'(z) = u_x + iv_x$ ……(*5)　を基にして，

$f'(z) = \dfrac{1}{e^{i\theta}} (u_r + iv_r)$ ……(*6)　と表されることを示せ。

ヒント! $x = r\cos\theta,\ y = r\sin\theta$ となるので，$u_r = u_x \cdot x_r + u_y \cdot y_r,\ v_\theta = v_x \cdot x_\theta + v_y \cdot y_\theta$ など…と変形して，(*1), (*2) から極形式表示の C-R の方程式 (*3), (*4) を導けばいい。この偏微分の変形の仕方もマスターしよう。

解答＆解説

$z = x + iy = r \cdot e^{i\theta} = r(\cos\theta + i\sin\theta) = r\cos\theta + ir\sin\theta$　より，

（極形式）　　　x　　　y

$x = r\cos\theta$ ……①,　$y = r\sin\theta$ ……② となる。

よって，①, ②より，x と y の r, θ による偏微分 x_r, x_θ と y_r, y_θ を求めると，

$x_r = \dfrac{\partial}{\partial r}(r\cos\theta) = \cos\theta$ ……③,　$x_\theta = \dfrac{\partial}{\partial\theta}(r\cos\theta) = -r\sin\theta$ ……④

$y_r = \dfrac{\partial}{\partial r}(r\sin\theta) = \sin\theta$ ……⑤,　$y_\theta = \dfrac{\partial}{\partial\theta}(r\sin\theta) = r\cos\theta$ ……⑥ となる。

(I) (*3) を導くために，u_r と v_θ を求めると，

> x と y は r の関数なので，$u_r = u_x \cdot x_r + u_y \cdot y_r$ と変形できる。以下同様である。

(i) $u_r = \dfrac{\partial u}{\partial r} = \dfrac{\partial u}{\partial x} \cdot \dfrac{\partial x}{\partial r} + \dfrac{\partial u}{\partial y} \cdot \dfrac{\partial y}{\partial r}$

　　　　　　　$\cos\theta$（③より）　$\sin\theta$（⑤より）

$\therefore u_r = u_x \cdot \cos\theta + u_y \cdot \sin\theta$ ……⑦ となる。

(ii) $v_\theta = v_x \cdot x_\theta + v_y \cdot y_\theta\ =\ v_x(-r\sin\theta) + v_y \cdot r\cos\theta$　よって，

　　$-r\sin\theta$（④より）　$r\cos\theta$（⑥より）　$-u_y$（(*2)より）　u_x（(*1)より）

　　$v_\theta = r(u_x\cos\theta + u_y\sin\theta)$ より，$\dfrac{1}{r} v_\theta = u_x\cos\theta + u_y\sin\theta$ …⑧ となる。

以上⑦, ⑧より，$u_r = \dfrac{1}{r} v_\theta$ ……(*3)　が導ける。　……………………(終)

(Ⅱ) (∗4)を導くために, v_r と u_θ を求めると,

(ⅰ) $v_r = v_x \cdot x_r + v_y \cdot y_r$ ∴ $v_r = v_x \cdot \cos\theta + v_y \cdot \sin\theta$ ……⑨ となる。

$\boxed{\cos\theta (③より)}$ $\boxed{\sin\theta (⑤より)}$

(ⅱ) $u_\theta = u_x \cdot x_\theta + u_y \cdot y_\theta = u_x(-r\sin\theta) + u_y \cdot r\cos\theta$ よって,

$\boxed{-r\sin\theta (④より)}$ $\boxed{r\cos\theta (⑥より)}$ $\boxed{v_y ((∗1)より)}$ $\boxed{-v_x ((∗2)より)}$

$u_\theta = -r(v_x\cos\theta + v_y\sin\theta)$ ∴ $-\dfrac{1}{r}u_\theta = v_x\cos\theta + v_y\sin\theta$ …⑩ となる。

以上⑨, ⑩より, $v_r = -\dfrac{1}{r}u_\theta$ ……(∗4) が導ける。 …………………(終)

(Ⅲ) 導関数の公式 $f'(z) = u_x + iv_x$ ……(∗5)から, (∗6)の公式を導くために,

u_r, v_r と u_x, v_x の関係を求め, u_x と v_x を u_r, v_r で表す。まず,

⑦, ⑨を列記して, (∗2), (∗1) を用いると,

$\begin{cases} u_r = u_x\cos\theta + u_y\sin\theta = u_x\cos\theta - v_x\sin\theta \\ \quad \boxed{-v_x ((∗2)より)} \\ v_r = v_x\cos\theta + v_y\sin\theta = u_x\sin\theta + v_x\cos\theta \\ \quad \boxed{u_x ((∗1)より)} \end{cases}$ よって, $\boxed{\begin{array}{c}\text{行列とベクトル}\\\text{で表示した。}\end{array}}$

$\begin{cases} u_r = u_x\cos\theta - v_x\sin\theta \\ v_r = u_x\sin\theta + v_x\cos\theta \end{cases}$ より, $\begin{bmatrix} u_r \\ v_r \end{bmatrix} = \begin{bmatrix} \cos\theta & -\sin\theta \\ \sin\theta & \cos\theta \end{bmatrix} \begin{bmatrix} u_x \\ v_x \end{bmatrix}$ ……⑪

⑪の両辺に, $\begin{bmatrix} \cos\theta & -\sin\theta \\ \sin\theta & \cos\theta \end{bmatrix}^{-1} = \dfrac{1}{\varDelta}\begin{bmatrix} \cos\theta & \sin\theta \\ -\sin\theta & \cos\theta \end{bmatrix} = \begin{bmatrix} \cos\theta & \sin\theta \\ -\sin\theta & \cos\theta \end{bmatrix}$ を左からかけて,

$\boxed{\cos^2\theta + \sin^2\theta = 1}$ $\boxed{\begin{bmatrix} a & b \\ c & d \end{bmatrix}^{-1} = \dfrac{1}{ad-bc}\begin{bmatrix} d & -b \\ -c & a \end{bmatrix}}$

$\begin{bmatrix} u_x \\ v_x \end{bmatrix} = \begin{bmatrix} \cos\theta & \sin\theta \\ -\sin\theta & \cos\theta \end{bmatrix} \begin{bmatrix} u_r \\ v_r \end{bmatrix} = \begin{bmatrix} u_r\cos\theta + v_r\sin\theta \\ -u_r\sin\theta + v_r\cos\theta \end{bmatrix}$

よって, $u_x = u_r\cos\theta + v_r\sin\theta$, $v_x = -u_r\sin\theta + v_r\cos\theta$ となる。

これらを (∗5) に代入して,

$f'(z) = u_r\cos\theta + v_r\sin\theta + i(-u_r\sin\theta + v_r\cos\theta)$

$= (\cos\theta - i\sin\theta)u_r + i(\cos\theta - i\sin\theta)v_r = e^{-i\theta}(u_r + iv_r)$

$\boxed{\cos(-\theta) + i\sin(-\theta) = e^{-i\theta}}$

∴ $f'(z) = \dfrac{1}{e^{i\theta}}(u_r + iv_r)$ ……(∗6) が導ける。 ……………………………(終)

$z = re^{i\theta}$ の関数 $f(z) = iz$ について，$f(z) = u + iv$ とおく。
極形式表示の **C-R** の方程式を用いて，$f(z)$ が任意の点 z で
正則であることを示し，導関数 $f'(z)$ を求めよ。

ヒント! $f(z) = u + iv$ の形で表し，極形式表示の **C-R** の方程式：$u_r = \dfrac{1}{r} v_\theta$，$v_r = -\dfrac{1}{r} u_\theta$ が成り立つことを示し，$f'(z) = \dfrac{1}{e^{i\theta}}(u_r + iv_r)$ を使って，$f'(z)$ を求めればよい。

解答&解説

$z = re^{i\theta}$ より，$f(z) = i \cdot z = i \cdot re^{i\theta} = re^{i\left(\theta + \frac{\pi}{2}\right)}$　$\left(\because i = 1 \cdot e^{\frac{\pi}{2}i}\right)$　よって，

$$f(z) = r\left\{\cos\left(\theta + \frac{\pi}{2}\right) + i\sin\left(\theta + \frac{\pi}{2}\right)\right\} = \underbrace{-r\sin\theta}_{u} + i \cdot \underbrace{r\cos\theta}_{v} \quad \cdots\cdots ① \quad となる。$$

（左側：$-\sin\theta$，右側：$\cos\theta$）

①より，$f(z) = u + iv$ とおくと，

$u = -r\sin\theta$ ……②，　$v = r\cos\theta$ ……③ となる。

②，③より，u_r, v_θ と v_r, u_θ を求めると，

(ⅰ) $u_r = \dfrac{\partial}{\partial r}(-r\sin\theta) = -\sin\theta$，　$v_\theta = \dfrac{\partial}{\partial \theta}(r\cos\theta) = -r\sin\theta$

　　$\therefore u_r = \dfrac{1}{r} v_\theta$ ……④ が成り立つ。

(ⅱ) $v_r = \dfrac{\partial}{\partial r}(r\cos\theta) = \cos\theta$，　$u_\theta = \dfrac{\partial}{\partial \theta}(-r\sin\theta) = -r\cos\theta$

　　$\therefore v_r = -\dfrac{1}{r} u_\theta$ ……⑤ が成り立つ。

以上(ⅰ)，(ⅱ)より，すべての点 z において，極形式表示の **C-R** の方程式④，⑤が成り立つので，$f(z)$ は任意の点 z で正則(微分可能)である。　…………(終)

次に，導関数 $f'(z)$ を，u_r と v_r から求めると，

$$f'(z) = \frac{1}{e^{i\theta}}(u_r + iv_r) = \frac{1}{e^{i\theta}}(-\sin\theta + i\cos\theta) = \frac{1}{e^{i\theta}} \cdot e^{i\left(\theta + \frac{\pi}{2}\right)}$$

（$\cos\left(\theta + \frac{\pi}{2}\right)$，$\sin\left(\theta + \frac{\pi}{2}\right)$）

$$= e^{i\theta + \frac{\pi}{2}i - i\theta} = e^{\frac{\pi}{2}i} = \cos\frac{\pi}{2} + i\sin\frac{\pi}{2} = i \quad \cdots\cdots\cdots\cdots\cdots\cdots(答)$$

演習問題 66 ● 極形式表示の C-R の方程式 (Ⅲ) ●

$z = re^{i\theta}$ の関数 $f(z) = z^2$ について，$f(z) = u + iv$ とおく。

極形式表示の C-R の方程式を用いて，$f(z)$ が任意の点 z で

正則であることを示し，導関数 $f'(z)$ を求めよ。

ヒント！ 極形式の C-R の方程式：$u_r = \dfrac{1}{r} v_\theta,\ v_r = -\dfrac{1}{r} u_\theta$ と $f'(z) = \dfrac{1}{e^{i\theta}} (u_r + i v_r)$ を使って，解けばよい。

解答&解説

$z = re^{i\theta}$ より，$f(z) = z^2 = (re^{i\theta})^2 = r^2 e^{2i\theta}$ となる。よって，

$f(z) = r^2(\cos 2\theta + i\sin 2\theta) = r^2\cos 2\theta + i\,\boxed{(ア)}$ ……① となる。

①より，$f(z) = u + iv$ とおくと，

$u = r^2\cos 2\theta$ ……②，$v = \boxed{(ア)}$ ……③ となる。

②，③より，$u_r,\ v_\theta$ と $v_r,\ u_\theta$ を求めると，

（ⅰ）$u_r = \dfrac{\partial}{\partial r}(r^2\cos 2\theta) = 2r\cos 2\theta,\quad v_\theta = \dfrac{\partial}{\partial \theta}(r^2\sin 2\theta) = 2r^2\cos 2\theta$

$\quad \therefore u_r = \boxed{(イ)}$ ……④ が成り立つ。

（ⅱ）$v_r = \dfrac{\partial}{\partial r}(r^2\sin 2\theta) = 2r\sin 2\theta,\quad u_\theta = \dfrac{\partial}{\partial \theta}(r^2\cos 2\theta) = -2r^2\sin 2\theta$

$\quad \therefore v_r = \boxed{(ウ)}$ ……⑤ が成り立つ。

以上（ⅰ），（ⅱ）より，すべての点 z において，極形式表示の C-R の方程式④，⑤ が成り立つので，$f(z)$ は任意の点 z で正則 (微分可能) である。 ……………(終)

次に，導関数 $f'(z)$ を，u_r と v_r から求めると，

$f'(z) = \dfrac{1}{e^{i\theta}}(u_r + iv_r) = \dfrac{1}{e^{i\theta}}(2r\cos 2\theta + i\cdot 2r\sin 2\theta)$

$\quad = 2r\cdot\dfrac{1}{e^{i\theta}}\underbrace{(\cos 2\theta + i\sin 2\theta)}_{e^{2i\theta}} = 2re^{2i\theta - i\theta} = 2\underbrace{re^{i\theta}}_{z} = \boxed{(エ)}$ ……………(答)

⋯⋯⋯⋯⋯⋯⋯⋯⋯⋯⋯⋯⋯⋯⋯⋯⋯⋯⋯⋯⋯⋯⋯⋯⋯⋯⋯⋯⋯⋯⋯⋯⋯⋯

解答 （ア）$r^2\sin 2\theta$ （イ）$\dfrac{1}{r} v_\theta$ （ウ）$-\dfrac{1}{r} u_\theta$ （エ）$2z$

$z = re^{i\theta}$ $(r > 0)$ の関数 $f(z) = \log(iz)$ について，$f(z) = u + iv$ とおく。極形式表示の **C-R** の方程式を用いて，$f(z)$ が $z = 0$ 以外の任意の点で正則であることを示し，$f'(z)$ を求めよ。

ヒント！　$f(z) = u + iv$ の形で表し，極形式表示の **C-R** の方程式：$u_r = \dfrac{1}{r} v_\theta$，かつ $v_r = -\dfrac{1}{r} u_\theta$ が成り立つことを示し，$f'(z) = \dfrac{1}{e^{i\theta}}(u_r + iv_r)$ から $f'(z)$ を求めよう。

解答＆解説

$z = re^{i\theta}$ $(r > 0)$ より，$iz = i \cdot re^{i\theta} = re^{i\left(\theta + \frac{\pi}{2}\right)}$ $\left(\because i = 1 \cdot e^{\frac{\pi}{2}i}\right)$ となる。よって，

$$f(z) = \log(iz) = \log\left(re^{i\left(\theta + \frac{\pi}{2}\right)}\right)$$

$$= \underbrace{\log r}_{u} + \underbrace{i\left(\theta + \frac{\pi}{2} + 2n\pi\right)}_{v} \cdots\cdots ① \ (n：整数) \ となる。$$

> $\log re^{i\theta}$
> $= \log r + i(\theta + 2n\pi)$

① より，$f(z) = u + iv$ とおくと，

$u = \log r$ ……②，$v = \theta + \dfrac{\pi}{2} + 2n\pi$ ……③ $(n：整数)$ となる。

②，③ より，u_r, v_θ と v_r, u_θ を求めると，

(i) $u_r = \dfrac{\partial}{\partial r}(\log r) = \dfrac{1}{r}$，$v_\theta = \dfrac{\partial}{\partial \theta}\left(\theta + \dfrac{\pi}{2} + 2n\pi\right) = 1$

　　$\therefore u_r = \dfrac{1}{r} v_\theta$ ……④ が成り立つ。

(ii) $v_r = \dfrac{\partial}{\partial r}\left(\theta + \dfrac{\pi}{2} + 2n\pi\right) = 0$，$u_\theta = \dfrac{\partial}{\partial \theta}(\log r) = 0$

　　$\therefore v_r = -\dfrac{1}{r} u_\theta$ ……⑤ が成り立つ。

以上 (i)，(ii) より，$z \neq 0$ において，極形式表示の **C-R** の方程式④，⑤が成り立つので，$f(z)$ は，$z = 0$ を除く任意の点 z で正則 (微分可能) である。………(終)

次に，導関数 $f'(z)$ を，u_r と v_r から求めると，

$$f'(z) = \dfrac{1}{e^{i\theta}}(u_r + iv_r) = \dfrac{1}{e^{i\theta}}\left(\dfrac{1}{r} + i \cdot 0\right) = \dfrac{1}{re^{i\theta}} = \dfrac{1}{z} \qquad\qquad\cdots\cdots(答)$$

演習問題 68 ● 極形式表示の **C-R** の方程式 (V) ●

$z = re^{i\theta}$ $(r>0)$ の関数 $f(z) = \log(z^2)$ について，$f(z) = u + iv$ とおく。
極形式表示の **C-R** の方程式を用いて，$f(z)$ が $z = 0$ 以外の任意の点で
正則であることを示し，$f'(z)$ を求めよ。

ヒント！ 極形式表示の**C-R**の方程式：$u_r = \dfrac{1}{r} v_\theta$, $v_r = -\dfrac{1}{r} u_\theta$ と，$f'(z) = \dfrac{1}{e^{i\theta}}(u_r + iv_r)$
を利用して解いていこう。

解答＆解説

$z = re^{i\theta}$ $(r>0)$ より，$z^2 = (re^{i\theta})^2 = r^2 \cdot e^{2i\theta}$ となる。よって，

$f(z) = \log(z^2) = \log(r^2 e^{2i\theta}) = \log r^2 + i(\boxed{(ア) \quad})$

$\qquad = \underbrace{2\log r}_{u} + i(\underbrace{\boxed{(ア)\quad}}_{v})$ ……① （n：整数）となる。

①より，$f(z) = u + iv$ とおくと，

$u = 2\log r$ ……②，$v = \boxed{(ア)\quad}$ ……③ （n：整数）となる。

②，③より，u_r, v_θ と v_r, u_θ を求めると，

(ⅰ) $u_r = \dfrac{\partial}{\partial r}(2\log r) = \dfrac{2}{r}$，$v_\theta = \dfrac{\partial}{\partial \theta}(2\theta + 2n\pi) = 2$

$\qquad \therefore u_r = \boxed{(イ)\quad}$ ……④ が成り立つ。

(ⅱ) $v_r = \dfrac{\partial}{\partial r}(2\theta + 2n\pi) = 0$，$u_\theta = \dfrac{\partial}{\partial \theta}(2\log r) = 0$

$\qquad \therefore v_r = \boxed{(ウ)\quad}$ ……⑤ が成り立つ。

以上 (ⅰ), (ⅱ) より，$z \neq 0$ において，極形式表示の **C-R** の方程式④，⑤が成り立つので，$f(z)$ は，$z = 0$ を除く任意の点 z で正則 (微分可能) である。………(終)

次に，導関数 $f'(z)$ を，u_r と v_r から求めると，

$f'(z) = \dfrac{1}{e^{i\theta}}(u_r + iv_r) = \dfrac{1}{e^{i\theta}}\left(\dfrac{2}{r} + i \cdot 0\right) = \dfrac{2}{re^{i\theta}} = \boxed{(エ)\quad}$ ……………(答)

解答 （ア）$2\theta + 2n\pi$ （イ）$\dfrac{1}{r}v_\theta$ （ウ）$-\dfrac{1}{r}u_\theta$ （エ）$\dfrac{2}{z}$

次の関数を微分せよ。

(1) $z\sqrt{z} + i\log(z+i)$　　(2) $e^z \cdot \sin z$　　(3) $\dfrac{\log z}{z}$

(4) e^{-2iz}　　(5) $\cos(iz)$　　(6) $\cos^2 z$

(7) $e^{-iz} \cdot \sin(2z)$　　(8) $\dfrac{e^{iz}}{2^z}$　　(9) $\sin^2(iz)$

> **ヒント！** 実数関数のときと同様に，複素関数の微分公式として，(ⅰ)$(e^z)' = e^z$，(ⅱ)$(\alpha^z)' = \alpha^z \log \alpha$，(ⅲ)$(\log z)' = \dfrac{1}{z}$，(ⅳ)$\{\log f(z)\}' = \dfrac{f'(z)}{f(z)}$，(ⅴ)$(z^\alpha)' = \alpha z^{\alpha-1}$，(ⅵ)$(\sin z)' = \cos z$，(ⅶ)$(\cos z)' = -\sin z$，(ⅷ)$(\tan z)' = \dfrac{1}{\cos^2 z}$，および **2** つの関数の積や商の微分公式，さらに合成関数の微分公式を利用できる。

解答 & 解説

(1) $\left\{z^{\frac{3}{2}} + i\log(z+i)\right\} = \left(z^{\frac{3}{2}}\right)' + i\{\log(z+i)\}'$

$\qquad = \dfrac{3}{2}z^{\frac{1}{2}} + i\,\dfrac{(z+i)'}{z+i}$

$\qquad = \dfrac{3}{2}\sqrt{z} + \dfrac{i}{z+i}$ ……………(答)

> $\cdot (\alpha f + \beta g)' = \alpha f' + \beta g'$
> 　$(\alpha,\ \beta：定数)$
> $\cdot (z^\alpha)' = \alpha z^{\alpha-1}$
> $\cdot (\log f)' = \dfrac{f'}{f}$　$(f \neq 0)$

(2) $(e^z \cdot \sin z)' = (e^z)' \sin z + e^z \cdot (\sin z)'$

$\qquad = e^z \sin z + e^z \cos z$

$\qquad = e^z(\sin z + \cos z)$ ……………(答)

> $\cdot (f \cdot g)' = f' \cdot g + f \cdot g'$
> $\cdot (e^z)' = e^z$
> $\cdot (\sin z)' = \cos z$

(3) $\left(\dfrac{\log z}{z}\right)' = \dfrac{(\log z)' \cdot z - z' \cdot \log z}{z^2}$

$\qquad = \dfrac{\dfrac{1}{z} \cdot z - 1 \cdot \log z}{z^2} = \dfrac{1 - \log z}{z^2}$ ……(答)

> $\cdot \left(\dfrac{f}{g}\right)' = \dfrac{f' \cdot g - f \cdot g'}{g^2}$
> $\cdot (\log z)' = \dfrac{1}{z}$

(4) $w = e^{-2iz}$ とおき，$-2iz = \xi$ とおくと，

$\qquad w' = \dfrac{dw}{dz} = \dfrac{d(e^\xi)}{dz} = \dfrac{d(e^\xi)}{d\xi} \cdot \dfrac{d(\overset{\xi}{-2iz})}{dz}$

$\qquad = e^\xi \cdot (-2i) = -2i\,e^{-2iz}$ ………………(答)

> $\cdot$ 合成関数の微分
> 　$\dfrac{dw}{dz} = \dfrac{dw}{d\xi} \cdot \dfrac{d\xi}{dz}$
> $\cdot (e^z)' = e^z$

114

(5) $w = \cos(iz)$ とおき，$iz = \xi$ とおくと，

$$w' = \frac{dw}{dz} = \frac{d(\cos\xi)}{d\xi} \cdot \frac{d(iz)}{dz}$$

$$= -\sin\xi \cdot i = -i\sin(iz) \cdots\cdots\cdots\cdots\cdots(答)$$

> ・合成関数の微分
> $$\frac{dw}{dz} = \frac{dw}{d\xi} \cdot \frac{d\xi}{dz}$$
> ・$(\cos z)' = -\sin z$

(6) $w = \cos^2 z$ とおき，$\cos z = \xi$ とおくと，

$$w' = \frac{dw}{dz} = \frac{d(\xi^2)}{d\xi} \cdot \frac{d(\cos z)}{dz}$$

$$= 2\xi \cdot (-\sin z) = -2\sin z\cos z$$

$$= -\sin 2z \cdots\cdots\cdots\cdots\cdots\cdots\cdots(答)$$

> ・合成関数の微分
> $$\frac{dw}{dz} = \frac{dw}{d\xi} \cdot \frac{d\xi}{dz}$$
> ・$(\cos z)' = -\sin z$

> ・2倍角の公式
> $\sin 2z = 2\sin z\cos z$

(7) $\{e^{-iz} \cdot \sin(2z)\}' = (e^{-iz})' \cdot \sin(2z) + e^{-iz}(\sin(2z))'$

> ・$(f \cdot g)' = f' \cdot g + f \cdot g'$

> $\dfrac{de^{\xi}}{d\xi} \cdot \dfrac{d(-iz)}{dz} = e^{\xi} \cdot (-i) = -ie^{-iz}$

> $\dfrac{d\sin\xi}{d\xi} \cdot \dfrac{d(2z)}{dz} = \cos\xi \cdot 2 = 2\cos(2z)$

$$= -ie^{-iz} \cdot \sin(2z) + 2e^{-iz}\cos(2z)$$

$$= e^{-iz}\{2\cos(2z) - i\sin(2z)\} \cdots\cdots\cdots\cdots\cdots(答)$$

(8) $\left(\dfrac{e^{iz}}{2^z}\right)' = \dfrac{(e^{iz})' 2^z - e^{iz}(2^z)'}{(2^z)^2}$

> $e^{iz} \cdot i = ie^{iz}$

> $2^z \cdot \log 2$

> ・$\left(\dfrac{f}{g}\right)' = \dfrac{f' \cdot g - f \cdot g'}{g^2}$
> ・$(\alpha^z)' = \alpha^z \log\alpha \quad (\alpha \neq 0)$
> ・合成関数の微分

$$= \frac{ie^{iz} \cdot 2^z - e^{iz} \cdot 2^z \log 2}{2^{2z}}$$

$$= \frac{e^{iz} \cdot 2^z(i - \log 2)}{2^{2z}} \cdots\cdots\cdots\cdots\cdots\cdots\cdots\cdots\cdots(答)$$

(9) $w = \sin^2(iz)$ とおき，$\sin(iz) = \xi$ とおくと，

> ・合成関数の微分を
> 2重に利用する。

$$w' = \frac{dw}{dz} = \frac{d(\xi^2)}{d\xi} \cdot \frac{d\{\sin(iz)\}}{dz} = 2i\sin(iz)\cos(iz) = i\sin(2iz) \cdots\cdots(答)$$

> $2\xi = 2\sin(iz)$

> $\dfrac{d(\sin\xi)}{d\xi} \cdot \dfrac{d(iz)}{dz} = \cos\xi \times i = i\cos(iz)$

次の関数を微分せよ。

(1) $2\sin z + i\tan z$　　(2) $\sqrt{z} \cdot \log(z-i)$　　(3) $\dfrac{\cos z}{iz}$

(4) e^{-z^2}　　(5) $\tan(iz)$　　(6) $\sin^2 z$

(7) $e^{-iz} \cdot \sin(iz)$　　(8) $\tan^2(iz)$

ヒント！ 実数関数の微分と同様に，複素関数の微分公式を利用して解いていこう。

解答&解説

(1) $(2\sin z + i\tan z)' = 2(\sin z)' + i(\tan z)'$

$$= 2\cos z + i \cdot \frac{1}{\cos^2 z}$$

$$= \frac{2\cos^3 z + i}{\boxed{(ア)}} \quad \cdots\cdots\cdots\cdots\cdots (答)$$

> · $(\alpha f + \beta g)' = \alpha f' + \beta g'$
> · $(\sin z)' = \cos z$
> · $(\tan z)' = \dfrac{1}{\cos^2 z}$

(2) $\left\{ z^{\frac{1}{2}} \cdot \log(z-i) \right\}' = \left(z^{\frac{1}{2}} \right)' \cdot \log(z-i) + z^{\frac{1}{2}} \cdot \left\{ \log(z-i) \right\}'$

$$= \frac{1}{2} z^{-\frac{1}{2}} \log(z-i) + z^{\frac{1}{2}} \cdot \frac{1}{z-i}$$

$$= \frac{\log(z-i)}{2\sqrt{z}} + \boxed{(イ)} \quad \cdots\cdots\cdots (答)$$

> · $(f \cdot g)' = f' \cdot g + f \cdot g'$
> · $(z^\alpha)' = \alpha z^{\alpha-1}$
> · $(\log f)' = \dfrac{f'}{f}$

(3) $\left(\dfrac{\cos z}{iz} \right)' = \dfrac{1}{i} \cdot \dfrac{(\cos z)' \cdot z - z' \cdot \cos z}{z^2}$

　　　$\boxed{-\dfrac{i^2}{i} = -i}$

$$= -i \cdot \frac{z \cdot (-\sin z) - \cos z}{z^2}$$

$$= \frac{i\left(\boxed{(ウ)} \right)}{z^2} \quad \cdots\cdots\cdots\cdots\cdots (答)$$

> · $\left(\dfrac{f}{g} \right)' = \dfrac{f' \cdot g - f \cdot g'}{g^2}$
> · $(\cos z)' = -\sin z$
> · $(z^\alpha)' = \alpha z^{\alpha-1}$ より，
> 　$z' = 1$

(4) $w = e^{\overset{\xi}{\boxed{-z^2}}}$ とおき，$-z^2 = \xi$ とおくと，

$$w' = \frac{dw}{dz} = \frac{d(e^\xi)}{d\xi} \cdot \frac{d(-z^2)}{dz} = e^\xi \cdot (-2z)$$

$$= \boxed{(エ)} \quad \cdots\cdots\cdots\cdots\cdots\cdots (答)$$

> · 合成関数の微分
> 　$\dfrac{dw}{dz} = \dfrac{dw}{d\xi} \cdot \dfrac{d\xi}{dz}$
> · $(e^z)' = e^z$
> · $(z^\alpha)' = \alpha z^{\alpha-1}$

(5) $w = \tan(\underbrace{iz}_{\xi})$ とおき，$iz = \xi$ とおくと，

$$w' = \frac{dw}{dz} = \frac{d(\tan\xi)}{d\xi} \cdot \frac{d(\underbrace{iz}_{\xi})}{dz}$$

$$= \frac{1}{\cos^2\xi} \cdot i = \boxed{(\text{オ})} \quad \cdots\cdots\cdots (\text{答})$$

> ・合成関数の微分
> $$\frac{dw}{dz} = \frac{dw}{d\xi} \cdot \frac{d\xi}{dz}$$
> ・$(\tan z)' = \dfrac{1}{\cos^2 z}$

(6) $w = \underbrace{\sin^2 z}_{\xi}$ とおき，$\sin z = \xi$ とおくと，

$$w' = \frac{dw}{dz} = \frac{d(\xi^2)}{d\xi} \cdot \frac{d(\underbrace{\sin z}_{\xi})}{dz}$$

$$= 2\xi \cdot \cos z = 2\sin z \cos z = \boxed{(\text{カ})} \quad \cdots\cdots\cdots\cdots\cdots\cdots\cdots (\text{答})$$

> ・合成関数の微分
> $$\frac{dw}{dz} = \frac{dw}{d\xi} \cdot \frac{d\xi}{dz}$$
> ・$(\sin z)' = \cos z$

(7) $\{e^{-iz} \cdot \sin(iz)\}' = (e^{\underbrace{-iz}_{\xi \text{とおく}}})' \cdot \sin(iz) + e^{-iz}\{\sin(\underbrace{iz}_{\xi \text{とおく}})\}'$

$$\underbrace{\frac{d(e^\xi)}{d\xi} \cdot \frac{d(-iz)}{dz} = e^\xi \cdot (-i) = -ie^{-iz}} \qquad \underbrace{\frac{d(\sin\xi)}{d\xi} \cdot \frac{d(iz)}{dz} = \cos\xi \cdot i = i\cos(iz)}$$

$$= -ie^{-iz} \cdot \sin(iz) + ie^{-iz}\cos(iz)$$

$$= \boxed{(\text{キ})} \{\sin(iz) - \cos(iz)\} \quad \cdots\cdots\cdots\cdots\cdots\cdots (\text{答})$$

(8) $w = \underbrace{\tan^2(iz)}_{\xi}$ とおき，$\tan(iz) = \xi$ とおくと，

$$w' = \frac{dw}{dz} = \frac{d(\xi^2)}{d\xi} \cdot \frac{d\{\tan(\underbrace{iz}_{\xi})\}}{dz}$$

> ・合成関数の微分を
> 　2重に利用する

$$\underbrace{2\xi = 2\tan(iz)} \qquad \underbrace{\frac{d(\tan\xi)}{d\xi} \cdot \frac{d(iz)}{dz} = \frac{1}{\cos^2\xi} \cdot i = \frac{i}{\cos^2(iz)}}$$

$$= 2\tan(iz) \cdot \frac{i}{\cos^2(iz)} = \boxed{(\text{ク})} \quad \cdots\cdots\cdots\cdots\cdots\cdots (\text{答})$$

解答 （ア）$\cos^2 z$ 　（イ）$\dfrac{\sqrt{z}}{z-i}$ 　（ウ）$z\sin z + \cos z$ 　（エ）$-2ze^{-z^2}$

（オ）$\dfrac{i}{\cos^2(iz)}$ 　（カ）$\sin 2z$ 　（キ）$-ie^{-iz}$ 　（ク）$\dfrac{2i\tan(iz)}{\cos^2(iz)}$

逆三角関数 $\sin^{-1}z$ の導関数 $(\sin^{-1}z)'$ を求めよ。

ヒント！ $w = \sin^{-1}z$ から $z = \sin w$ として，$w = (z\text{の関数})$ にもち込んで $\sin^{-1}z$ を求め，そして，この導関数 $(\sin^{-1}z)'$ を求めよう。

解答 & 解説

$w = \sin^{-1}z \Longleftrightarrow z = \sin w$ ……① ← これから，$w = (z\text{の式}) = \sin^{-1}z$ を求める。

① より，$z = \dfrac{e^{iw}-e^{-iw}}{2i}$ $\qquad e^{iw}-e^{-iw} = 2iz$

両辺に e^{iw} をかけて，$(e^{iw})^2 - 2iz\,e^{iw} - 1 = 0$

これを解いて，$e^{iw} = iz + \sqrt{1-z^2}$

$iw = \log(iz + \sqrt{1-z^2})$ より，

$w = \sin^{-1}z = \dfrac{1}{i}\log(iz + \sqrt{1-z^2})$ $\qquad \dfrac{1}{i} = -i$

$\therefore \sin^{-1}z = -i\log(iz + \sqrt{1-z^2})$ ……② となる。

$$
\begin{aligned}
&e^{iw} = \chi \text{ とおくと，}\\
&\chi^2 - 2iz\chi - 1 = 0 \text{ より，}\\
&\chi = iz \pm \sqrt{(-iz)^2 - 1\cdot(-1)}\\
&\quad = iz \pm \sqrt{1-z^2}\\
&\quad = iz + \sqrt{1-z^2}\\
&\left(\because \sqrt{1-z^2} \text{ は } 2 \text{ 価関数より}\right.\\
&\left.\quad \text{前に} \pm \text{を付ける必要はない。}\right)
\end{aligned}
$$

よって，② より，$\sin^{-1}z$ を微分すると，

$$(\sin^{-1}z)' = -i\left\{\log(iz + \sqrt{1-z^2})\right\}'$$

$$= -i\,\frac{\left\{iz + (1-z^2)^{\frac{1}{2}}\right\}'}{iz + \sqrt{1-z^2}}$$

$\cdot (\log f)' = \dfrac{f'}{f}$

$\cdot \left\{(1-z^2)^{\frac{1}{2}}\right\}' = \dfrac{1}{2}(1-z^2)^{-\frac{1}{2}}\cdot(1-z^2)'$

$$= -i\,\frac{i + \dfrac{1}{2}(1-z^2)^{-\frac{1}{2}}\cdot(-2z)}{iz + \sqrt{1-z^2}} = -i\,\frac{i - \dfrac{z}{\sqrt{1-z^2}}}{iz + \sqrt{1-z^2}}$$

分子・分母に $\sqrt{1-z^2}$ をかけて

$$= -i\,\frac{i\sqrt{1-z^2} + i^2 z}{(iz + \sqrt{1-z^2})\cdot\sqrt{1-z^2}} = \underset{\boxed{1}}{-i^2}\,\frac{iz + \sqrt{1-z^2}}{(iz + \sqrt{1-z^2})\cdot\sqrt{1-z^2}} = \frac{1}{\sqrt{1-z^2}}$$

$\therefore (\sin^{-1}z)' = \dfrac{1}{\sqrt{1-z^2}}$ である。 ……………………………(答)

$(\sin^{-1}z)' = \dfrac{1}{\sqrt{1-z^2}}$ も公式として，頭に入れておこう。

演習問題 72	● 複素関数の微分 (IV) ●

逆三角関数 $\cos^{-1}z$ の導関数 $(\cos^{-1}z)'$ を求めよ。

ヒント！ $w=\cos^{-1}z$ から $z=\cos w$ として，$w=(z\text{の関数})$ にもち込んで $\cos^{-1}z$ を求め，そして，この導関数 $(\cos^{-1}z)'$ を求めればよい。

解答&解説

$w=\cos^{-1}z \Longleftrightarrow z=\cos w$ ……① ← これから，$w=(z\text{の式})=\cos^{-1}z$ を求める。

①より，$z=\dfrac{e^{iw}+e^{-iw}}{2}$　　$e^{iw}+e^{-iw}=\boxed{(ア)}$

両辺に e^{iw} をかけて，$(e^{iw})^2-2ze^{iw}+1=0$

これを解いて，$e^{iw}=z+\sqrt{z^2-1}$

$\boxed{(イ)}=\log(z+\sqrt{z^2-1})$ より，

$w=\cos^{-1}z=\dfrac{1}{i}\log(z+\sqrt{z^2-1})$

$\therefore \cos^{-1}z=-i\log(z+\sqrt{z^2-1})$ ……② となる。

$e^{iw}=\chi$ とおくと，
$\chi^2-2z\chi+1=0$
$\chi=z\pm\sqrt{(-z)^2-1\cdot1}$
$=z+\sqrt{z^2-1}$
$(\because \sqrt{z^2-1}$ は 2 価関数)

$\dfrac{1}{i}=-\dfrac{i^2}{i}$
$=-i$

よって，②より，$\cos^{-1}z$ を微分すると，

$(\cos^{-1}z)'=-i\left\{\log(z+\sqrt{z^2-1})\right\}'$

$=-i\dfrac{\left\{\boxed{(ウ)}\right\}'}{z+\sqrt{z^2-1}}$

$\cdot (\log f)'=\dfrac{f'}{f}$
$\cdot \left\{(z^2-1)^{\frac{1}{2}}\right\}'=\dfrac{1}{2}(z^2-1)^{-\frac{1}{2}}\cdot(z^2-1)'$

$=-i\dfrac{1+\dfrac{1}{2}(z^2-1)^{-\frac{1}{2}}\cdot2z}{z+\sqrt{z^2-1}}=-i\dfrac{1+\dfrac{z}{\sqrt{z^2-1}}}{z+\sqrt{z^2-1}}$ ← 分子・分母に $\sqrt{z^2-1}$ をかけて

$=-i\dfrac{\sqrt{z^2-1}+z}{(z+\sqrt{z^2-1})\cdot\sqrt{z^2-1}}=\boxed{(エ)}$ ……………………(答)

$(\cos^{-1}z)'=-\dfrac{i}{\sqrt{z^2-1}}$ も，公式として覚えておこう。

解答 (ア) $2z$　(イ) iw　(ウ) $z+(z^2-1)^{\frac{1}{2}}$ (または，$z+\sqrt{z^2-1}$)　(エ) $-\dfrac{i}{\sqrt{z^2-1}}$

ある領域で正則な 2 つの複素関数 $f(z)$ と $g(z)$ について，

$f(\alpha)=g(\alpha)=0$ であり，$f'(\alpha)$ と $g'(\alpha)$ が存在し，かつ $g'(\alpha) \neq 0$ のとき，

$$\lim_{z \to \alpha} \frac{f(z)}{g(z)} = \lim_{z \to \alpha} \frac{f'(z)}{g'(z)} \quad \cdots\cdots(*)$$ が成り立つことを示し，これを利用して，

次の関数の極限を求めよ。

(1) $\displaystyle\lim_{z \to 0} \frac{\sin z}{z}$ 　　(2) $\displaystyle\lim_{z \to 0} \frac{e^z - 1}{z}$ 　　(3) $\displaystyle\lim_{z \to 0} \frac{\log(z+1)}{z}$

(4) $\displaystyle\lim_{z \to 0} \frac{1-\cos z}{z^2}$ 　　(5) $\displaystyle\lim_{z \to i} \frac{e^{z-i}-1}{z^2+1}$ 　　(6) $\displaystyle\lim_{z \to -i} \frac{\log(iz)}{z+i}$

ヒント! これは，複素関数の $\dfrac{0}{0}$ の不定形の極限を，ロピタルの定理を使って

解く問題である。$\displaystyle\lim_{z \to \alpha} \frac{f'(z)}{g'(z)} = \frac{f'(\alpha)}{g'(\alpha)}$ を変形して，$\displaystyle\lim_{z \to \alpha} \frac{f(z)}{g(z)}$ となることを導こう。

解答&解説

$(*)$ の公式が成り立つことを示す。

$$((*) \text{の右辺}) = \lim_{z \to \alpha} \frac{f'(z)}{g'(z)} = \frac{f'(\alpha)}{g'(\alpha)} = \frac{\displaystyle\lim_{z \to \alpha} \frac{f(z)-f(\alpha)}{z-\alpha}}{\displaystyle\lim_{z \to \alpha} \frac{g(z)-g(\alpha)}{z-\alpha}} = \lim_{z \to \alpha} \frac{\dfrac{f(z)-\boxed{f(\alpha)}}{z-\alpha}}{\dfrac{g(z)-\boxed{g(\alpha)}}{z-\alpha}}$$

$$= \lim_{z \to \alpha} \frac{f(z)}{g(z)} = ((*) \text{の左辺})$$

$$\therefore \lim_{z \to \alpha} \frac{f(z)}{g(z)} = \lim_{z \to \alpha} \frac{f'(z)}{g'(z)} \quad \cdots\cdots(*) \text{ は成り立つ。} \cdots\cdots\cdots\cdots\cdots\cdots\cdots\cdots(終)$$

よって，$(*)$ を利用して $(1) \sim (6)$ の極限を求める。

(1) $\displaystyle\lim_{z \to 0} \frac{\sin z}{z}$ は $\dfrac{0}{0}$ の不定形で，$\sin z, z$ は共に正則な関数より，$(*)$ を用いて，

$$\lim_{z \to 0} \frac{\sin z}{z} = \lim_{z \to 0} \frac{(\sin z)'}{z'} = \lim_{z \to 0} \frac{\cos z}{1} = \cos 0 = 1 \quad \cdots\cdots\cdots\cdots\cdots\cdots(答)$$

(2) $\displaystyle\lim_{z \to 0} \dfrac{e^z - 1}{z}$ は，$\dfrac{0}{0}$ の不定形で，$e^z - 1$ と z は共に正則な関数より，

($*$) を用いると，

$$\lim_{z \to 0} \frac{e^z - 1}{z} = \lim_{z \to 0} \frac{(e^z - 1)'}{z'} = \lim_{z \to 0} \frac{e^z}{1} = e^0 = 1 \quad \cdots\cdots\cdots\cdots\cdots\text{（答）}$$

(3) $\displaystyle\lim_{z \to 0} \dfrac{\log(z+1)}{z}$ は，$\dfrac{0}{0}$ の不定形で，$\log(z+1)$ は $z = -1$ 以外で正則で，

z は正則な関数より，($*$) を用いると，

$$\lim_{z \to 0} \frac{\log(z+1)}{z} = \lim_{z \to 0} \frac{\{\log(z+1)\}'}{z'} = \lim_{z \to 0} \frac{\dfrac{1}{z+1}}{1}$$

$$= \lim_{z \to 0} \frac{1}{z+1} = \frac{1}{0+1} = 1 \quad \cdots\cdots\cdots\cdots\cdots\text{（答）}$$

(4) $\displaystyle\lim_{z \to 0} \dfrac{1 - \cos z}{z^2}$ は，$\dfrac{0}{0}$ の不定形で，$1 - \cos z$ と z^2 は共に正則な関数より，

($*$) を用いると，

$$\lim_{z \to 0} \frac{1 - \cos z}{z^2} = \lim_{z \to 0} \frac{(1 - \cos z)'}{(z^2)'} = \lim_{z \to 0} \frac{\sin z}{2z}$$

> これは，まだ $\dfrac{0}{0}$ の不定形。$\sin z$ と $2z$ は正則より ($*$) をもう 1 回用いると，

$$= \lim_{z \to 0} \frac{(\sin z)'}{(2z)'} = \lim_{z \to 0} \frac{\cos z}{2} = \frac{\cos 0}{2} = \frac{1}{2} \quad \cdots\cdots\cdots\cdots\text{（答）}$$

(5) $\displaystyle\lim_{z \to i} \dfrac{e^{z-i} - 1}{z^2 + 1}$ は，$\dfrac{0}{0}$ の不定形で，$e^{z-i} - 1$ と $z^2 + 1$ は共に正則な関数より，

($*$) を用いると，

$$\lim_{z \to i} \frac{e^{z-i} - 1}{z^2 + 1} = \lim_{z \to i} \frac{(e^{z-i} - 1)'}{(z^2 + 1)'} = \lim_{z \to i} \frac{e^{z-i}}{2z} = \frac{e^0}{2i} = -\frac{i^2}{i}\,\frac{1}{2} = -\frac{i}{2} \quad \cdots\cdots\text{（答）}$$

(6) $\displaystyle\lim_{z \to -i} \dfrac{\log(iz)}{z + i}$ は，$\dfrac{0}{0}$ の不定形で，$\log(iz)$ は $z = 0$ 以外で正則で，$z + i$ は

正則な関数より，($*$) を用いると，

> $-\dfrac{1}{i} = \dfrac{i^2}{i} = i$

$$\lim_{z \to -i} \frac{\log(iz)}{z + i} = \lim_{z \to -i} \frac{\{\log(iz)\}'}{(z + i)'} = \lim_{z \to -i} \frac{\dfrac{i}{iz}}{1} = \lim_{z \to -i} \frac{1}{z} = \frac{1}{-i} = i \quad \cdots\cdots\text{（答）}$$

z 平面上の 2 曲線 $C_1 : y = x^2$ と $C_2 : y = \dfrac{1}{x}$ とは交点 $z_0 = 1 + i$ で交わる。交点 z_0 での C_1 と C_2 の接線をそれぞれ l_1, l_2 とおき，l_1 と l_2 のなす角を φ とおくとき，$\tan\varphi$ を求めよ。次に，正則関数 $w = z^2$ により，w 平面に写される 2 曲線 C_1 と C_2 と交点 z_0 の像を順に $\varGamma_1$, $\varGamma_2$, ω_0 とおく。w 平面上で，交点 ω_0 での $\varGamma_1$ と $\varGamma_2$ の接線をそれぞれ m_1, m_2 とおき，m_1 と m_2 のなす角を ψ とおくとき，$\tan\psi$ を求め，$\tan\varphi = \tan\psi$，すなわち $\varphi = \psi$ が成り立つことを示せ。

解答 & 解説

z 平面上の 2 曲線 $C_1 : y = x^2$ と $C_2 : y = \dfrac{1}{x}$ とは，交点 $z_0 = 1 + i$ で交わり，交点 z_0 における C_1 と C_2 の接線をそれぞれ l_1, l_2 とおく。ここで，曲線 C_1 と C_2 を媒介変数 t を用いて表すと，

・曲線 C_1 は，

$$z = \underbrace{x_1}_{\boxed{t}} + i\,\underbrace{y_1}_{\boxed{x_1^2 = t^2}} = t + it^2 \ \text{とおけるので,}$$

$$x_1 = t \ \cdots\cdots ① , \quad y_1 = t^2 \ \cdots\cdots ② \ \text{となる。}$$

・曲線 C_2 は，

$$z = \underbrace{x_2}_{\boxed{t}} + i\,\underbrace{y_2}_{\boxed{\frac{1}{x^2} = \frac{1}{t}}} = t + i \cdot \dfrac{1}{t} \ \text{とおけるので,}$$

$$x_2 = t \ \cdots\cdots ③ , \quad y_2 = \dfrac{1}{t} \ \cdots\cdots ④ \ \text{となる。}$$

ここで，$t = 1$ のとき，2 曲線 C_1 と C_2 は交点 $z_0 = 1 + i$ で交わる。

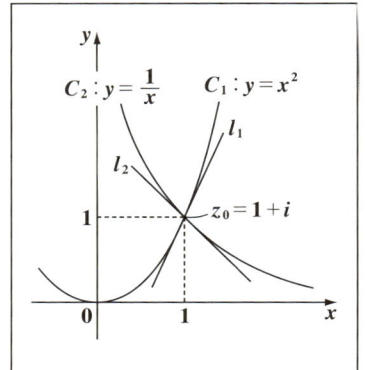

z 平面

次に，点 z_0 における **2** 曲線 C_1 と C_2 の接線 l_1 と l_2 の傾きを求める。

（ⅰ）点 z_0 における曲線 C_1 の接線 l_1 の傾きを
$\tan\theta_1$ とおくと，①，②より，

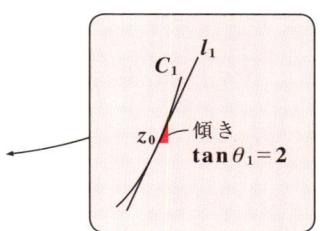

$$\tan\theta_1 = \frac{dy_1}{dx_1} = \frac{\dfrac{dy_1}{dt}}{\dfrac{dx_1}{dt}} = \frac{(t^2)'}{t'} = \frac{2t}{1} = 2t$$

$t = 1$ を代入して，$\tan\theta_1 = 2$ ……⑤ となる。

（ⅱ）点 z_0 における曲線 C_2 の接線 l_2 の傾きを
$\tan\theta_2$ とおくと，③，④より，

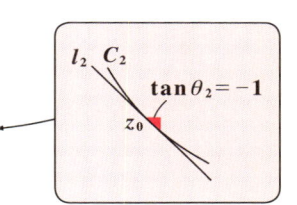

$$\tan\theta_2 = \frac{dy_2}{dx_2} = \frac{\dfrac{dy_2}{dt}}{\dfrac{dx_2}{dt}} = \frac{\left(\dfrac{1}{t}\right)'}{t'} = \frac{-\dfrac{1}{t^2}}{1} = -\frac{1}{t^2}$$

$t = 1$ を代入して，$\tan\theta_2 = -1$ ……⑥ となる。

以上（ⅰ）（ⅱ）より，l_1 と l_2 のなす角を φ とおくと，$\varphi = \theta_1 - \theta_2$ より，⑤，⑥を用いて，

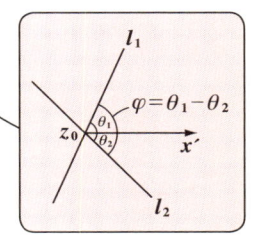

$$\tan\varphi = \tan(\theta_1 - \theta_2) = \frac{\tan\theta_1 - \tan\theta_2}{1 + \tan\theta_1\tan\theta_2} = \frac{2 - (-1)}{1 + 2\cdot(-1)}$$

$$= \frac{3}{-1} = -3$$

$\therefore \tan\varphi = -3$ ……⑦ となる。 ……………………（答）

次に，正則関数 $w = z^2$ により，**2** 曲線 C_1, C_2 が w 平面に写される図形 Γ_1 と Γ_2 を媒介変数 t を用いて表す。

・曲線 Γ_1 は，

$$w = u_1 + i\,v_1 = z^2 = (t + it^2)^2 = t^2 + 2it^3 + \underbrace{i^2t^4}_{(-1)} = \underbrace{t^2 - t^4}_{(u_1)} + i\cdot\underbrace{2t^3}_{(v_1)}$$

となるので

$u_1 = t^2 - t^4$ ……⑧　　$v_1 = 2t^3$ ……⑨ となる。

・曲線 Γ_2 は,

$$w = u_2 + i v_2 = z^2 = \left(t + i \cdot \frac{1}{t}\right)^2$$

$$= t^2 + 2it \cdot \frac{1}{t} + \underbrace{i^2 \cdot \frac{1}{t^2}}_{\boxed{-1}} = t^2 - \frac{1}{t^2} + i \cdot 2$$

となるので

$$u_2 = t^2 - \frac{1}{t^2} \quad \cdots\cdots ⑩ \qquad v_2 = 2 \quad \cdots\cdots ⑪ \quad となる。$$

・また，C_1 と C_2 の交点 $z_0 = 1 + i$ は,

$$w = z^2 = (1+i)^2 = \cancel{1} + 2i + \underbrace{\cancel{i^2}}_{\boxed{-1}} = 2i \quad より，\Gamma_1 と \Gamma_2 の交点 \omega_0 は,$$

$$\omega_0 = 2i \quad となる。$$

> $C_1 : z = t + it^2$ より，
> $\quad x_1 = t, \quad y_1 = t^2$
> $C_2 : z = t + i \cdot \dfrac{1}{t}$ より，
> $\quad x_2 = t, \quad y_2 = \dfrac{1}{t}$
> $\tan\varphi = \tan(\theta_1 - \theta_2) = -3$
> $\Gamma_1 : w = t^2 - t^4 + i \cdot 2t^3$ より，
> $\begin{cases} u_1 = t^2 - t^4 \quad \cdots\cdots ⑧ \\ v_1 = 2t^3 \quad\quad\cdots\cdots\cdots ⑨ \end{cases}$

次に，交点 ω_0 における 2 曲線 Γ_1 と Γ_2 の接線 m_1 と m_2 の傾きを求める。

（ i ）点 ω_0 における曲線 Γ_1 の接線 m_1 の傾きを $\tan\Theta_1$ とおくと，⑧, ⑨ より，

$$\tan\Theta_1 = \frac{dv_1}{du_1} = \frac{\dfrac{dv_1}{dt}}{\dfrac{du_1}{dt}} = \frac{(2t^3)'}{(t^2 - t^4)'} = \frac{6t^2}{2t - 4t^3} = \frac{3t}{1 - 2t^2}$$

$t = 1$ を代入して，$\tan\Theta_1 = \dfrac{3 \cdot 1}{1 - 2 \cdot 1^2} = -3 \quad \cdots\cdots ⑫ \quad となる。$

（ ii ）点 ω_0 における曲線 Γ_2 の接線 m_2 の傾きを $\tan\Theta_2$ とおくと，⑩, ⑪ より，

$$\tan\Theta_2 = \frac{dv_2}{du_2} = \frac{\dfrac{dv_2}{dt}}{\dfrac{du_2}{dt}} = \frac{2'}{\left(t^2 - \dfrac{1}{t^2}\right)'} = 0$$

$\therefore \tan\Theta_2 = 0 \quad \cdots\cdots ⑬ \quad となる。$

> 曲線 Γ_2 :
> $\begin{cases} u_2 = t^2 - \dfrac{1}{t^2} \quad (t \neq 0) \cdots ⑩ \\ v_2 = 2 \quad\quad\quad\cdots\cdots\cdots\cdots\cdots ⑪ \end{cases}$
> は，$v_2 = 2 \ (-\infty < u_2 < \infty)$ となって，u 軸に平行な直線となるので，ω_0 における Γ_2 の接線 m_2 は Γ_2 と一致し，その傾きは，当然 0 となる。

以上（ i ）（ ii ）より，m_1 と m_2 のなす角を ψ とおくと，$\psi = \Theta_1 - \Theta_2$ より，⑫, ⑬ を用いて，

$$\tan\psi = \tan(\Theta_1 - \Theta_2) = \frac{\tan\Theta_1 - \tan\Theta_2}{1+\tan\Theta_1\tan\Theta_2} = \frac{-3-0}{1+(-3)\times 0} = -3 \quad \cdots\cdots ⑭ \quad となる。$$

$$\cdots\cdots(答)$$

以上⑦, ⑭より, $\tan\varphi = \tan\psi = -3$ となるので,

C_1 と C_2 の交点 z_0 における 2 接線 l_1 と l_2 のなす角 φ と, 正則関数 $w = z^2$ に より写された 2 曲線 Γ_1 と Γ_2 の交点 ω_0 における 2 接線 m_1 と m_2 のなす角 ψ とは一致することが分かった。(φ と ψ は, いずれも鈍角をとった。) $\cdots\cdots$(終)

w 平面における 2 曲線 Γ_1 と Γ_2, 交点 ω_0, および点 ω_0 における Γ_1 と Γ_2 の接線 m_1 と m_2 のグラフ を右図に示す。

（曲線 $\Gamma_1 : u_1 = t^2 - t^4,\ v_1 = 2t^3$ に ついては, コンピュータを使っ てグラフを描いた。）

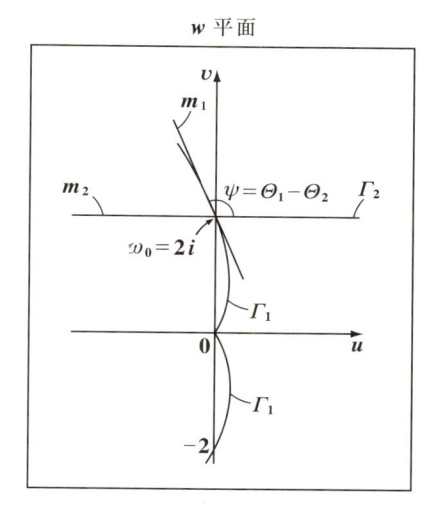

w 平面

125

§1. 複素関数の積分

複素関数の線積分の定義と，積分公式を下に示す。

複素関数の線積分

$w = f(z)$ を，滑らかな曲線 $C : z(t) = x(t) + iy(t)$ で定義された，1価の連続関数とする。また，曲線 C の小区間 Δz_k $(k = 1, 2, \cdots, n)$ の絶対値 $|\Delta z_k|$ の最大値を $\max|\Delta z_k|$ とおく。ここで，$\max|\Delta z_k| \to 0$ となるように小区間の分割数 n を $n \to \infty$ とすると，ζ_k の取り方に関わりなく和 $S_n = \sum_{k=1}^{n} f(\zeta_k)(z_k - z_{k-1})$ は限りなく一定の値に近づく。この値を

$$\int_C f(z)\,dz$$

と表し，複素関数 $f(z)$ の曲線 C に沿った "**積分**"，または "**線積分**" と定義する。また，C をこの積分の "**積分路**（せきぶんろ）" と呼ぶ。

複素関数の積分公式

(1) $\displaystyle\int_C \{\alpha f(z) \pm \beta g(z)\}\,dz = \alpha \int_C f(z)\,dz \pm \beta \int_C g(z)\,dz$

(2) $\displaystyle\int_{-C} f(z)\,dz = -\int_C f(z)\,dz$ （$-C$ は，C を逆向きにたどる積分路）

(3) $C = C_1 + C_2$ のとき，

$$\int_C f(z)\,dz = \int_{C_1} f(z)\,dz + \int_{C_2} f(z)\,dz$$

> これを
> $\displaystyle\int_C = \int_{C_1} + \int_{C_2}$ など…
> と略記することもある。

(4) 曲線 C 上での $|f(z)|$ の最大値を M，C の長さを L とおくと，線積分 $\displaystyle\int_C f(z)\,dz$ の絶対値は，その大きさを次の式により評価できる。

$$\left|\int_C f(z)\,dz\right| \leq M \cdot L$$

§2. コーシーの積分定理

コーシーの積分定理を下に示す。

コーシーの積分定理

単純閉曲線 C で囲まれた内部の領域を D とおく。複素関数 $f(z)$ が，C およびその内部 D で正則で，かつその導関数が連続のとき，

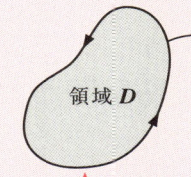

単純閉曲線 C

領域 D

$$\oint_C f(z)\,dz = 0 \quad \text{が成り立つ。}$$

単純閉曲線 C を，その内部の領域 D に関して正の向きに（反時計まわりに）1 周線積分したことを示すために，$\displaystyle\int_C$ ではなく，$\displaystyle\oint_C$ と表す。

$f(z)$ が境界線 C 上で正則であるということは，少なくとも少しは C より外部に微分可能な点の集合が存在するということだ。

コーシーの積分定理から，次の **"積分路変形の原理"** が導ける。

「複素関数 $f(z)$ が，単連結領域 D で正則ならば，D 内の任意の 2 点 α と β を結ぶ曲線 C に沿った積分 $\displaystyle\int_C f(z)\,dz$ は，積分路 C の取り方によらず，常に一定の値をもつ。」

また，コーシーの積分定理は，次のように多重連結領域に応用できる。

(1) コーシーの積分定理の 2 重連結領域への応用

$f(z)$ が 2 重連結領域 D と，その境界の 2 つの閉曲線 C と C_1 で正則であるとき，

$$\oint_C f(z)\,dz = \oint_{C_1} f(z)\,dz \quad \text{が成り立つ。}$$

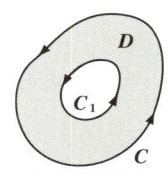

(2 重連結領域)

(2) コーシーの積分定理の 3 重連結領域への応用

$f(z)$ が 3 重連結領域 D と，その境界の 3 つの閉曲線 C と C_1 と C_2 で正則であるとき，

$$\oint_C f(z)\,dz = \oint_{C_1} f(z)\,dz + \oint_{C_2} f(z)\,dz \quad \text{が成り立つ。}$$

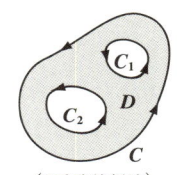

(3 重連結領域)

さらにコーシーの積分定理から次の周回積分公式も導かれる。

点 α を囲む任意の単純閉曲線 C を積分路とする $\dfrac{1}{z-\alpha}$ の 1 周線積分は、

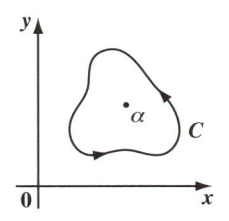

$$\oint_C \frac{1}{z-\alpha}\,dz = 2\pi i \quad となる。$$

（ただし，積分路は反時計回りとする。）

§3. 原始関数を使った積分

単連結領域 D で正則な複素関数 $f(z)$ について，関数 $F(z)$ を

$$F(z) = \int_{z_0}^{z} f(\zeta)\,d\zeta$$

とおくと，$F'(z) = f(z)$ をみたす。

よって，$F(z)$ は $f(z)$ の "原始関数" である。

D 内に 2 点 $\alpha,\ \beta$ をとり，これを結ぶ D 内の任意の積分経路 C について，

$$\int_C f(z)\,dz = \int_{\alpha}^{\beta} f(z)\,dz = \big[F(z)\big]_{\alpha}^{\beta} = F(\beta) - F(\alpha) \quad が成り立つ。$$

(ex) $\displaystyle\int_0^{i} z^3\,dz = \frac{1}{4}\big[z^4\big]_0^{i} = \frac{1}{4}, \quad \int_0^{\frac{\pi}{2}i} e^z\,dz = \big[e^z\big]_0^{\frac{\pi}{2}i} = e^{\frac{\pi}{2}i} - e^0 = i - 1$

§4. コーシーの積分公式・グルサの定理

コーシーの積分公式と，さらに強力なグルサの定理を次に示す。

コーシーの積分公式

複素関数 $f(z)$ が，単純閉曲線 C とその内部 D で正則であるとき，D 内の任意の点 α について，次の公式が成り立つ。

$$\oint_C \frac{f(z)}{z-\alpha}\,dz = 2\pi i\,f(\alpha)$$

（ただし，積分路は反時計まわりとする。）

グルサの定理

複素関数 $f(z)$ が単純閉曲線 C とその内部 D で正則であるならば，$f(z)$ は D 内で n 階微分可能であり，$f^{(n)}(z)$ も正則である。また，D 内の任意の点 α について，次の式が成り立つ。

$$f^{(n)}(\alpha) = \frac{n!}{2\pi i} \oint_C \frac{f(z)}{(z-\alpha)^{n+1}} dz \qquad (n = 1,\ 2,\ 3,\ \cdots)$$

$$\left[\oint_C \frac{f(z)}{(z-\alpha)^{n+1}} dz = \frac{2\pi i}{n!} f^{(n)}(\alpha) \qquad (n = 1,\ 2,\ 3,\ \cdots) \right]$$

さらに，モラレの定理 (コーシーの積分定理の逆の定理)，コーシーの不等式，リュウビルの定理を下に示す。

モラレの定理

$f(z)$ が単連結領域 D で連続とする。D 内の任意の閉曲線 C について，つねに $\oint_C f(z)\,dz = 0$

が成り立つならば，$f(z)$ は D で正則である。

コーシーの不等式

$f(z)$ が，円 $C : |z - \alpha| = r$ とその内部で正則であり，かつ M を C 上における $|f(z)|$ の最大値とするとき，

$|f^{(n)}(\alpha)| \leq \dfrac{n!M}{r^n}$ が成り立つ。

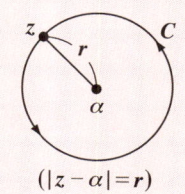

$(|z - \alpha| = r)$

リュウビルの定理

$f(z)$ が無限遠点 ∞ を除く全複素数平面で正則でかつ $|f(z)|$ が有界，すなわち，すべての z について $|f(z)| < M$ （M：ある正の数）であるならば，$f(z)$ は定数になる。

$z = x + iy$ を媒介変数 t で表すことにより，積分計算せよ。

(1) $\displaystyle\int_0^{\pi i} e^{-z}\,dz$　　　$(z = it,\ \ 0 \le t \le \pi)$

(2) $\displaystyle\int_0^{\frac{\pi}{2}i} \cos(iz)\,dz$　　$\left(z = it,\ \ 0 \le t \le \dfrac{\pi}{2}\right)$

> **ヒント!** (1), (2) 共に，$z = x + iy = 0 + it$ (t：媒介変数) で表して，t での置換積分にもち込んで解いてみよう。

解答＆解説

(1) $\displaystyle\int_0^{\pi i} e^{-z}\,dz$ について，

$z = x + iy = 0 + it = it$　$(0 \le t \le \pi)$ とおくと，

$z : 0 \to \pi i$ のとき，$t : 0 \to \pi$　また，$\dfrac{dz}{dt} = i$ より，

$dz = i\,dt$ となる。よって，

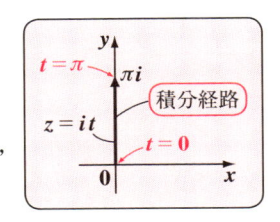

積分経路 ($t = \pi$, πi, $z = it$, $t = 0$)

$$\int_0^{\pi i} e^{-z}\,dz = \int_0^{\pi} \underbrace{e^{-it}}_{\cos(-t)+i\sin(-t)}\,i\,dt = i\int_0^{\pi}(\cos t - i\sin t)\,dt = i\left[\sin t + i\cos t\right]_0^{\pi}$$

$$= i^2(\underbrace{\cos\pi}_{-1} - \underbrace{\cos 0}_{1}) = -1\cdot(-1-1) = 2 \quad\cdots\cdots\cdots\cdots\cdots\cdots\text{(答)}$$

(2) $\displaystyle\int_0^{\frac{\pi}{2}i} \cos(iz)\,dz$ について，

$z = x + iy = 0 + it = it$　$\left(0 \le t \le \dfrac{\pi}{2}\right)$ とおくと，

$z : 0 \to \dfrac{\pi}{2}i$ のとき，$t : 0 \to \dfrac{\pi}{2}$　また，$dz = i\,dt$

積分経路 ($t = \dfrac{\pi}{2}$, $\dfrac{\pi}{2}i$, $z = it$, $t = 0$)

$$\int_0^{\frac{\pi}{2}i} \cos(iz)\,dz = \int_0^{\frac{\pi}{2}} \underbrace{\cos(-t)}_{i\cdot it}\cdot i\,dt = i\int_0^{\frac{\pi}{2}}\cos t\,dt$$

$$= i\left[\sin t\right]_0^{\frac{\pi}{2}} = i\cdot\left(\underbrace{\sin\frac{\pi}{2}}_{1} - \sin 0\right) = i \quad\cdots\cdots\cdots\cdots\cdots\text{(答)}$$

演習問題 76	● 複素関数の線積分 (Ⅱ) ●

$z = x + iy$ を媒介変数 t で表すことにより，積分計算せよ。

(1) $\displaystyle\int_0^{\frac{\pi}{2}i} e^z\,dz \qquad \left(z = it, \ \ 0 \leqq t \leqq \frac{\pi}{2}\right)$

(2) $\displaystyle\int_0^{\pi i} \sin(iz)\,dz \quad (z = it, \ \ 0 \leqq t \leqq \pi)$

<u>ヒント！</u> **(1)**, **(2)** 共に，媒介変数 t で置換積分して解けばよい。

解答＆解説

(1) $\displaystyle\int_0^{\frac{\pi}{2}i} e^z\,dz$ について，

$z = x + iy = it \ \left(0 \leqq t \leqq \dfrac{\pi}{2}\right)$ とおくと，

$z : 0 \to \dfrac{\pi}{2}i$ のとき，$t : 0 \to \boxed{(\mathcal{P})}$ また，$dz = i\,dt$ より，

$\displaystyle\int_0^{\frac{\pi}{2}i} e^z\,dz = \int_0^{\frac{\pi}{2}} e^{it}\cdot i\,dt = i\int_0^{\frac{\pi}{2}}(\cos t + i\sin t)\,dt$

$\qquad = i\Big[\sin t - i\cos t\Big]_0^{\frac{\pi}{2}} = i\left\{\underline{\sin\dfrac{\pi}{2}} - \cancel{i\cos\dfrac{\pi}{2}} - (\sin 0 - \underline{i\cos 0})\right\}$

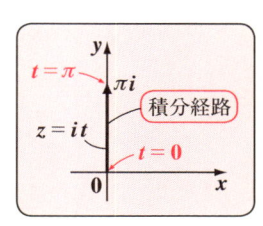

$\qquad\qquad\qquad\qquad\qquad\qquad\quad \underset{1}{} \qquad\qquad\qquad\qquad\qquad\qquad \underset{1}{}$

$\qquad = i(1 + i) = \boxed{(\mathcal{A})}$ ‥‥‥‥‥‥‥‥‥‥‥‥‥‥‥‥‥‥(答)

(2) $\displaystyle\int_0^{\pi i} \sin(iz)\,dz$ について，$z = x + iy = it \ \ (0 \leqq t \leqq \pi)$ とおくと，

$z : 0 \to \pi i$ のとき，$t : 0 \to \boxed{(\mathcal{\dot{\mathcal{\dot{?}}}})}$ また，$dz = i\,dt$ より，

$\displaystyle\int_0^{\pi i} \sin(iz)\,dz = \int_0^{\pi} \sin(-t)\cdot i\,dt = -i\int_0^{\pi}\sin t\,dt$

$\qquad\qquad\qquad\qquad\quad \underset{\boxed{i\cdot it}}{}$

$\qquad = -i\Big[-\cos t\Big]_0^{\pi} = i\Big[\cos t\Big]_0^{\pi} = i\big(\underset{-1}{\underline{\cos\pi}} - \underset{1}{\underline{\cos 0}}\big)$

$\qquad = i(-1 - 1) = \boxed{(\mathcal{\bot})}$ ‥‥‥‥‥‥‥‥‥‥‥‥‥‥‥‥‥(答)

‥‥‥‥‥‥‥‥‥‥‥‥‥‥‥‥‥‥‥‥‥‥‥‥‥‥‥‥‥‥‥‥‥‥‥‥‥‥

解答 $(\mathcal{P})\ \dfrac{\pi}{2}$ $\quad(\mathcal{A})\ -1+i$ $\quad(\mathcal{\dot{\mathcal{\dot{?}}}})\ \pi$ $\quad(\mathcal{\bot})\ -2i$

複素関数の積分 $\displaystyle\int_i^{-1} z^2 dz$ について，

$z = r \cdot e^{i\theta} = e^{i\theta} \left(\dfrac{\pi}{2} \leqq \theta \leqq \pi, \ r = 1 \right)$

とおいて，媒介変数 θ で置換積分
することにより求めよ。

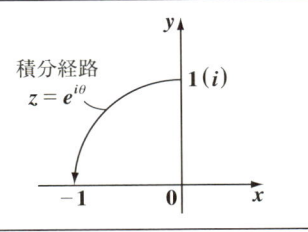

積分経路
$z = e^{i\theta}$

ヒント！ $z : i \rightarrow -1$ の積分経路を $z = 1 \cdot e^{i\theta} \left(\dfrac{\pi}{2} \leqq \theta \leqq \pi \right)$ とおくことにより，半径

1 の 4 分の 1 円とすることにして，積分計算を行う。

解答 & 解説

$\displaystyle\int_i^{-1} z^2 dz \ \cdots\cdots ①$ について，

$z = r \cdot e^{i\theta} = 1 \cdot e^{i\theta} \ \left(\dfrac{\pi}{2} \leqq \theta \leqq \pi \right)$ とおくと，

$z : i \rightarrow -1$ のとき，$\theta : \dfrac{\pi}{2} \rightarrow \pi$ となる。

$\dfrac{dz}{d\theta} = \dfrac{d(e^{i\theta})}{d\theta} = i e^{i\theta}$ より，$dz = i e^{i\theta} d\theta$ となる。

積分経路
$z = e^{i\theta}$
$\left(\dfrac{\pi}{2} \leqq \theta \leqq \pi \right)$

$\theta = \dfrac{\pi}{2}$　$1(i)$

$\theta = \pi$

よって，① を θ で置換積分すると，

$\displaystyle\int_i^{1} z^2 dz = \int_{\frac{\pi}{2}}^{\pi} (e^{i\theta})^2 \, i e^{i\theta} d\theta = i \int_{\frac{\pi}{2}}^{\pi} e^{i \cdot 3\theta} d\theta$

$\boxed{i e^{2i\theta} \cdot e^{i\theta} = i e^{i \cdot 3\theta}}$

$\displaystyle = i \int_{\frac{\pi}{2}}^{\pi} (\cos 3\theta + i \sin 3\theta) d\theta = i \left[\dfrac{1}{3} \sin 3\theta - \dfrac{i}{3} \cos 3\theta \right]_{\frac{\pi}{2}}^{\pi}$

$\displaystyle = i \left\{ \dfrac{1}{3} \sin 3\pi - \dfrac{i}{3} \underbrace{\cos 3\pi}_{-1} - \left(\dfrac{1}{3} \underbrace{\sin \dfrac{3}{2}\pi}_{-1} - \dfrac{i}{3} \cos \dfrac{3}{2}\pi \right) \right\}$

$\displaystyle = i \left(\dfrac{i}{3} + \dfrac{1}{3} \right) = \dfrac{1}{3}(-1 + i) \ \cdots\cdots\cdots\cdots\cdots\cdots\cdots\cdots\cdots\cdots\cdots\cdots$ (答)

演習問題 78 　　　　● 複素関数の線積分 (Ⅳ) ●

複素関数の積分 $\displaystyle\int_{-i}^{1} z^3\,dz$ について，

$$z = r\cdot e^{i\theta} = e^{i\theta}\ \left(-\frac{\pi}{2} \leqq \theta \leqq 0,\ r=1\right)$$

とおいて，媒介変数 θ で置換積分
することにより求めよ。

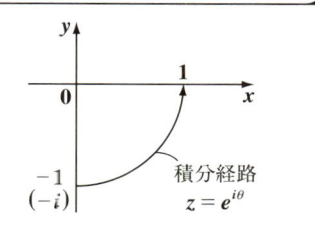

積分経路
$z = e^{i\theta}$

ヒント! $z:-i \to 1$ の積分経路を $z = 1\cdot e^{i\theta}\ \left(-\frac{\pi}{2} \leqq \theta \leqq 0\right)$ とおいて，積分する。

解答&解説

$\displaystyle\int_{-i}^{1} z^3\,dz$ ……① について，

$z = r\cdot e^{i\theta} = 1\cdot e^{i\theta}\ \left(-\frac{\pi}{2} \leqq \theta \leqq 0\right)$ とおくと，

$z:-i \to 1$ のとき，$\theta:\boxed{(ア)} \to 0$ となり，

また，$dz = i\,e^{i\theta}\,d\theta$ となる。

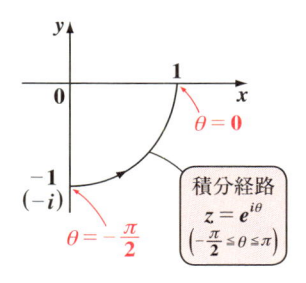

積分経路
$z = e^{i\theta}$
$\left(-\frac{\pi}{2} \leqq \theta \leqq \pi\right)$

よって，①を θ で置換積分すると，

$$\int_{-i}^{1} z^3\,dz = \int_{-\frac{\pi}{2}}^{0} (e^{i\theta})^3\cdot i\,e^{i\theta}\,d\theta = i\int_{-\frac{\pi}{2}}^{0} \boxed{(イ)}\,d\theta$$

$$\underbrace{i\,e^{3i\theta}\cdot e^{i\theta} = i\,e^{i\cdot 4\theta}}$$

$$= i\int_{-\frac{\pi}{2}}^{0} \left(\cos 4\theta + i\,\boxed{(ウ)}\right)d\theta = i\left[\frac{1}{4}\sin 4\theta - i\,\frac{1}{4}\cos 4\theta\right]_{-\frac{\pi}{2}}^{0}$$

$$= -i^2\,\frac{1}{4}\{\underbrace{\cos 0}_{①} - \underbrace{\cos(-2\pi)}_{\underbrace{\cos 0 = 1}}\} = \frac{1}{4}(1-1) = \boxed{(エ)}\ \cdots\cdots\cdots\cdots\cdots(答)$$

解答 　$(ア) -\dfrac{\pi}{2}$ 　　$(イ)\ e^{i\cdot 4\theta}\,(または，\ e^{4\theta i})$ 　　$(ウ)\ \sin 4\theta$ 　　$(エ)\ 0$

次の各積分経路 C_1, C_2, C_3 に沿って，点 0 から点 $1+i$ までの線積分
$\displaystyle\int_{C_k} z^2 dz$ $(k = 1, 2, 3)$ の値を求めよ。

(1) 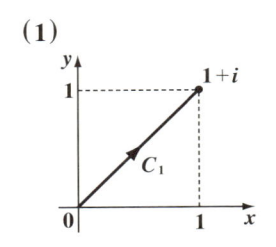　　　**(2)** 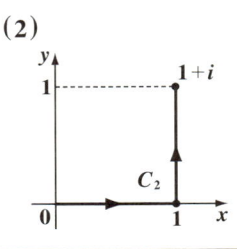　　　**(3)**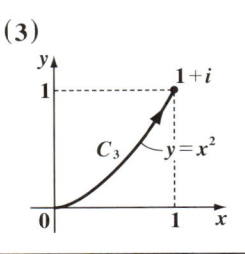

> ヒント！ $z : 0 \to 1+i$ までの積分を，C_1, C_2, C_3 の各経路に従うように媒介変
> 数 t を用いて，置換積分すればよい。

解答＆解説

(1) 曲線 C_1 は，点 $0+0i$ から点 $1+i$ まで直線的に移動する積分経路より，

$z(t) = t(1+i) = t+it$ $(0 \leqq t \leqq 1)$ とおく。$\dfrac{dz}{dt} = 1+i$ より，$dz = (1+i)dt$

よって，求める積分は，

$$\int_{C_1} z^2 dz = \int_0^1 \underline{(t+it)^2(1+i)}\,dt = (-2+2i)\int_0^1 t^2\,dt$$

$$\boxed{t^2(1+i)^2(1+i) = t^2(1+2i+i^2)(1+i) = (-2+2i)t^2}$$

$$= (-2+2i)\cdot\frac{1}{3}\Big[t^3\Big]_0^1 = \left(-\frac{2}{3}+\frac{2}{3}i\right)(1^3 - 0) = -\frac{2}{3}+\frac{2}{3}i \quad \cdots\cdots(\text{答})$$

(2) 曲線 C_2 は，(ⅰ) $C_{2(1)}$：点 $0+0i \to$ 点 $1+0i$

$\qquad\qquad\qquad z_1(t) = t$ $(0 \leqq t \leqq 1)$ と，

$\qquad\quad$(ⅱ) $C_{2(2)}$：点 $1+0i \to$ 点 $1+1\cdot i$

$\qquad\qquad\qquad z_2(t) = 1+it$ $(0 \leqq t \leqq 1)$ の

$\qquad$ **2** つに分けて考える。すると，

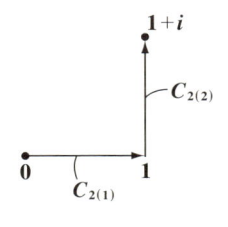

$\dfrac{dz_1}{dt} = 1$ より，$dz_1 = dt$，$\dfrac{dz_2}{dt} = i$ より，$dz_2 = i\,dt$

となる。よって，求める積分は，

$$\int_{C_2} z^2 dz = \int_{C_{2(1)}} \underbrace{z_1^2}_{t^2} \underbrace{dz_1}_{1 \cdot dt} + \int_{C_{2(2)}} \underbrace{z_2^2}_{(1+it)^2} \underbrace{dz_2}_{i\,dt}$$

$$= \int_0^1 t^2 dt + \int_0^1 \underbrace{(1+it)^2}_{1+2t \cdot i + i^2 t^2 = 1 - t^2 + i \cdot 2t} \cdot i\,dt$$

$$= \frac{1}{3}\big[t^3\big]_0^1 + i\int_0^1 (1 - t^2 + i \cdot 2t)\,dt$$

$$= \frac{1}{3} + i\left[t - \frac{1}{3}t^3 + i \cdot t^2\right]_0^1 = \frac{1}{3} + i\left(1 - \frac{1}{3} + i\right)$$

$$= \frac{1}{3} + \frac{2}{3}i - 1 = -\frac{2}{3} + \frac{2}{3}i \quad \cdots\cdots\cdots\cdots\cdots\cdots\cdots\text{(答)}$$

(3) 曲線 C_3 は，点 $0+0i$ から点 $1+i$ まで，曲線 $y = x^2$ に沿う積分経路より，

$z(t) = t + i \cdot t^2 \ (0 \le t \le 1)$ とおく。すると，$\dfrac{dz}{dt} = 1 + 2it$ より，

$dz = (1 + 2it)dt$ となる。よって，求める積分は，

$$\int_{C_3} z^2 dz = \int_0^1 (t + it^2)^2 \cdot (1 + 2it)\,dt$$

$$(t^2 + 2it^3 + \underset{-1}{i^2}t^4)(1+2it) = (t^2 - t^4 + 2it^3)(1+2it)$$

$$= t^2 - t^4 + 2i(t^3 - t^5) + 2it^3 + 4 \cdot \underset{(-1)}{i^2} \cdot t^4 = t^2 - 5t^4 + i(4t^3 - 2t^5)$$

$$= \int_0^1 \left\{t^2 - 5t^4 + i(4t^3 - 2t^5)\right\}dt$$

$$= \left[\frac{1}{3}t^3 - t^5 + i\left(t^4 - \frac{1}{3}t^6\right)\right]_0^1$$

$$= \frac{1}{3} - 1 + i\left(1 - \frac{1}{3}\right) = -\frac{2}{3} + \frac{2}{3}i \quad \cdots\cdots\cdots\cdots\cdots\cdots\text{(答)}$$

> このように，z 平面全体で正則な関数 $f(z) = z^2$ の線積分では，積分の始点と終点が変わらなければ，異なる積分経路で積分しても同じ結果が得られる。

次の各積分経路 C_1, C_2, C_3 に沿って，点 0 から点 $1+i$ までの線積分 $\int_{C_k} z\bar{z}\,dz$ $(k = 1, 2, 3)$ の値を求めよ。

(1) 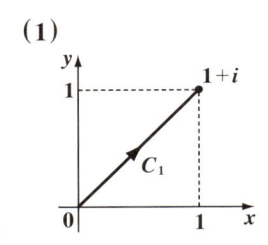　**(2)** 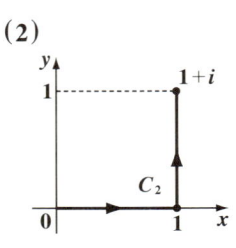　**(3)**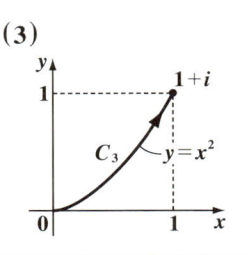

ヒント！　演習問題 **79** と同様に **3** 通りの積分値を求める。今回は，互いに積分値が異なることに注意しよう。

解答 & 解説

(1) 曲線 C_1 は，点 $0+0i$ から点 $1+i$ まで直線的に移動する積分経路より，

$z(t) = t(1+i) = t+it$ $(0 \le t \le 1)$ とおくと，$dz = (1+i)dt$ となる。

よって，求める積分は，

$$\int_{C_1} \underbrace{z}\,\underbrace{\bar{z}}\,\underbrace{dz} = \int_0^1 (t+it)(t-it)(1+i)dt = 2(1+i)\int_0^1 t^2\,dt$$

$$\boxed{(1+i)(t^2 - i^2t^2) = 2(1+i)t^2}$$

$$= 2(1+i)\cdot\frac{1}{3}\Big[t^3\Big]_0^1 = \frac{2}{3}(1+i) = \frac{2}{3}+\frac{2}{3}i \quad\cdots\cdots\cdots\cdots\cdots\cdots(答)$$

(2) 曲線 C_2 は，（ⅰ）$C_{2(1)}$：点 $0+0i \rightarrow$ 点 $1+0i$

$\qquad\qquad\qquad z_1(t) = t$ $(0 \le t \le 1)$ と，

（ⅱ）$C_{2(2)}$：点 $1+0i \rightarrow$ 点 $1+i$

$\qquad\qquad z_2(t) = 1+it$ $(0 \le t \le 1)$ の

2 つに分けて考える。すると，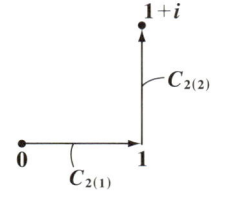

$dz_1 = dt$，$dz_2 = i\,dt$ より，求める積分は，

$$\int_{C_2} z\overline{z}\,dz = \int_{C_{2(1)}} \underbrace{z_1\overline{z}_1}_{\boxed{t^2}}\underbrace{dz_1}_{\boxed{dt}} + \int_{C_{2(2)}} \underbrace{z_2\overline{z}_2}_{\boxed{(1+it)(1-it)=1+t^2}}\underbrace{dz_2}_{\boxed{i\,dt}}$$

$$= \int_0^1 t^2\,dt + \int_0^1 (1+t^2)\cdot i\,dt$$

$$= \frac{1}{3}\left[t^3\right]_0^1 + i\left[t+\frac{1}{3}t^3\right]_0^1$$

$$= \frac{1}{3}\cdot 1 + i\left(1+\frac{1}{3}\right) = \frac{1}{3}+\frac{4}{3}i \quad \cdots\cdots\cdots\cdots\cdots\cdots\cdots(\text{答})$$

(3) 曲線 C_3 は，点 $0+0i$ から点 $1+i$ まで，曲線 $y=x^2$ に沿う積分経路より，

$z(t)=t+it^2\ (0\le t\le 1)$ とおくと，$dz=(1+2it)\,dt$ となる。

よって，求める積分は，

$$\int_{C_3} z\overline{z}\,dz = \int_0^1 \underbrace{(t+it^2)}\underbrace{(t-it^2)}(1+2it)\,dt$$
$$\boxed{(t^2+t^4)(1+2it)=t^2+t^4+i(2t^3+2t^5)}$$

$$= \int_0^1 \left\{t^2+t^4+i(2t^3+2t^5)\right\}dt$$

$$= \left[\frac{1}{3}t^3+\frac{1}{5}t^5+i\left(\frac{1}{2}t^4+\frac{1}{3}t^6\right)\right]_0^1$$

$$= \frac{1}{3}+\frac{1}{5}+i\left(\frac{1}{2}+\frac{1}{3}\right) = \frac{8}{15}+\frac{5}{6}i \quad \cdots\cdots\cdots\cdots\cdots(\text{答})$$

> 今回の問題では，積分経路が異なれば，積分結果が異なることが分かった。
> これは，被積分関数 $f(z)=z\overline{z}=(x+iy)(x-iy)=\underbrace{x^2+y^2}_{\boxed{u}}+\underbrace{0\cdot i}_{\boxed{v}}$ が原点 0
> 以外で正則ではないことによる。実際に $f(z)=u+iu$ とおくと，
> $u=x^2+y^2$，$v=0$ より，$u_x=2x$，$v_y=0$ と $v_x=0$，$u_y=2y$ となるので，
> 正則条件である C-R の方程式 $u_x=v_y$ かつ $v_x=-u_y$ をみたすのは，
> $x=0$ かつ $y=0$，すなわち原点 $0+0\cdot i$ 以外にないからだ。

単純閉曲線 C とその内部 D で正則で，かつその導関数が連続な関数 $f(z) = u + iv$ について，次のグリーンの定理が成り立つ。

$$\oint_C u\,dx = -\iint_D u_y\,dx\,dy \ \cdots\cdots ①$$
$$\oint_C u\,dy = \iint_D u_x\,dx\,dy \ \cdots\cdots ②$$
$$\oint_C v\,dx = -\iint_D v_y\,dx\,dy \ \cdots\cdots ③$$
$$\oint_C v\,dy = \iint_D v_x\,dx\,dy \ \cdots\cdots ④$$

(1) グリーンの定理①②③④を用いてコーシーの積分定理：

$$\oint_C f(z)\,dz = 0 \ \cdots\cdots(*1)$$ が成り立つことを示せ。

(2) D 内の任意の 2 点 α と β を結ぶ曲線 Γ に沿った積分 $\int_\Gamma f(z)\,dz$ は，積分路 Γ の取り方によらず一定の値になることを示せ。

(3) $f(z)$ が 2 重連結領域 D と，その 2 つの閉曲線 C と C_1 で正則であるとき，

$$\oint_C f(z)\,dz = \oint_{C_1} f(z)\,dz \ \cdots\cdots(*2)$$ が成り立つことを示せ。

> **ヒント！** (1) では，グリーンの定理と C-R の方程式を利用して，コーシーの積分定理 (*1) が成り立つことを示す。(2), (3) は，コーシーの積分定理を応用することにより，導くことができる。この一連の流れを頭に入れておこう。

解答＆解説

(1) 図 1 に示すような単純閉曲線 C と，その内部で正則で，かつその導関数が連続な関数 $f(z)$ について，コーシーの積分定理：

$$\oint_C f(z)\,dz = 0 \ \cdots\cdots(*1)$$ が成り立つことを示す。

(*) の左辺を変形して，4 つのグリーンの定理の式①〜④を代入してまとめると，

図 1 コーシーの積分定理

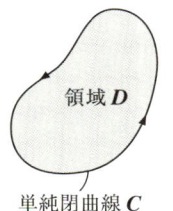

領域 D

単純閉曲線 C

$$((*1) \text{の左辺}) = \oint_C f(z)\, dz = \oint_C (u+iv)(dx+idy)$$

$(u+iv)$ $(dx+idy)$ $(u\,dx+iu\,dy+iv\,dx-v\,dy)$

$$= \oint_C u\, dx - \oint_C v\, dy + i\left(\oint_C u\, dy + \oint_C v\, dx\right)$$

$-\iint_D u_y\, dx\, dy$ (①より) $\iint_D u_x\, dx\, dy$ (②より)

$\iint_D v_x\, dx\, dy$ (④より) $-\iint_D v_y\, dx\, dy$ (③より)

$$= -\iint_D (u_y + v_x)\, dx\, dy + i\iint_D (u_x - v_y)\, dx\, dy$$

0 ← C-Rの方程式 0 ← C-Rの方程式

ここで，**C-R**(コーシー・リーマン)の方程式：$u_x = v_y,\ v_x = -u_y$ より，
$u_x - v_y = 0,\ u_y + v_x = 0$ となる。よって，

$$((*1)\text{の左辺}) = -\iint_D 0\, dx\, dy + i\iint_D 0\, dx\, dy = 0 + 0i = 0 = ((*1)\text{の右辺}),$$

すなわち，コーシーの積分定理：$\oint_C f(z)\, dz = 0$ ……(*1) が成り立つ。
………(終)

(2) 図 **2** に示すように，領域 D 内に，任意の
2 点 α と β を取り，α と β を通る単純閉
曲線 $\Gamma = \Gamma_1 - \Gamma_2$ を設定すると，コーシー
の積分定理より，

$$\oint_\Gamma f(z)\, dz = \int_{\Gamma_1} f(z)\, dz - \int_{\Gamma_2} f(z)\, dz = 0$$

となる。 これは，$\int_{\Gamma_1} - \int_{\Gamma_2} = 0$ と略記できる。

$$\int_{\Gamma_1} f(z)\, dz = \int_{\Gamma_2} f(z)\, dz \text{ が}$$

導けるので，始点 α と終点 β が与えられ
れば，積分経路 $\Gamma_1,\ \Gamma_2$ の取り方によらず，
積分値は一定の値をとる。 ……………………………………………(終)

図 2 積分路変形の原理

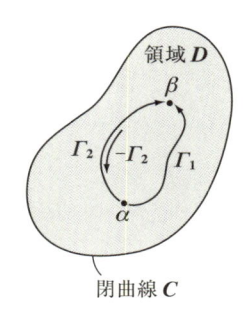

閉曲線 **C**

139

(3) 2 重連結領域について，図 3 (i) に示すように，積分路 C_1 と C 上に 2 点 P，Q をとり，Q から P に向かう経路を C_2 とおいて，切れ目を入れる。すると，図 3 (ii) に示すように，$C + C_2 - C_1 - C_2$ が 1 つの単純閉曲線であり，この曲線とその内部の領域 D で $f(z)$ は正則であるので，コーシーの積分定理より，

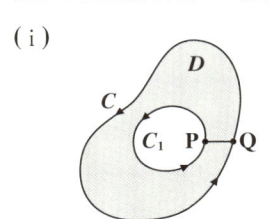

図 3 2重連結領域への応用
(i)

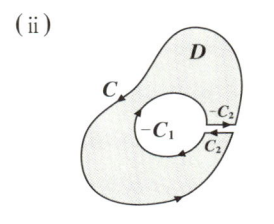

(ii)

$$\oint_{C + C_2 - C_1 - C_2} = \oint_C + \int_{C_2}\!\!\!\diagup - \oint_{C_1} - \int_{C_2}\!\!\!\diagup = 0$$

となる。すなわち，

$$\oint_C f(z)\,dz + \int_{C_2} f(z)\,dz\!\!\!\diagup - \oint_{C_1} f(z)\,dz - \int_{C_2} f(z)\,dz\!\!\!\diagup = 0 \quad \text{より,}$$

$$\oint_C f(z)\,dz = \oint_{C_1} f(z)\,dz \quad \cdots\cdots(*2) \ \text{が成り立つ。} \cdots\cdots\cdots\cdots\cdots\cdots\text{(終)}$$

参考

3 重連結領域についても，右図に示すように同様に考えると，$C + C_3 - C_1 - C_3 + C_4 - C_2 - C_4$ が新たな 1 つの単純閉曲線になり，この曲線とその内部の領域 D で $f(z)$ は正則なので，コーシーの積分定理より，

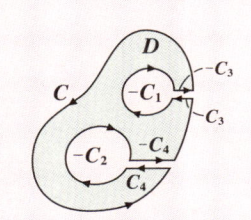

$$\oint_C + \int_{C_3}\!\!\!\diagup - \oint_{C_1} - \int_{C_3}\!\!\!\diagup + \int_{C_4}\!\!\!\diagup - \oint_{C_2} - \int_{C_4}\!\!\!\diagup = 0$$

$$\oint_C = \oint_{C_1} + \oint_{C_2} \quad \text{となる。すなわち,}$$

$$\oint_C f(z)\,dz = \oint_{C_1} f(z)\,dz + \oint_{C_2} f(z)\,dz \quad \text{が導かれる。}$$

4 重以上の連結領域においても，以下同様である。

演習問題 82　　● コーシーの積分定理 (II) ●

積分路 $C_0 : |z - \alpha| = r$　（$r > 0$，α：複素定数）で，

$$\oint_{C_0} \frac{1}{z - \alpha} \, dz = 2\pi i \ \cdots\cdots(*)$$　となることを示し，次に α を囲む任意の

単純閉曲線 C を積分路としても

$$\oint_C \frac{1}{z - \alpha} \, dz = 2\pi i \ \cdots\cdots(**)$$　となることを示せ。

> **ヒント!**　周回積分公式の問題である。$(*)$ を示した後，コーシーの積分定理の
> 2 重連結領域への応用から $(**)$ を証明すればよい。

解答 & 解説

積分路 C_0 は点 α を中心とする半径 r の円より，

媒介変数 θ を用いて，

$$z(\theta) = r \cdot e^{i\theta} + \alpha \quad (0 \leqq \theta \leqq 2\pi)$$ と表せる。よって，

$$dz = \frac{d}{d\theta}(re^{i\theta} + \alpha)d\theta = ire^{i\theta}d\theta$$　より，

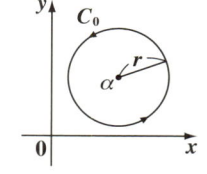

$(*)$ の左辺の積分は，

$$\oint_{C_0} \frac{1}{z - \alpha} \, dz = \int_0^{2\pi} \frac{1}{re^{i\theta} + \alpha - \alpha} \, ire^{i\theta}d\theta = i\int_0^{2\pi} 1 \cdot d\theta = i\Big[\theta\Big]_0^{2\pi} = 2\pi i$$

となって，$(*)$ は成り立つ。　$\cdots\cdots$(終)

　次に，α を囲む任意の閉曲線 C が与えられたとき，

積分路 C_0 の円の半径 r は，正の範囲で任意に変化させ

ても $(*)$ は成り立つ。よって，C_0 は，r を小さくして C

にすべて含まれる（または，r を大きくして C をすべて

含む）ようにできる。こうしてできる C と C_0 を境界に

もつ 2 重連結領域 D において，$f(z) = \frac{1}{z - \alpha}$ は正則な

ので，コーシーの積分定理を応用すると，$\oint_C = \oint_{C_1}$ より，

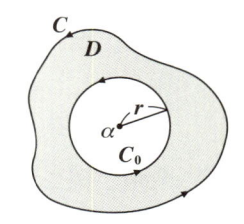

(D：2 重連結領域)

$$\oint_C \frac{1}{z - \alpha} \, dz = \oint_{C_0} \frac{1}{z - \alpha} \, dz = 2\pi i$$ となる。

> $(**)$ を周回積分
> 公式と呼ぶ。

よって，任意の閉曲線 C について，$(**)$ は成り立つ。　$\cdots\cdots$(終)

3 つの積分路（ⅰ）$C_1 : |z+1| = \dfrac{1}{2}$，（ⅱ）$C_2 : |z+2i| = \dfrac{1}{2}$，（ⅲ）$C_3 : |z| = 3$

に沿った **1** 周線積分 $\displaystyle\oint_{C_k} \dfrac{2z+1+2i}{(z+1)(z+2i)} dz$　$(k = 1, 2, 3)$ の各値を求めよ。

ただし，積分路はすべて反時計まわりとする。

$\left(\text{また，周回積分公式 } \displaystyle\oint_{C} \dfrac{1}{z-\alpha} dz = 2\pi i \ (C : \alpha \text{ を囲む任意の単純}\\ \text{閉曲線）を利用してよいものとする。}\right)$

> **ヒント！** $f(z) = \dfrac{2z+1+2i}{(z+1)(z+2i)} = \dfrac{1}{z+1} + \dfrac{1}{z+2i}$ となるので，（ⅰ）閉領域 $|z+1| \leqq \dfrac{1}{2}$
>
> で $\dfrac{1}{z+2i}$ は正則であること，また，（ⅱ）閉領域 $|z+2i| \leqq \dfrac{1}{2}$ で $\dfrac{1}{z+1}$ は正則であることに注意しよう。

解答 & 解説

被積分関数を $f(z)$ とおくと，

$$f(z) = \frac{2z+1+2i}{(z+1)(z+2i)} = \frac{(z+2i)+(z+1)}{(z+1)(z+2i)} = \frac{1}{z+1} + \frac{1}{z+2i} \ \cdots\cdots① \ となる。$$

$\underbrace{\phantom{\frac{1}{z+1}}}_{z=-1 \text{ 以外で正則}}$　$\underbrace{\phantom{\frac{1}{z+2i}}}_{z=-2i \text{ 以外で正則}}$

（ⅰ）積分路 $C_1 : |z+1| = \dfrac{1}{2}$ に沿った $f(z)$ の **1** 周線積分は，①より，

$$\oint_{C_1} f(z) dz = \oint_{C_1} \left(\frac{1}{z+1} + \frac{1}{z+2i} \right) dz$$

$$= \underbrace{\oint_{C_1} \frac{1}{z+1} dz}_{\text{周回積分公式} \rightarrow 2\pi i} + \underbrace{\oint_{C_1} \frac{1}{z+2i} dz}_{0}$$

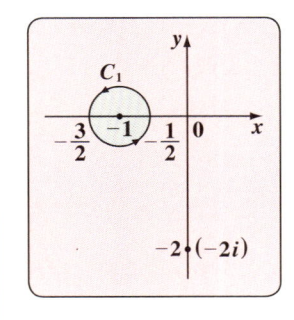

> 関数 $\dfrac{1}{z+2i}$ は，$z = -2i$ 以外では正則。よって，C_1 とその内部の領域では正則なので，コーシーの積分定理より，この積分は **0** である。

$$= 2\pi i + 0 = 2\pi i \ \cdots\cdots② \ である。 \ \cdots\cdots\cdots\cdots\cdots\cdots\cdots（答）$$

(ii) 積分路 $C_2 : |z+2i| = \dfrac{1}{2}$ に沿った $f(z)$ の **1** 周線積分は，①より，

$$\oint_{C_2} f(z)\,dz = \oint_{C_2} \left(\frac{1}{z+1} + \frac{1}{z+2i} \right) dz$$

$$= \underbrace{\oint_{C_2} \frac{1}{z+1}\,dz}_{\boxed{0}} + \underbrace{\oint_{C_2} \frac{1}{z+2i}\,dz}_{\boxed{2\pi i}} \quad\text{周回積分公式}$$

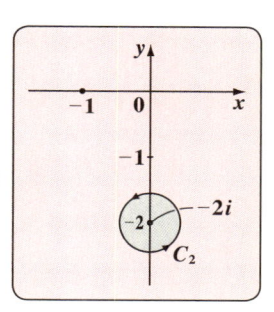

> 関数 $\dfrac{1}{z+1}$ は，$z=-1$ 以外で正則。よって，C_2 と
> その内部の領域では正則なので，コーシーの積分
> 定理より，この積分は当然 **0** になる。

$$= 0 + 2\pi i = 2\pi i \ \cdots\cdots ③ \ \text{である。} \quad\cdots\cdots\cdots\cdots\cdots\cdots\text{(答)}$$

(iii) $f(z) = \dfrac{1}{z+1} + \dfrac{1}{z+2i}$ は **2** 点 $z=-1$，$-2i$ 以外で正則な関数である。

また，積分路 $C_3 : |z| = 3$ は，
中心 **0**，半径 **3** の円で，これは
他の **2** つの積分路 C_1 と C_2 を
含む。よって，右図に示すよう
に，C_1，C_2，C_3 を境界にもつ
網目部の領域 D は，**3** 重連結領
域である。$f(z)$ は，この **3** 重
連結領域と **3** つの閉曲線 C_1，
C_2，C_3 で正則なので，コーシー

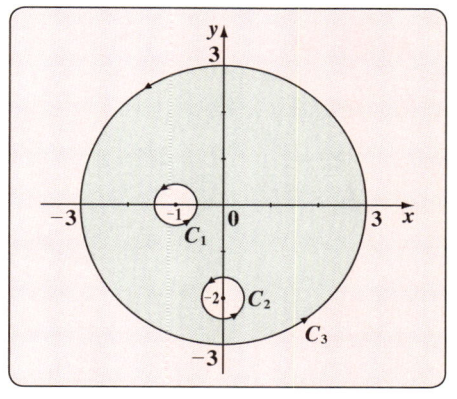

の積分定理をこの **3** 重連結領域に応用すると，$\oint_{C_3} = \oint_{C_1} + \oint_{C_2}$ となる。

よって，②，③より，求める積分 $\oint_{C_3}$ は，

$$\oint_{C_3} f(z)\,dz = \underbrace{\oint_{C_1} f(z)\,dz}_{\boxed{2\pi i\,(②より)}} + \underbrace{\oint_{C_2} f(z)\,dz}_{\boxed{2\pi i\,(③より)}} = 2\pi i + 2\pi i = 4\pi i \ \text{である。} \cdots\cdots\text{(答)}$$

イメージ
$$\left[\ \underset{C_3}{\bigcirc} \ = \ \underset{C_1}{\bigcirc} \ + \ \underset{C_2}{\bigcirc}\ \right]$$

143

3つの積分路 (ⅰ) $C_1 : |z| = \dfrac{1}{2}$，(ⅱ) $C_2 : |z - 2i| = \dfrac{1}{2}$，(ⅲ) $C_3 : |z - i| = 2$

に沿った 1 周線積分 $\displaystyle\oint_{C_k} \dfrac{2(z-i)}{z(z-2i)} \, dz$　$(k = 1, 2, 3)$ の各値を求めよ。

ただし，積分路はすべて反時計まわりとする。

$\left(\text{また，周回積分公式 } \displaystyle\oint_C \dfrac{1}{z-\alpha} \, dz = 2\pi i \ \ (C : \alpha \text{ を囲む任意の単純}\right.$
$\left.\text{閉曲線)を利用してよいものとする。}\right.$

ヒント! $f(z) = \dfrac{2(z-i)}{z(z-2i)} = \dfrac{1}{z} + \dfrac{1}{z-2i}$ となるので，(ⅰ) 閉領域 $|z| \leqq \dfrac{1}{2}$ で $\dfrac{1}{z-2i}$ は

正則であり，また，(ⅱ) 閉領域 $|z-2i| \leqq \dfrac{1}{2}$ で $\dfrac{1}{z}$ は正則であることに気を付けて，

解いていこう。

解答 & 解説

被積分関数を $f(z)$ とおくと，

$$f(z) = \frac{2z - 2i}{z(z-2i)} = \frac{(z-2i)+z}{z(z-2i)} = \underbrace{\frac{1}{z}}_{z=0\text{ 以外で正則}} + \underbrace{\frac{1}{z-2i}}_{z=2i\text{ 以外で正則}} \quad \cdots\cdots ① \quad \text{となる。}$$

(ⅰ) 積分路 $C_1 : |z| = \dfrac{1}{2}$ に沿った $f(z)$ の 1 周線積分は，①より，

$$\oint_{C_1} f(z)\,dz = \oint_{C_1} \left(\frac{1}{z} + \frac{1}{z-2i} \right) dz$$

$$= \underbrace{\oint_{C_1} \frac{1}{z}\,dz}_{\text{周回積分公式} \rightarrow \boxed{2\pi i}} + \underbrace{\oint_{C_1} \frac{1}{z-2i}\,dz}_{\boxed{0}}$$

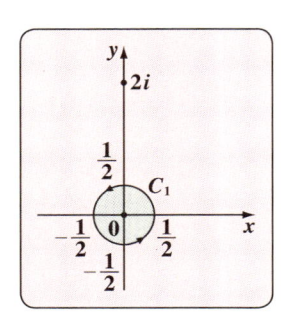

> 関数 $\dfrac{1}{z-2i}$ は，$z = -2i$ 以外では正則。よって，C_1 とその内部の領域では正則なので，コーシーの積分定理より，この積分は **0** である。

$$= \boxed{(ア)} \quad \cdots\cdots ② \quad \text{である。} \quad \cdots\cdots\cdots\cdots\cdots\cdots\cdots\cdots(答)$$

(ii) 積分路 $C_2 : |z - 2i| = \dfrac{1}{2}$ に沿った $f(z)$ の 1 周線積分は，①より，

$$\oint_{C_2} f(z)\,dz = \oint_{C_2} \left(\frac{1}{z} + \frac{1}{z-2i} \right) dz$$

$$= \underbrace{\oint_{C_2} \frac{1}{z}\,dz}_{\boxed{0}} + \underbrace{\oint_{C_2} \frac{1}{z-2i}\,dz}_{\boxed{2\pi i}} \longleftarrow \text{周回積分公式}$$

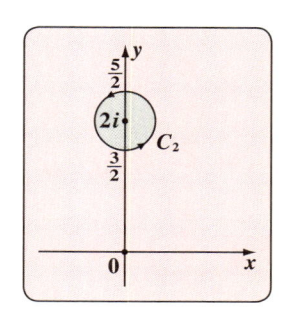

> 関数 $\dfrac{1}{z}$ は，$z = 0$ 以外で正則。よって，C_2 とその内部の領域では正則なので，コーシーの積分定理より，この積分は当然 0 になる。

$$= \boxed{(イ)} \quad \cdots\cdots ③ \quad \text{である。} \cdots\cdots\cdots\cdots (答)$$

(iii) $f(z) = \dfrac{1}{z} + \dfrac{1}{z-2i}$ は 2 点 $z = 0,\ 2i$ 以外で正則な関数である。

また，積分路 $C_3 : |z - i| = 2$ は，中心 i，半径 2 の円で，これは他の 2 つの積分路 C_1 と C_2 を含む。よって，右図に示すように，$C_1,\ C_2,\ C_3$ を境界にもつ網目部の領域 D は，$\boxed{(ウ)}$ である。$f(z)$ は，この $\boxed{(ウ)}$ と 3 つの閉曲線 $C_1,\ C_2,\ C_3$ で

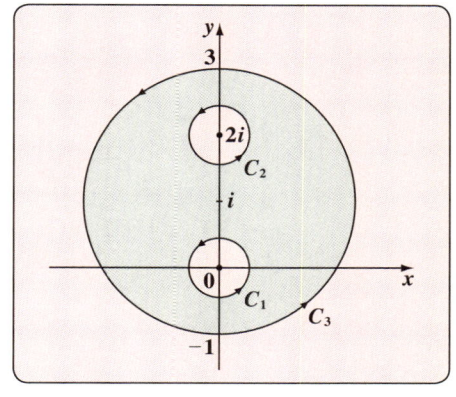

正則なので，コーシーの積分定理をこの 3 重連結領域に応用すると，$\displaystyle\oint_{C_3} = \oint_{C_1} + \oint_{C_2}$ となる。

よって，②，③より，求める積分 $\displaystyle\oint_{C_3}$ は，

$$\oint_{C_3} f(z)\,dz = \underbrace{\oint_{C_1} f(z)\,dz}_{\boxed{2\pi i\ (②より)}} + \underbrace{\oint_{C_2} f(z)\,dz}_{\boxed{2\pi i\ (③より)}} = \boxed{(エ)} \quad \text{である。} \cdots\cdots\cdots (答)$$

 解答　(ア) $2\pi i$　　(イ) $2\pi i$　　(ウ) 3 重連結領域　　(エ) $4\pi i$

原始関数を用いて，次の積分を計算せよ。

(1) $\displaystyle\int_{i}^{-1} z^2\,dz$　　　　　　　(2) $\displaystyle\int_{0}^{\pi i} e^{-z}\,dz$

(3) $\displaystyle\int_{0}^{\frac{\pi}{2}i} \cos(iz)\,dz$　　　　　　(4) $\displaystyle\int_{0}^{\frac{\pi}{2}i} \sinh z\,dz$

ヒント！ (1)〜(4) の被積分関数 z^2，e^{-z}，$\cos(iz)$，$\sinh z$ はいずれも z 平面上のすべての点で正則である。よって，実数関数の定積分と同様に，原始関数を用いた積分計算ができる。

解答＆解説

(1) $\displaystyle\int_{i}^{-1} z^2\,dz = \left[\frac{1}{3} z^3\right]_{i}^{-1} = \frac{1}{3}\left\{(-1)^3 - \underbrace{i^3}_{(-i)}\right\} = \frac{1}{3}(-1+i)$ ……………………(答)

　　　　　　　　　　　　　　　　　　　　　　　演習問題 77 と同じ結果

(2) $(e^{-z})' = -e^{-z}$ より，　合成関数の微分

$$\int_{0}^{\pi i} e^{-z}\,dz = \left[-e^{-z}\right]_{0}^{\pi i} = -(\underbrace{e^{-\pi i}}_{\cos(-\pi)+i\sin(-\pi)=\cos\pi=-1} - \overset{1}{(e^0)})$$

$$= -(-1-1) = 2$$ …………………………………………………(答)

演習問題 75(1) と同じ結果

(3) $\{\sin(iz)\}' = i\cos(iz)$ より，　合成関数の微分

$$\int_{0}^{\frac{\pi}{2}i} \cos(iz)\,dz = \left[\frac{1}{i}\sin(iz)\right]_{0}^{\frac{\pi}{2}i} = \frac{1}{i}\left\{\underbrace{\sin\left(\frac{\pi}{2}i^2\right)}_{\sin\left(-\frac{\pi}{2}\right)=-1=i^2} - \sin 0\right\}$$

$$= \frac{i^2}{i} = i$$ ………………………………………………(答)

演習問題 75(2) と同じ結果

(4) $(\cosh z)' = \sinh z$ より，

$$\int_{0}^{\frac{\pi}{2}i} \sinh z\,dz = \left[\cosh z\right]_{0}^{\frac{\pi}{2}i} = \cosh\frac{\pi}{2}i - \cosh 0$$

$$\boxed{\begin{array}{l}\cosh z = \frac{1}{2}(e^z + e^{-z}) \\ \sinh z = \frac{1}{2}(e^z - e^{-z})\end{array}}$$

$$= \frac{1}{2}\left(e^{\frac{\pi}{2}i} + e^{-\frac{\pi}{2}i}\right) - \underbrace{\frac{1}{2}(e^0 + e^0)}_{1} = \underbrace{\cos\frac{\pi}{2}}_{0} - 1 = -1$$ ………(答)

演習問題 86	● 原始関数による積分 (Ⅱ) ●

原始関数を用いて，次の積分を計算せよ。

(1) $\displaystyle\int_{-i}^{1} z^3 \, dz$　　　　　　　(2) $\displaystyle\int_{0}^{\frac{\pi}{2}i} e^z \, dz$

(3) $\displaystyle\int_{0}^{\pi i} \sin(iz) \, dz$　　　　　　(4) $\displaystyle\int_{0}^{\pi i} \cosh z \, dz$

ヒント! 前問と同様に原始関数を利用して，積分値を求めよう。

解答＆解説

(1) $\displaystyle\int_{-i}^{1} z^3 \, dz = \frac{1}{4}\left[z^4\right]_{-i}^{1} = \frac{1}{4}\left\{\underset{①}{1^4} - \underset{①}{(-i)^4}\right\} = \frac{1}{4}(1-1) = \boxed{(\text{ア})}$ ……………(答)

演習問題 **78** と同じ結果

(2) $(e^z)' = e^z$ より，

$\displaystyle\int_{0}^{\frac{\pi}{2}i} e^z \, dz = \left[e^z\right]_{0}^{\frac{\pi}{2}i} = e^{\frac{\pi}{2}i} - e^0 = \underset{0}{\cos\frac{\pi}{2}} + \underset{1}{i\sin\frac{\pi}{2}} - 1 = \boxed{(\text{イ})}$ ……………(答)

演習問題 **76(1)** と同じ結果

(3) $\{\cos(iz)\}' = -i \cdot \sin(iz)$ より，　← 合成関数の微分

$\displaystyle\int_{0}^{\pi i} \sin(iz) \, dz = -\frac{1}{i}\left[\cos(iz)\right]_{0}^{\pi i} = i\left\{\underset{\cos(-\pi)=-1}{\cos(\pi i^2)} - \underset{①}{\cos 0}\right\} = \boxed{(\text{ウ})}$ ………(答)

$\dfrac{i^2}{i} = i$

演習問題 **76(2)** と同じ結果

(4) $(\sinh z)' = \cosh z$ より，

$\displaystyle\int_{0}^{\pi i} \cosh z \, dz = \left[\sinh z\right]_{0}^{\pi i} = \sinh \pi i - \underset{0}{\sinh 0} = \frac{1}{2}(e^{\pi i} - e^{-\pi i})$

$\displaystyle = i \cdot \frac{1}{2i}(e^{\pi i} - e^{-\pi i}) = i\sin\pi = \boxed{(\text{エ})}$ …………………………(答)

解答　　(ア) **0**　　(イ) **−1+i**　　(ウ) **−2i**　　(エ) **0**

原始関数を用いて，次の積分を計算せよ。

$$(1) \int_0^i z^3 e^{z^4} dz \qquad (2) \int_0^{\pi i} \sin^2 z \, dz \qquad (3) \int_0^{\frac{\pi}{2}i} \sin^2 z \cos z \, dz$$

ヒント！　**(1)**, **(3)**では原始関数を予め予想し，**(2)**では半角の公式を使って解こう。

解答＆解説

(1) $(e^{z^4})' = e^{z^4} \cdot (z^4)' = 4z^3 e^{z^4}$ より，　← 合成関数の微分

$$\int_0^i z^3 e^{z^4} dz = \frac{1}{4} \left[e^{z^4} \right]_0^i = \frac{1}{4} \left(\underline{e^{i^4}} - e^0 \right) = \frac{1}{4}(e-1) \quad \cdots\cdots\cdots\cdots\cdots\cdots (答)$$

$e \ (\because i^4 = (-1)^2 = 1)$

(2) 半角の公式： $\sin^2 z = \dfrac{1-\cos 2z}{2}$ より，

実三角関数の半角の公式： $\sin^2 x = \dfrac{1-\cos 2x}{2}$ と同様。

$$\int_0^{\pi i} \sin^2 z \, dz = \frac{1}{2} \int_0^{\pi i} (1 - \cos 2z) dz = \frac{1}{2} \left[z - \frac{1}{2} \sin 2z \right]_0^{\pi i}$$

$$= \frac{1}{2} \left\{ \pi i - \frac{1}{2} \underline{\sin(2\pi i)} - \left(0 - \frac{1}{2} \sin 0 \right) \right\}$$

$$\frac{e^{2\pi i^2} - e^{-2\pi i^2}}{2i} = -\frac{1}{i} \cdot \frac{e^{2\pi} - e^{-2\pi}}{2} = i \sinh 2\pi$$

$\dfrac{i^2}{i} = i$ 　　$\sinh 2\pi$

$$= i \left(\frac{\pi}{2} - \frac{1}{4} \sinh 2\pi \right) \quad \cdots\cdots\cdots\cdots\cdots\cdots (答)$$

(3) $(\sin^3 z)' = 3\sin^2 z \cdot (\sin z)' = 3\sin^2 z \cos z$ より，　← 合成関数の微分

$$\int_0^{\frac{\pi}{2}i} \sin^2 z \cdot \cos z \, dz = \frac{1}{3} \left[\sin^3 z \right]_0^{\frac{\pi}{2}i} = \frac{1}{3} \left\{ \underline{\sin^3 \left(\frac{\pi}{2} i \right)} - \sin^3 0 \right\}$$

$$\left(\frac{e^{\frac{\pi}{2}i^2} - e^{-\frac{\pi}{2}i^2}}{2i} \right)^3 = \frac{-1}{i^3} \left(\frac{e^{\frac{\pi}{2}} - e^{-\frac{\pi}{2}}}{2} \right)^3 = -i \sinh^3 \frac{\pi}{2}$$

$\dfrac{-i^4}{i^3} = -i$ 　　$\sinh \dfrac{\pi}{2}$

$$= -\frac{i}{3} \sinh^3 \frac{\pi}{2} \quad \cdots\cdots\cdots\cdots\cdots\cdots (答)$$

演習問題 88	● 原始関数による積分 (Ⅳ) ●

原始関数を用いて，次の積分を計算せよ。

$$(1) \int_i^{2i} z\, e^{z^2} dz \qquad (2) \int_0^{\pi i} \cos^2 z\, dz \qquad (3) \int_0^{\pi i} \cos^2 z \sin z\, dz$$

ヒント！ 前問と同様に，原始関数を利用して，積分しよう。

解答&解説

(1) $(e^{z^2})' = e^{z^2} \cdot (z^2)' = 2z\, e^{z^2}$ より，

$$\int_i^{2i} z\, e^{z^2} dz = \frac{1}{2}\left[e^{z^2} \right]_i^{2i} = \frac{1}{2}(e^{(2i)^2 \,-4} - e^{i^2 \,-1}) = \frac{1}{2}\left(\frac{1}{e^4} - \frac{1}{e} \right) = \boxed{(ア)} \qquad \cdots\cdots (答)$$

(2) 半角の公式：$\cos^2 z = \dfrac{1+\cos 2z}{2}$ より，

$$\int_0^{\pi i} \cos^2 z\, dz = \frac{1}{2} \int_0^{\pi i} (1+\cos 2z)\, dz = \frac{1}{2}\left[z + \frac{1}{2}\sin 2z \right]_0^{\pi i}$$

$$= \frac{1}{2}\left(\pi i + \frac{1}{2}\underline{\sin 2\pi i} \right) = \boxed{(イ)} \qquad \cdots\cdots\cdots (答)$$

$$\frac{e^{2\pi i^2} - e^{-2\pi i^2}}{2i} = \frac{-1}{i} \cdot \frac{e^{2\pi} - e^{-2\pi}}{2} = i\sinh 2\pi$$

(3) $(\cos^3 z)' = 3\cos^2 z \cdot (\cos z)' = -3\cos^2 z \cdot \sin z$ より，

$$\int_0^{\pi i} \cos^2 z \sin z\, dz = -\frac{1}{3}\left[\cos^3 z \right]_0^{\pi i} = -\frac{1}{3}(\underline{\cos^3 \pi i} - \underline{\cos^3 0}^{\,1})$$

$$\left(\frac{e^{\pi i^2} + e^{-\pi i^2}}{2} \right)^3 = \left(\frac{e^{\pi} + e^{-\pi}}{2} \right)^3 = \cosh^3 \pi$$

$$= \boxed{(ウ)} \qquad \cdots\cdots\cdots\cdots\cdots\cdots (答)$$

解答 $(ア)\ \dfrac{1-e^3}{2e^4}$ $\qquad (イ)\ \dfrac{i}{4}(2\pi + \sinh 2\pi)$ $\qquad (ウ)\ -\dfrac{1}{3}(\cosh^3 \pi - 1)$

複素関数 $f(z)$ が，単純閉曲線 C とその内部 D で正則であるとき，
D 内の点 α に対して，次式が成り立つことを示せ。
（ただし，積分路 C は反時計まわりとする。）

$$\oint_C \frac{f(z)}{z-\alpha}\,dz = 2\pi i\,f(\alpha) \ \cdots\cdots(*)$$

ヒント！ コーシーの積分公式 $(*)$ は，$\varepsilon-\delta$ 論法を利用して証明しよう。

解答＆解説

コーシーの積分公式 $(*)$ の左辺を変形して，

$$((*)\text{の左辺}) = \oint_C \frac{f(z)}{z-\alpha}\,dz = \oint_C \frac{\{f(z)-f(\alpha)\}+f(\alpha)}{z-\alpha}\,dz$$

$$= \oint_C \frac{f(z)-f(\alpha)}{z-\alpha}\,dz + \underbrace{f(\alpha)}_{\text{定数}} \underbrace{\oint_C \frac{1}{z-\alpha}\,dz}_{2\pi i \leftarrow \text{周回積分公式}}$$

$$= \underbrace{2\pi i\,f(\alpha)}_{(*)\text{の右辺}} + \underbrace{\oint_C \frac{f(z)-f(\alpha)}{z-\alpha}\,dz}_{\text{これが，}0\text{であることを示せばよい。}} \ \cdots\cdots① \ \text{となる。}$$

ここで，$f(z)$ は D で正則より，D で連続であるので，点 α においても連続
である。このことは，$\varepsilon-\delta'$ 論法により，次のように表せる。

$${}^{\forall}\varepsilon>0, \ {}^{\exists}\delta'>0 \quad \text{s.t.} \quad 0<|z-\alpha|<\delta' \Rightarrow |f(z)-f(\alpha)|<\varepsilon$$

正数 ε をどんなに小さくしても，$0<|z-\alpha|<\delta'$ ならば，$|f(z)-f(\alpha)|<\varepsilon$ を
みたす，そんな δ' が必ず存在する。$\therefore \lim\limits_{z\to\alpha} f(z) = f(\alpha)$ （α で連続）となる。

ここで，ある小さな正の定数
ε_0 をとって，$0<\varepsilon_0<\varepsilon$ とおく。
そして，$|f(z)-f(\alpha)|<\varepsilon_0$ と
すると，これに対応して，
$|z-\alpha|=\delta$ をみたす z が，α の
δ' 近傍，すなわち $|z-\alpha|<\delta'$
の中に存在する。

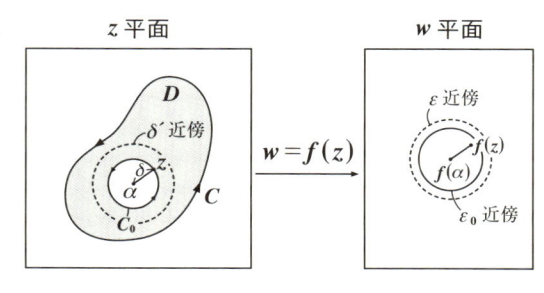

よって，円 $C_0 : |z-\alpha| = \delta$ を単純閉曲線 C の内部にとることができる。

C と C_0 とその間の 2 重連結領域で，複素関数 $\dfrac{f(z)-f(\alpha)}{z-\alpha}$ は正則なので，

コーシーの積分定理をこの 2 重連結領域に応用すると，

$$\oint_C \frac{f(z)-f(\alpha)}{z-\alpha}\,dz = \oint_{C_0} \frac{f(z)-f(\alpha)}{z-\alpha}\,dz$$ となり，この絶対値も等しい。よって，

$$\left| \oint_C \frac{f(z)-f(\alpha)}{z-\alpha}\,dz \right| = \left| \oint_{C_0} \frac{f(z)-f(\alpha)}{z-\alpha}\,dz \right| \leq \oint_{C_0} \frac{\overbrace{|f(z)-f(\alpha)|}^{\varepsilon_0 \text{より小}}}{\underbrace{|z-\alpha|}_{\delta}}\,|dz|$$

$$\leq \oint_{C_0} \frac{\varepsilon_0}{\delta}\,|dz| = \frac{\varepsilon_0}{\delta}\underbrace{\oint_{C_0} |dz|}_{2\pi\delta\,(C_0 \text{の円周の長さ})} = \frac{\varepsilon_0}{\delta} \times 2\pi\delta$$

（定数）

$$\therefore \left| \oint_C \frac{f(z)-f(\alpha)}{z-\alpha}\,dz \right| \leq 2\pi\,\underset{0}{\varepsilon_0} \quad \cdots\cdots ② \quad \text{となる。}$$

ここで，$f(z)$ は $z = \alpha$ で連続なので，$\varepsilon \to 0$ とできるので，ε_0 も限りなく

0 に近づけることができる。よって②より，（$0 < \varepsilon_0 < \varepsilon$ より）

$$\left| \oint_C \frac{f(z)-f(\alpha)}{z-\alpha}\,dz \right| = 0, \quad \text{すなわち} \quad \oint_C \frac{f(z)-f(\alpha)}{z-\alpha}\,dz = 0 \quad \cdots\cdots ③ \quad \text{となる。}$$

③を①に代入すると，

$$((*) \text{の左辺}) = \oint_C \frac{f(z)}{z-\alpha}\,dz = 2\pi i f(\alpha) + \underbrace{\oint_C \frac{f(z)-f(\alpha)}{z-\alpha}\,dz}_{0}$$

$$= 2\pi i f(\alpha) = ((*) \text{の右辺}) \quad \text{となって，}$$

コーシーの積分公式：

$$\oint_C \frac{f(z)}{z-\alpha}\,dz = 2\pi i f(\alpha) \quad \cdots\cdots (*) \quad \text{が成り立つ。} \quad \cdots\cdots\cdots\cdots\cdots\cdots\cdots (\text{終})$$

コーシーの積分公式を用いて，次の各積分路について積分値を求めよ。
ただし，積分路は反時計まわりとする。

(1) $\displaystyle\oint_{C_1} \frac{\cosh\frac{z}{4}}{z-\pi i}\,dz$　　　$C_1 : |z-\pi i| = 1$

(2) $\displaystyle\oint_{C_2} \frac{e^{\frac{z}{3}}}{z+\pi i}\,dz$　　　$C_2 : |z+\pi i| = 1$

ヒント！　コーシーの積分公式 : $\displaystyle\oint_C \frac{f(z)}{z-\alpha}\,dz = 2\pi i\,f(\alpha)$ を用いて，積分しよう。

解答＆解説

(1) $f(z) = \cosh\dfrac{z}{4} = \dfrac{e^{\frac{z}{4}}+e^{-\frac{z}{4}}}{2}$ とおくと，$f(z)$ は C_1 とその内

部で正則である。よって，コーシーの積分公式を用いると，

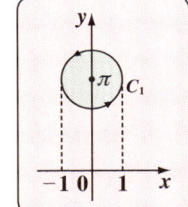

$$\oint_{C_1} \frac{\cosh\frac{z}{4}}{z-\pi i}\,dz = \oint_{C_1} \frac{f(z)}{z-\pi i}\,dz = 2\pi i\,f(\pi i)$$

$$= 2\pi i\cosh\frac{\pi}{4}i = 2\pi i\cdot\frac{e^{\frac{\pi}{4}i}+e^{-\frac{\pi}{4}i}}{2} = 2\pi i\cdot\cos\frac{\pi}{4}$$

$$= 2\pi i\,\frac{1}{\sqrt{2}} = \sqrt{2}\,\pi i \quad\cdots\cdots\cdots\cdots\cdots\cdots\cdots\cdots\cdots\text{(答)}$$

(2) $g(z) = e^{\frac{z}{3}}$ とおくと，$g(z)$ は C_2 とその内部で正則である。

よって，コーシーの積分公式を用いると，

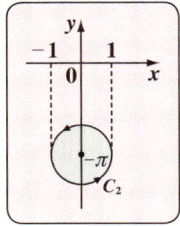

$$\oint_{C_2} \frac{e^{\frac{z}{3}}}{z+\pi i}\,dz = \oint_{C_2} \frac{g(z)}{z-(-\pi i)}\,dz = 2\pi i\cdot g(-\pi i)$$

$$= 2\pi i\,e^{-\frac{\pi}{3}i} = 2\pi i\left(\cos\frac{\pi}{3} - i\sin\frac{\pi}{3}\right)$$

$$= 2\pi i\left(\frac{1}{2} - i\frac{\sqrt{3}}{2}\right) = \pi(\sqrt{3}+i) \quad\cdots\cdots\cdots\cdots\cdots\cdots\text{(答)}$$

演習問題 91　　　● コーシーの積分公式 (Ⅲ) ●

コーシーの積分公式を用いて，次の各積分路について積分値を求めよ。
ただし，積分路は反時計まわりとする。

(1) $\displaystyle\oint_{C_1} \frac{\sinh z}{z - \frac{\pi}{2}i}\, dz$　　　$C_1 : \left|z - \frac{\pi}{2}i\right| = 1$

(2) $\displaystyle\oint_{C_2} \frac{e^z}{z + \pi i}\, dz$　　　$C_2 : |z + \pi i| = 1$

ヒント！ 前問と同様に，コーシーの積分公式を利用して，解けばよい。

解答 & 解説

(1) $f(z) = \sinh z = \dfrac{e^z - e^{-z}}{2}$ とおくと，$f(z)$ は C_1 とその内部

で正則である。よって，コーシーの積分公式を用いると，

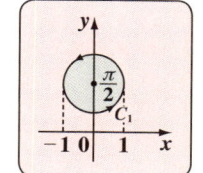

$$\oint_{C_1} \frac{\sinh z}{z - \frac{\pi}{2}i}\, dz = \oint_{C_1} \frac{f(z)}{z - \frac{\pi}{2}i}\, dz = 2\pi i\, f\left(\frac{\pi}{2}i\right)$$

$$= 2\pi i \boxed{\phantom{(\mathcal{P})}}_{(\mathcal{P})} = 2\pi i^2 \cdot \frac{e^{\frac{\pi}{2}i} - e^{-\frac{\pi}{2}i}}{2 \cdot i} = -2\pi \cdot \sin\frac{\pi}{2}$$

$$= \boxed{\phantom{(\mathcal{A})}}_{(\mathcal{A})} \quad \cdots\cdots\cdots\cdots\cdots\cdots\cdots\cdots\cdots\cdots\cdots\cdots \text{(答)}$$

(2) $g(z) = e^z$ とおくと，$g(z)$ は C_2 とその内部で正則である。

よって，コーシーの積分公式を用いると，

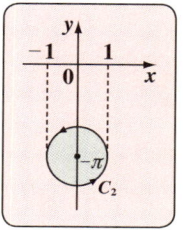

$$\oint_{C_2} \frac{e^z}{z + \pi i}\, dz = \oint_{C_2} \frac{g(z)}{z - (-\pi i)}\, dz = 2\pi i \cdot g(-\pi i)$$

$$= 2\pi i \boxed{\phantom{(\mathcal{D})}}_{(\mathcal{D})} = 2\pi i\, (\cos\pi - i\sin\pi)$$

$$= \boxed{\phantom{(\mathcal{I})}}_{(\mathcal{I})} \quad \cdots\cdots\cdots\cdots\cdots\cdots\cdots\cdots\cdots\cdots\cdots\cdots \text{(答)}$$

解答　　(ア) $\sinh\dfrac{\pi}{2}i$　　　(イ) -2π　　　(ウ) $e^{-\pi i}$　　　(エ) $-2\pi i$

3つの積分路 (i) $C_1 : |z| = \dfrac{1}{2}$, (ⅱ) $C_2 : |z - 2i| = \dfrac{1}{2}$, (ⅲ) $C_3 : |z - i| = 2$

について, コーシーの積分公式を用いて, 次の各積分の値を求めよ。

$$\oint_{C_k} \frac{(z+1)e^z}{z(z-2i)}\,dz \quad (k = 1,\ 2,\ 3)$$

ただし, 積分路はすべて反時計まわりとする。

ヒント！　(i), (ⅱ) は, コーシーの積分公式 : $\oint_C \dfrac{f(z)}{z - \alpha}\,dz = 2\pi i f(\alpha)$ を用い,

(ⅲ) は, (i) と (ⅱ) の結果とコーシーの積分定理を利用して解けばよい。

解答 & 解説

(i) 積分路 $C_1 : |z| = \dfrac{1}{2}$ のとき, $\displaystyle\oint_{C_1} \overset{f(z)}{\boxed{\dfrac{(z+1)e^z}{z\,(z-2i)}}}\,dz$

について, $f(z) = \dfrac{(z+1)e^z}{z-2i}$ とおくと,

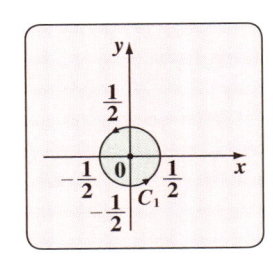

$f(z)$ は, 積分路 C_1 とその内部で正則である。
よって, コーシーの積分公式を用いると,

$$\oint_{C_1} \frac{(z+1)e^z}{z\,(z-2i)}\,dz = \oint_{C_1} \frac{f(z)}{z-0}\,dz = 2\pi i \cdot f(0)$$

$$= 2\pi i \cdot \frac{(0+1)\cdot \overset{1}{\boxed{e^0}}}{0-2i} = 2\pi i \times \frac{1}{-2i} = -\pi \ \text{となる。} \cdots\cdots① \cdots\cdots\text{(答)}$$

(ⅱ) 積分路 $C_2 : |z - 2i| = \dfrac{1}{2}$ のとき, $\displaystyle\oint_{C_2} \overset{g(z)}{\boxed{\dfrac{(z+1)e^z}{z}\bigg/(z-2i)}}\,dz$

について, $g(z) = \dfrac{(z+1)e^z}{z}$ とおくと,

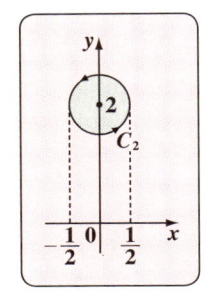

$g(z)$ は, 積分路 C_2 とその内部で正則である。
よって, コーシーの積分公式を用いると,

$$\oint_{C_2} \frac{(z+1)e^z}{z(z-2i)}\,dz = \oint_{C_2} \frac{g(z)}{z-2i}\,dz = 2\pi i \cdot g(2i)$$

$$= 2\pi i \cdot \frac{(2i+1)\cdot e^{2i}}{2i} = \pi(2i+1)(\cos 2 + i\sin 2)$$

$$= \pi(2i\cos 2 - 2\sin 2 + \cos 2 + i\sin 2)$$

$$= \pi\{\cos 2 - 2\sin 2 + i(2\cos 2 + \sin 2)\} \quad \text{となる。}$$

$$\cdots\cdots ② \quad \cdots\cdots\cdots (答)$$

(ⅲ) 積分路 $C_3 : |z-i| = 2$ のとき，

$h(z) = \dfrac{(z+1)e^z}{z(z-2i)}$ とおくと，$h(z)$ は，

C_3 とその内部において，$z=0$ と
$2i$ を除いて正則である。よって，
0 と $2i$ を囲む単純閉曲線として，
$C_1 : |z| = \dfrac{1}{2}$，$C_2 : |z-2i| = \dfrac{1}{2}$
を用いると，C_3 と C_1，C_2，および
これらで囲まれる部分からなる3重
連結領域で，$h(z)$ は正則である。

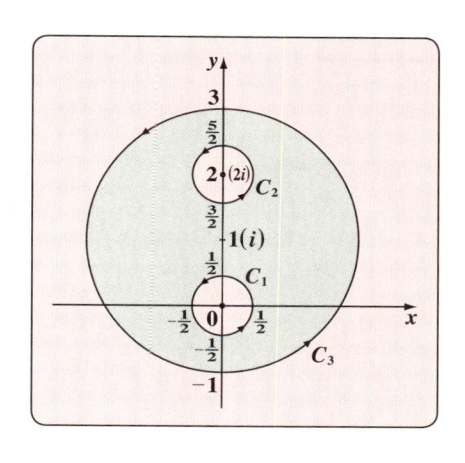

したがって，この3重連結領域にコーシーの積分定理を応用すると，

$$\oint_{C_3} = \oint_{C_1} + \oint_{C_2} \quad \text{となる。よって，求める} \oint_{C_3} h(z)dz \text{ は，①，②より，}$$

$$\oint_{C_3} h(z)\,dz = \underbrace{\oint_{C_1} h(z)\,dz}_{\boxed{-\pi \ (①より)}} + \underbrace{\oint_{C_2} h(z)\,dz}_{\boxed{\pi\{\cos 2 - 2\sin 2 + i(2\cos 2 + \sin 2)\} \ (②より)}}$$

$$= \pi\{\cos 2 - 2\sin 2 - 1 + i(2\cos 2 + \sin 2)\} \quad \text{となる。} \quad \cdots\cdots\cdots (答)$$

グルサの定理を用いて，積分路 $C:|z|=2$（反時計まわり）について，次の各積分の値を求めよ。

(1) $\displaystyle\oint_C \frac{\cos z}{z^3}\,dz$　　　　　　　　(2) $\displaystyle\oint_C \frac{\sinh z}{z^2}\,dz$

(3) $\displaystyle\oint_C \frac{z^4}{(2z+i)^4}\,dz$　　　　　　(4) $\displaystyle\oint_C \frac{e^{-z}}{(z-i)^2}\,dz$

ヒント！ グルサの定理：$\displaystyle\oint_C \frac{f(z)}{(z-\alpha)^{n+1}}\,dz=\frac{2\pi i}{n!}f^{(n)}(\alpha)$ $(n=1,2,3,\cdots)$ を利用して積分値を求める問題である。様々な問題を解くことにより，慣れていこう。

解答＆解説

(1) $f(z)=\cos z$ とおくと，$f(z)$ は C とその内部で正則である。また，$n=2$，$\alpha=0$ より，

$$f^{(2)}(z)=(-\sin z)'=-\cos z \quad となる。$$

よって，グルサの定理を用いると，

$$\oint_C \frac{\cos z}{z^3}\,dz=\oint_C \frac{f(z)}{(z-0)^3}\,dz=\frac{2\pi i}{2!}f''(0)$$

$$=\pi i\cdot(-\cos 0)=-\pi i \quad となる。\quad\cdots\cdots\cdots\cdots\cdots（答）$$

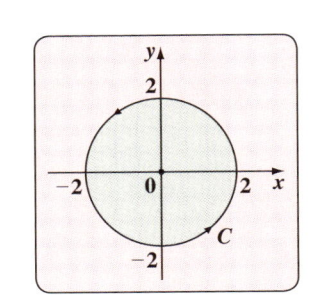

(2) $g(z)=\sinh z=\dfrac{e^z-e^{-z}}{2}$ とおくと，$g(z)$ は C とその内部で正則である。また，$n=1$，$\alpha=0$ より，

$$g^{(1)}(z)=(\sinh z)'=\left(\frac{e^z-e^{-z}}{2}\right)'=\frac{e^z+e^{-z}}{2}$$

$$=\cosh z \quad となる。$$

よって，グルサの定理を用いると，

$$\oint_C \frac{\sinh z}{z^2}\,dz=\oint_C \frac{g(z)}{(z-0)^2}\,dz=\frac{2\pi i}{1!}g'(0)$$

$$=2\pi i\cdot\underset{1}{\underline{\cosh 0}}=2\pi i \quad となる。\quad\cdots\cdots\cdots\cdots\cdots（答）$$

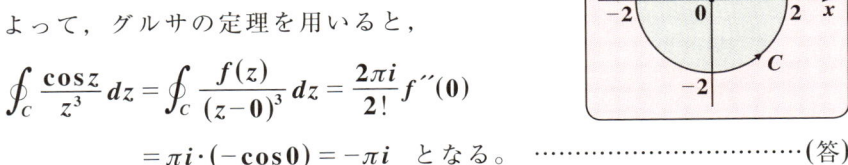

156

(3) 被積分関数を $\dfrac{z^4}{(2z+i)^4} = \boxed{\dfrac{z^4}{2^4}} \cdot \dfrac{1}{\left(z+\dfrac{i}{2}\right)^4}$ と変形して,$f(z) = \dfrac{z^4}{16}$ とおくと,

$f(z)$ は,C とその内部で正則である。また,

$n = 3$,$\alpha = -\dfrac{i}{2}$ より,

$f^{(3)}(z) = \left(\dfrac{z^4}{16}\right)''' = \left(\dfrac{z^3}{4}\right)'' = \left(\dfrac{3z^2}{4}\right)' = \dfrac{3}{2}z$ となる。

よって,グルサの定理を用いると,

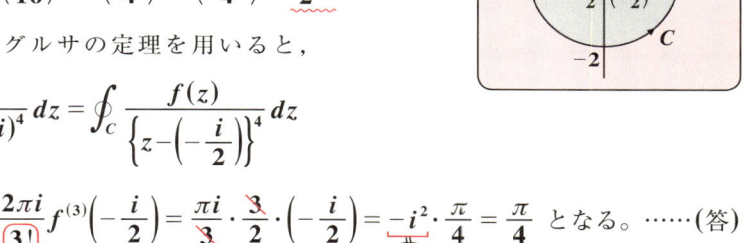

$$\oint_C \dfrac{z^4}{(2z+i)^4}\, dz = \oint_C \dfrac{f(z)}{\left\{z - \left(-\dfrac{i}{2}\right)\right\}^4}\, dz$$

$$= \dfrac{2\pi i}{\boxed{3!}} f^{(3)}\left(-\dfrac{i}{2}\right) = \dfrac{\pi i}{3} \cdot \dfrac{3}{2} \cdot \left(-\dfrac{i}{2}\right) = -i^2 \cdot \dfrac{\pi}{4} = \dfrac{\pi}{4}$$ となる。……(答)

$\boxed{6}$ $\boxed{1}$

(4) $g(z) = e^{-z}$ とおくと,$g(z)$ は C とその内部で

正則である。また,$n = 1$,$\alpha = i$ より,

$g^{(1)}(z) = (e^{-z})' = -e^{-z}$ となる。

よって,グルサの定理を用いると,

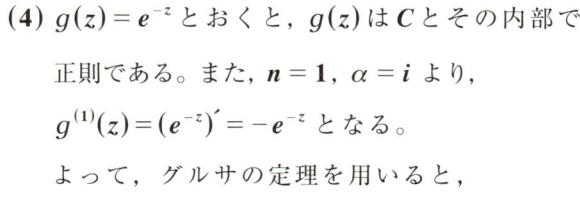

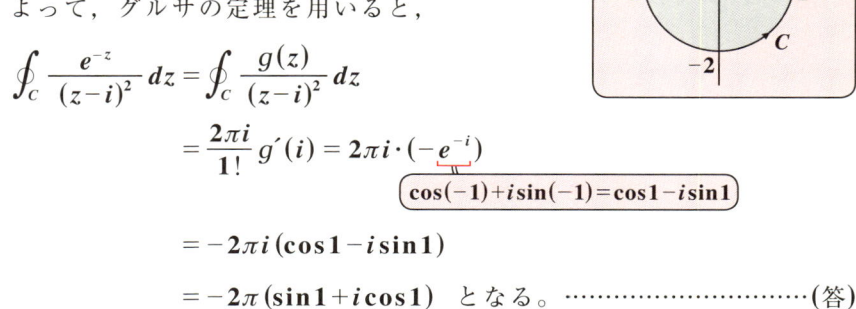

$$\oint_C \dfrac{e^{-z}}{(z-i)^2}\, dz = \oint_C \dfrac{g(z)}{(z-i)^2}\, dz$$

$$= \dfrac{2\pi i}{1!}\, g'(i) = 2\pi i \cdot (-e^{-i})$$

$$\boxed{\cos(-1) + i\sin(-1) = \cos 1 - i\sin 1}$$

$$= -2\pi i\,(\cos 1 - i\sin 1)$$

$$= -2\pi\,(\sin 1 + i\cos 1)$$ となる。……………………(答)

グルサの定理を用いて，積分路 $C:|z|=2$（反時計まわり）について，次の各積分の値を求めよ。

(1) $\displaystyle\oint_C \frac{\sin z}{z^2}\,dz$

(2) $\displaystyle\oint_C \frac{\cosh z}{z^3}\,dz$

(3) $\displaystyle\oint_C \frac{z^4}{(2z-i)^3}\,dz$

(4) $\displaystyle\oint_C \frac{e^{2z}}{(z+i)^3}\,dz$

ヒント！ 前問同様，グルサの定理：$\displaystyle\oint_C \frac{f(z)}{(z-\alpha)^{n+1}}\,dz = \frac{2\pi i}{n!}f^{(n)}(\alpha)$ $(n=1,2,3,\cdots)$ を用いる。

解答＆解説

(1) $f(z)=\sin z$ とおくと，$f(z)$ は C とその内部で正則である。また，$n=1$，$\alpha=0$ より，

$$f^{(1)}(z)=(\sin z)'=\cos z \text{ となる。}$$

よって，グルサの定理を用いると，

$$\oint_C \frac{\sin z}{z^2}\,dz = \oint_C \frac{f(z)}{(z-0)^2}\,dz = \frac{2\pi i}{1!}f'(0)$$

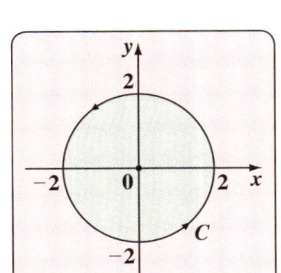

$$= 2\pi i \cdot \cos 0 = \boxed{(ア)} \text{ となる。} \quad\cdots\cdots\cdots\cdots\cdots(答)$$

(2) $g(z)=\cosh z = \dfrac{e^z+e^{-z}}{2}$ とおくと，$g(z)$ は C とその内部で正則である。また，$n=2$，$\alpha=0$ より，

$$g^{(2)}(z)=(\cosh z)''=(\sinh z)'=\cosh z \text{ となる。}$$

よって，グルサの定理を用いると，

$$\oint_C \frac{\cosh z}{z^3}\,dz = \oint_C \frac{g(z)}{(z-0)^3}\,dz = \frac{2\pi i}{2!}g^{(2)}(0)$$

$$= \pi i \cdot \underbrace{\cosh 0}_{\frac{e^0+e^0}{2}=1} = \boxed{(イ)} \text{ となる。} \quad\cdots\cdots\cdots\cdots\cdots(答)$$

(3) 被積分関数を $\dfrac{z^4}{(2z-i)^3} = \boxed{\dfrac{z^4}{2^3}} \cdot \dfrac{1}{\left(z-\dfrac{i}{2}\right)^3}$ と変形して，$f(z) = \dfrac{z^4}{8}$ とおくと，

$f(z)$ は，C とその内部で正則である。また，

$n = 2$, $\alpha = \dfrac{i}{2}$ より，

$f^{(2)}(z) = \left(\dfrac{z^4}{8}\right)'' = \left(\dfrac{z^3}{2}\right)' = \dfrac{3}{2}z^2$ となる。

よって，グルサの定理を用いると，

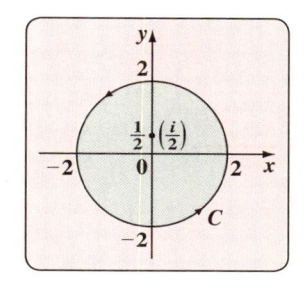

$$\oint_C \dfrac{z^4}{(2z-i)^3}\,dz = \oint_C \dfrac{f(z)}{\left(z-\dfrac{i}{2}\right)^3}\,dz$$

$$= \dfrac{2\pi i}{2!}f^{(2)}\left(\dfrac{i}{2}\right) = \pi i \cdot \dfrac{3}{2} \cdot \left(\dfrac{i}{2}\right)^2 = \boxed{(ウ)} \quad \text{となる。} \quad \cdots\cdots\cdots(答)$$

(4) $g(z) = e^{2z}$ とおくと，$g(z)$ は C とその内部で

正則である。また，$n = 2$, $\alpha = -i$ より，

$g^{(2)}(z) = (e^{2z})'' = (2e^{2z})' = 4e^{2z}$ となる。

よって，グルサの定理を用いると，

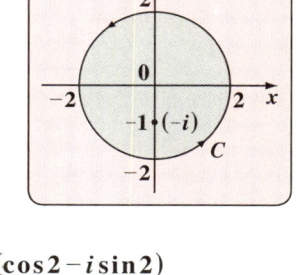

$$\oint_C \dfrac{e^{2z}}{(z+i)^3}\,dz = \oint_C \dfrac{g(z)}{\{z-(-i)\}^3}\,dz$$

$$= \dfrac{2\pi i}{2!}g^{(2)}(-i) = \pi i \cdot 4e^{-2i} = 4\pi i(\cos 2 - i\sin 2)$$

$$= \boxed{(エ)} \quad \text{となる。} \quad \cdots\cdots\cdots\cdots\cdots(答)$$

解答　(ア) $2\pi i$ 　　(イ) πi 　　(ウ) $-\dfrac{3}{8}\pi i$ 　　(エ) $4\pi(\sin 2 + i\cos 2)$

コーシーの積分公式とグルサの定理を用いて，積分路 C（反時計まわり）について，次の積分の値を求めよ。

$$\oint_C \frac{e^z}{(z-i)^2(z-2i)}\,dz \qquad C:|z-i|=2$$

ヒント！ 被積分関数の正則でない 2 点 $2i$ と i を C は囲むので，C の内部にこれら 2 点をそれぞれ囲む小さな単純閉曲線 C_1 と C_2 を設けると，コーシーの積分定理から，$\oint_C = \oint_{C_1} + \oint_{C_2}$ が導ける。そして，$\oint_{C_1}$，$\oint_{C_2}$ はそれぞれコーシーの積分公式とグルサの定理を用いて計算すればよい。

解答&解説

被積分関数の正則でない 2 点 $2i$ と i は共に積分路 $C:|z-i|=2$ の内部にある。よって，右図に示すように，C の内部にあって，これら 2 点をそれぞれ重ならないように囲む 2 つの単純閉曲線 C_1 と C_2 を考える。C と C_1，C_2 を境界とする 3 重連結領域で被積分関数は正則なので，これにコーシーの積分定理を応用すると，$\oint_C = \oint_{C_1} + \oint_{C_2}$，すなわち次式が

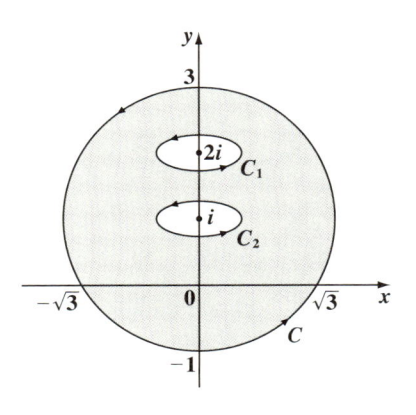

成り立つ。（ただし，積分路 C_1，C_2 は反時計まわりとする。）

$$\oint_C \frac{e^z}{(z-i)^2(z-2i)}\,dz = \oint_{C_1} \underset{f(z)}{\boxed{\frac{e^z}{(z-i)^2}}} \cdot \frac{1}{z-2i}\,dz + \oint_{C_2} \underset{g(z)}{\boxed{\frac{e^z}{z-2i}}} \cdot \frac{1}{(z-i)^2}\,dz \quad \cdots\cdots ①$$

(i) $\underbrace{2\pi i \cdot f(2i)}$ 　コーシーの積分公式

(ii) $\underbrace{\frac{2\pi i}{1!}\cdot g'(i)}$ 　グルサの定理

ここで，①の右辺の $\oint_{C_1}$ と $\oint_{C_2}$ を順に求める。

（ i ）$\oint_{C_1}$ について，$f(z) = \dfrac{e^z}{(z-i)^2}$ とおくと，$f(z)$ は C_1 とその内部で正則である。

よって，コーシーの積分公式を用いると，

$$\oint_{C_1} \frac{f(z)}{z-2i}\,dz = 2\pi i \cdot f(2i) = 2\pi i \cdot \frac{\overset{\overbrace{\cos 2 + i \sin 2}}{e^{2i}}}{\underset{\underbrace{i^2 = -1}}{(2i-i)^2}}$$

$$= -2\pi i(\cos 2 + i\sin 2) = 2\pi(\sin 2 - i\cos 2) \ \cdots\cdots ② \ \ となる。$$

（ ii ）$\oint_{C_2}$ について，$g(z) = \dfrac{e^z}{z-2i}$ とおくと，$g(z)$ は C_2 とその内部で正則である。

また，$n = 1$，$\alpha = i$ より，

$$g^{(1)}(z) = \left(\frac{e^z}{z-2i}\right)' = \frac{e^z(z-2i) - e^z \cdot 1}{(z-2i)^2} = \frac{e^z(z-2i-1)}{(z-2i)^2} \ \ となる。$$

よって，グルサの定理を用いると，

$$\oint_{C_2} \frac{g(z)}{(z-i)^2}\,dz = \frac{2\pi i}{1!}\,g'(i) = 2\pi i \cdot \frac{\overset{\overbrace{(\cos 1 + i\sin 1)(-1-i)}}{e^i(i-2i-1)}}{\underset{\underbrace{(-i)^2 = -1}}{(i-2i)^2}}$$

$$= 2\pi i(\cos 1 + i\sin 1)(1+i)$$

$$= 2\pi i(\cos 1 + i\cos 1 + i\sin 1 - \sin 1)$$

$$= 2\pi i\{\cos 1 - \sin 1 + i(\cos 1 + \sin 1)\}$$

$$= 2\pi\{-(\cos 1 + \sin 1) + i(\cos 1 - \sin 1)\} \ \cdots\cdots ③ \ \ となる。$$

以上（ i ）（ ii ）より，②，③を①に代入して，

$$\oint_C \frac{e^z}{(z-i)^2(z-2i)}\,dz = \underline{2\pi(\sin 2 - i\cos 2)}_{②より} + \underline{2\pi\{-\cos 1 - \sin 1 + i(\cos 1 - \sin 1)\}}_{③より}$$

$$= 2\pi\{\sin 2 - \cos 1 - \sin 1 - i(\cos 2 - \cos 1 + \sin 1)\} \ となる。\cdots\cdots（答）$$

コーシーの積分公式とグルサの定理を用いて，積分路 C（反時計まわり）について，次の積分の値を求めよ。

$$\oint_C \frac{e^{-z}}{(z+i)^2(z-i)}\,dz \qquad C:|z|=2$$

> **ヒント！** 被積分関数の正則でない2点 i と $-i$ を C は囲むので，C の内部にこれら2点をそれぞれ囲む小さな単純閉曲線 C_1 と C_2 を設け，コーシーの積分定理から，$\oint_C = \oint_{C_1} + \oint_{C_2}$ として，計算していけばよい。

解答＆解説

被積分関数の正則でない2点 i と $-i$ は共に，積分路 $C:|z|=2$ の内部にある。よって，右図に示すように，C の内部にあって，これら2点をそれぞれ重ならないように囲む2つの単純閉曲線 C_1 と C_2 を考える。C と C_1, C_2 を境界とする3重連結領域で，被積分関数は正則なので，これにコーシーの積分定理を応用すると，$\oint_C = \boxed{\text{(ア)}}$，すなわち次式

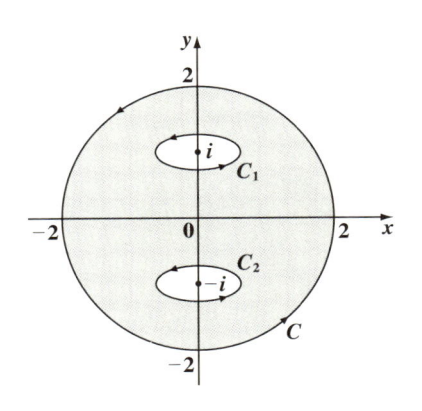

が成り立つ。（ただし，積分路 C_1, C_2 は反時計まわりとする。）

$$\oint_C \frac{e^{-z}}{(z+i)^2(z-i)}\,dz = \oint_{C_1} \underbrace{\boxed{\frac{e^{-z}}{(z+i)^2}}}_{\text{(i)}}^{f(z)} \cdot \frac{1}{z-i}\,dz + \oint_{C_2} \underbrace{\boxed{\frac{e^{-z}}{z-i}}}_{\text{(ii)}}^{g(z)} \cdot \frac{1}{(z+i)^2}\,dz \quad \cdots\cdots ①$$

（i）　$\boxed{2\pi i \cdot f(i)}$　──　コーシーの積分公式

（ii）　$\boxed{\dfrac{2\pi i}{1!} \cdot g'(-i)}$　──　グルサの定理

ここで，①の右辺の $\oint_{C_1}$ と $\oint_{C_2}$ を順に求める。

(ⅰ) $\displaystyle\oint_{C_1}$ について, $f(z) = \dfrac{e^{-z}}{(z+i)^2}$ とおくと, $f(z)$ は C_1 とその内部で正則である。

よって, コーシーの積分公式を用いると,

$$\oint_{C_1} \frac{f(z)}{z-i}\,dz = 2\pi i \cdot f(i) = 2\pi i \cdot \frac{\overbrace{e^{-i}}^{\cos 1 - i\sin 1}}{\underbrace{(i+i)^2}_{4i^2=-4}}$$

$$= -\frac{\pi}{2} i(\cos 1 - i\sin 1) = -\frac{\pi}{2}\left(\boxed{}\right) \cdots\cdots ② \quad \text{となる。}$$

(ⅱ) $\displaystyle\oint_{C_2}$ について, $g(z) = \dfrac{e^{-z}}{z-i}$ とおくと, $g(z)$ は C_2 とその内部で正則である。

また, $n = 1$, $\alpha = -i$ より,

$$g^{(1)}(z) = \left(\frac{e^{-z}}{z-i}\right)' = \frac{-e^{-z}(z-i) - e^{-z}\cdot 1}{(z-i)^2} = \frac{-e^{-z}(z+1-i)}{(z-i)^2} \quad \text{となる。}$$

よって, グルサの定理を用いると,

$$\oint_{C_2} \frac{g(z)}{(z+i)^2}\,dz = \frac{2\pi i}{1!}\,g'(-i) = 2\pi i \cdot \frac{\overbrace{-e^{i}(-i+1-i)}^{-(\cos 1 + i\sin 1)(1-2i)}}{\underbrace{(-i-i)^2}_{(-2i)^2=-4}}$$

$$= \frac{\pi}{2} i(\cos 1 + i\sin 1)(1-2i)$$

$$= \frac{\pi}{2} i(\cos 1 - i\cdot 2\cos 1 + i\cdot\sin 1 + 2\sin 1)$$

$$= \frac{\pi}{2} i\{\cos 1 + 2\sin 1 - i(2\cos 1 - \sin 1)\}$$

$$= \frac{\pi}{2}\{2\cos 1 - \sin 1 + i(\boxed{})\} \cdots\cdots ③ \quad \text{となる。}$$

以上 (ⅰ)(ⅱ) より, ②, ③を①に代入して,

$$\oint_C \frac{e^{-z}}{(z+i)^2(z-i)}\,dz = -\frac{\pi}{2}(\sin 1 + i\cos 1) + \frac{\pi}{2}\{2\cos 1 - \sin 1 + i(\cos 1 + 2\sin 1)\}$$

$$= \pi(\cos 1 - \sin 1 + i\,\boxed{(\text{エ})}) \quad \text{となる。} \cdots\cdots\cdots\cdots\cdots\cdots (\text{答})$$

解答　(ア) $\displaystyle\oint_{C_1} + \oint_{C_2}$　　(イ) $\sin 1 + i\cos 1$　　(ウ) $\cos 1 + 2\sin 1$　　(エ) $\sin 1$

コーシーの積分公式とグルサの定理を用いて，積分路 C (反時計まわり) について，次の積分の値を求めよ。

$$\oint_C \frac{e^{2z}}{z \cdot (z+i)^3} \, dz \qquad C : |z| = 2$$

ヒント！ 被積分関数の正則でない 2 点 0 と $-i$ を C は囲むので，C の内部にこれら 2 点をそれぞれ囲む小さな単純閉曲線 C_1 と C_2 を設け，コーシーの積分定理から，$\oint_C = \oint_{C_1} + \oint_{C_2}$ として，計算する。計算は少しメンドウだけれど，頑張ろう！

解答＆解説

被積分関数の正則でない 2 点 0 と $-i$ は共に，積分路 $C : |z| = 2$ の内部にある。よって，右図に示すように，C の内部にあって，これら 2 点をそれぞれ重ならないように囲む 2 つの単純閉曲線 C_1 と C_2 を考える。C と C_1，C_2 を境界とする 3 重連結領域で，被積分関数は正則なので，これにコーシーの積分定理を応用すると，$\oint_C = \oint_{C_1} + \oint_{C_2}$，すなわち，次式が

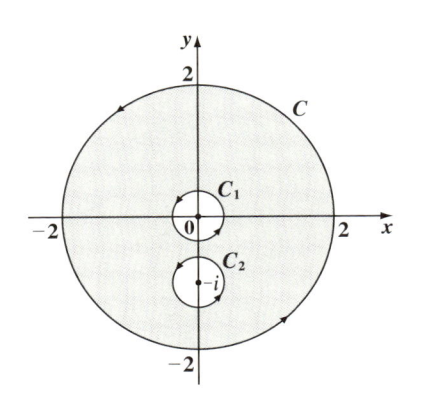

成り立つ。(ただし，積分路 C_1，C_2 は反時計まわりとする。)

$$\oint_C \frac{e^{2z}}{z \cdot (z+i)^3} \, dz = \underbrace{\oint_{C_1} \frac{1}{z} \cdot \overbrace{\frac{e^{2z}}{(z+i)^3}}^{f(z)} \, dz}_{2\pi i \cdot f(0)} + \underbrace{\oint_{C_2} \overbrace{\frac{e^{2z}}{z}}^{g(z)} \cdot \frac{1}{(z+i)^3} \, dz}_{\frac{2\pi i}{2!} \cdot g''(-i)} \quad \cdots\cdots ①$$

コーシーの積分公式　　　　　　　グルサの定理

ここで，①の右辺の $\oint_{C_1}$ と $\oint_{C_2}$ を順に求める。

164

(i) $\oint_{C_1}$ について，$f(z) = \dfrac{e^{2z}}{(z+i)^3}$ とおくと，$f(z)$ は C_1 とその内部で正則である。よって，コーシーの積分公式を用いると，

$$\oint_{C_1} \frac{f(z)}{z}\,dz = 2\pi i \cdot f(0) = 2\pi i \cdot \frac{\overset{1}{e^0}}{(0+i)^3} = \frac{2\pi i}{i^3}$$

$$= \frac{2\pi}{i^2} = -2\pi \quad \cdots\cdots ② \quad \text{となる。}$$

(ii) $\oint_{C_2}$ について，$g(z) = \dfrac{e^{2z}}{z}$ とおくと，$g(z)$ は C_2 とその内部で正則である。また，$n = 2$，$\alpha = -i$ より，

$$g^{(1)}(z) = \left(\frac{e^{2z}}{z}\right)' = \frac{2 \cdot e^{2z} \cdot z - e^{2z} \cdot 1}{z^2}$$

$$= \frac{(2z-1)e^{2z}}{z^2}$$

> **グルサの定理**
> $$\oint_C \frac{g(z)}{(z-\alpha)^{n+1}}\,dz = \frac{2\pi i}{n!}\,g^{(n)}(\alpha)$$

$$g^{(2)}(z) = \left\{\frac{(2z-1)e^{2z}}{z^2}\right\}'$$

$$= \frac{\{2 \cdot e^{2z} + (2z-1) \cdot 2e^{2z}\}z^2 - (2z-1)e^{2z} \cdot 2z}{z^4}$$

$$= \frac{4z^3 e^{2z} - z(4z-2)e^{2z}}{z^4} = \frac{(4z^2 - 4z + 2)e^{2z}}{z^3} = \frac{2(2z^2 - 2z + 1)e^{2z}}{z^3} \quad \text{となる。}$$

よって，グルサの定理を用いると，

$$\oint_{C_2} \frac{g(z)}{(z+i)^3}\,dz = \frac{2\pi i}{2!}\,g^{(2)}(-i) = \pi i \cdot \frac{2\{\overbrace{2 \cdot (-i)^2 - 2 \cdot (-i) + 1}^{-2+2i+1 = -1+2i}\}e^{-2i}}{\underset{-i^3 = i}{(-i)^3}}$$

$$= \pi \cdot 2(-1+2i)\underbrace{e^{i(-2)}}_{\boxed{\cos 2 - i\sin 2}} = \pi(-2+4i) \cdot (\cos 2 - i\sin 2)$$

> **オイラーの公式**
> $$e^{i\theta} = \cos\theta + i\sin\theta$$

$$= \pi\{-2\cos 2 + 4\sin 2 + i(4\cos 2 + 2\sin 2)\}$$

$$= 2\pi\{-\cos 2 + 2\sin 2 + i(2\cos 2 + \sin 2)\} \quad \cdots\cdots ③ \quad \text{となる。}$$

以上 (i)(ii) より，②，③を①に代入して，

$$\oint_C \frac{e^{2z}}{z(z+i)^3}\,dz = -2\pi + 2\pi\{-\cos 2 + 2\sin 2 + i(2\cos 2 + \sin 2)\}$$

$$= 2\pi\{-\cos 2 + 2\sin 2 - 1 + i(2\cos 2 + \sin 2)\} \quad \text{となる。} \cdots(\text{答})$$

§1. ベキ級数とテーラー展開

無限級数

級数 $\sum_{k=1}^{\infty} \alpha_k$ の初めの n 項の和を "部分和" と呼び，これを S_n とおくと，

$$S_n = \sum_{k=1}^{n} \alpha_k = \alpha_1 + \alpha_2 + \alpha_3 + \cdots + \alpha_n \quad (n = 1, 2, 3, \cdots) \text{ となる。}$$

ここで，S_1, S_2, S_3, $\cdots$ も，数列となるので，この極限が収束して，

$$\lim_{n \to \infty} S_n = \lim_{n \to \infty} \sum_{k=1}^{n} \alpha_k = S \text{ となるとき，}$$

この級数は収束するといい，S を "(無限)級数の和" と呼ぶ。

この無限級数の和についての定理を下に示そう。

(1) 級数 $\alpha_1 + \alpha_2 + \alpha_3 + \cdots$ が収束するならば，$\lim_{n \to \infty} \alpha_n = 0$ となる。

(2) $\sum_{k=1}^{\infty} |\alpha_k| = |\alpha_1| + |\alpha_2| + |\alpha_3| + \cdots$ が収束するとき，

> 各項が 0 以上の実数列の級数

$\sum_{k=1}^{\infty} \alpha_k$ は "絶対収束" するという。

そして，$\sum_{k=1}^{\infty} |\alpha_k|$ が収束するならば，$\sum_{k=1}^{\infty} \alpha_k$ も収束する。

(3) 級数 $\sum_{k=1}^{\infty} \alpha_k = \alpha_1 + \alpha_2 + \alpha_3 + \cdots$ に対して，$|\alpha_n| \leqq b_n$ $(n = 1, 2, 3, \cdots)$

をみたす実数列 $\{b_n\}$ が存在し，$\sum_{k=1}^{\infty} b_k$ が収束するならば，$\sum_{k=1}^{\infty} |\alpha_k|$ も

収束する。$\left(\because \sum_{k=1}^{\infty} \alpha_k \text{ も収束する。} \right)$

そして，各項が 0 でない無限級数の収束性の判定条件を下に示す。

(I) $\lim_{n \to \infty} \left| \dfrac{\alpha_{n+1}}{\alpha_n} \right| = r$ のとき，

$\begin{cases} \text{(i)} \ 0 \leqq r < 1 \text{ ならば，} \sum_{k=1}^{\infty} |\alpha_k| \text{ は収束する。} \left(\because \sum_{k=1}^{\infty} \alpha_k \text{ も収束する。} \right) \\ \text{(ii)} \ 1 < r \text{ ならば，} \sum_{k=1}^{\infty} |\alpha_k| \text{ は発散する。} \end{cases}$

(II) $\lim\limits_{n \to \infty} \sqrt[n]{|\alpha_n|} = r$ のとき,

(i) $0 \leqq r < 1$ ならば, $\sum\limits_{k=1}^{\infty} |\alpha_k|$ は収束する。$\left(\therefore \sum\limits_{k=1}^{\infty} \alpha_k \text{ も収束する。} \right)$

(ii) $1 < r$ ならば, $\sum\limits_{k=1}^{\infty} |\alpha_k|$ は発散する。

((I)(II) 共に, $r = 1$ のときは, 収束・発散のいずれかを判定できない。)

次に, 複素数のベキ級数について解説する。

z の関数を項にもつ級数で, 次の形のものを, "**ベキ級数**" または "**整級数**(せいきゅうすう)" という。

$$\sum_{k=0}^{\infty} c_k(z-a)^k = c_0 + c_1(z-a) + c_2(z-a)^2 + \cdots + c_n(z-a)^n + \cdots$$

$\left(\begin{array}{l} \text{ただし, } a, c_k \ (k = 0, 1, 2, \cdots) \text{ は, 複素定数である。} \\ a \text{ をこのベキ級数の "中心" といい,} \\ c_k \ (k = 0, 1, 2, \cdots) \text{ を "係数" という。} \end{array}\right)$

特に, 中心 $a = 0$ のとき, このベキ級数は,

$$\sum_{k=0}^{\infty} c_k z^k = c_0 + c_1 z + c_2 z^2 + \cdots + c_n z^n + \cdots \quad \text{となる。}$$

ベキ級数 $\sum\limits_{k=0}^{\infty} c_k(z-a)^k$ が, ある正の数 R に対して,

$\begin{cases} \cdot |z-a| < R \text{ をみたすすべての点 } z \text{ で収束し,} \\ \cdot |z-a| > R \text{ をみたすすべての点 } z \text{ で発散するとき,} \end{cases}$

円：$|z-a| = R$ を "**収束円**(しゅうそくえん)" という。

また, 半径 R を "**収束半径**(しゅうそくはんけい)" といい,
次式で計算できる。

$$R = \lim_{n \to \infty} \left| \frac{c_n}{c_{n+1}} \right| \quad \text{または} \quad R = \lim_{n \to \infty} \frac{1}{\sqrt[n]{|c_n|}}$$

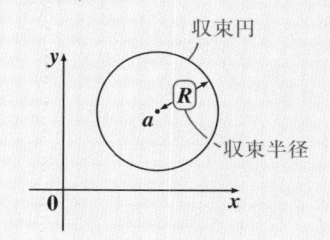

さらに, 0 でない収束半径 R をもつベキ級数で表された関数：

$f(z) = \sum\limits_{k=0}^{\infty} c_k(z-a)^k \ (|z-a| < R)$ について, $f(z)$ は, 収束円内の領域で正則であり, 項別に微分・積分を行うことができる。

複素関数 $f(z)$ のテーラー展開とマクローリン展開の公式を下に示す。

複素関数 $f(z)$ が，円 $C : |z-a| = R$ とその内部 D で正則であるとき，D 内の任意の点 z について，$f(z)$ は次のようにテーラー展開できる。

$$f(z) = f(a) + \frac{f^{(1)}(a)}{1!}(z-a) + \frac{f^{(2)}(a)}{2!}(z-a)^2 + \cdots + \frac{f^{(n)}(a)}{n!}(z-a)^n + \cdots$$

複素関数 $f(z)$ が，円 $C : |z| = R$ とその内部 D で正則であるとき，D 内の任意の点 z について，$f(z)$ は次のようにマクローリン展開できる。

$$f(z) = f(0) + \frac{f^{(1)}(0)}{1!}z + \frac{f^{(2)}(0)}{2!}z^2 + \cdots + \frac{f^{(n)}(0)}{n!}z^n + \cdots$$

主な関数のマクローリン展開についても示しておこう。

(1) $\dfrac{1}{1-z} = 1 + z + z^2 + \cdots + z^n + \cdots$ $\qquad (R = 1)$

(2) $e^z = 1 + z + \dfrac{z^2}{2!} + \cdots + \dfrac{z^n}{n!} + \cdots$ $\qquad (R = \infty)$

(3) $\mathrm{Log}(1+z) = z - \dfrac{z^2}{2} + \dfrac{z^3}{3} - \cdots + \dfrac{(-1)^{n-1}}{n}z^n + \cdots$ $\qquad (R = 1)$

(4) $\begin{cases} \cos z = 1 - \dfrac{z^2}{2!} + \dfrac{z^4}{4!} - \cdots + \dfrac{(-1)^m}{(2m)!}z^{2m} + \cdots & (R = \infty) \\[3mm] \sin z = z - \dfrac{z^3}{3!} + \dfrac{z^5}{5!} - \cdots + \dfrac{(-1)^{m-1}}{(2m-1)!}z^{2m-1} + \cdots & (R = \infty) \end{cases}$

(5) $\begin{cases} \cosh z = 1 + \dfrac{z^2}{2!} + \dfrac{z^4}{4!} + \cdots + \dfrac{1}{(2m)!}z^{2m} + \cdots & (R = \infty) \\[3mm] \sinh z = z + \dfrac{z^3}{3!} + \dfrac{z^5}{5!} + \cdots + \dfrac{1}{(2m-1)!}z^{2m-1} + \cdots & (R = \infty) \end{cases}$

（ただし，R はそれぞれの関数の収束半径を表す。）

§2. ローラン展開

関数 $f(z)$ が $z = a$ で正則でないとき，点 a を $f(z)$ の "**特異点**" (*singularity*)
という。そして，特異点 a のある近傍に，a 以外の特異点を含まない場合，
a を特に "**孤立特異点**" (*isolated singularity*) と呼ぶ。逆に，特異点 a の
近傍をどんなに小さくしても，そこに a 以外の特異点が含まれる場合，
a を "**孤立していない特異点**" という。

■ ローラン展開

関数 $f(z)$ は，2 つの円 $C_1 : |z-a| = r_1$ と，$C_2 : |z-a| = r_2$ $(r_1 > r_2)$，
および，その間の円環 (2 重連結) 領域 D で 1 価で正則とする。
(点 a は，$f(z)$ の正則点，孤立特異点の
いずれでもかまわない。)

このとき，右図のように，領域 D 内にあっ
て，点 a を囲む任意の単純閉曲線を C と
おく。このとき，領域 D 内の点 z に対して，
$f(z)$ は，次のようにローラン展開される。

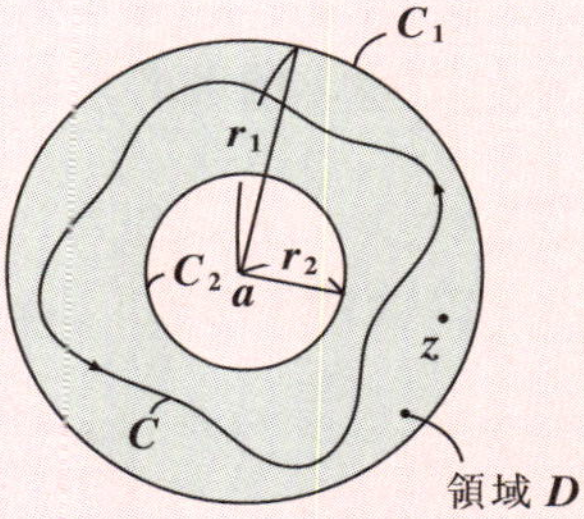

$$f(z) = \sum_{k=0}^{\infty} c_k (z-a)^k + \sum_{k=1}^{\infty} \frac{b_k}{(z-a)^k} \quad \cdots\cdots (*)$$

テーラー展開と同じ形。　"特異部" または "主要部" という。

$$\left(\text{ただし，} c_k = \frac{1}{2\pi i} \oint_C \frac{f(\zeta)}{(\zeta-a)^{k+1}} d\zeta, \quad b_k = \frac{1}{2\pi i} \oint_C f(\zeta)(\zeta-a)^{k-1} d\zeta \right.$$
であり，積分経路 C は，いずれも反時計まわりとする。

(ex) $f(z) = \dfrac{e^z}{z^3}$ を特異点 $z = 0$ を中心にローラン展開すると，

$$f(z) = \frac{1}{z^3} \left(1 + z + \frac{z^2}{2!} + \frac{z^3}{3!} + \frac{z^4}{4!} + \frac{z^5}{5!} + \cdots \right)$$

3位の極　　留数

$$= \frac{1}{z^3} + \frac{1}{z^2} + \frac{1}{2!} \frac{1}{z} + \frac{1}{3!} + \frac{z}{4!} + \frac{z^2}{5!} + \cdots \quad \text{となる。}$$

特異部

§3. 留数と留数定理

まず，留数の定義と，n 位の極の留数の求め方を下に示す。

$z = a$ を関数 $f(z)$ の孤立特異点とする。また，$0 < |z - a| < R$ の領域 D で $f(z)$ は 1 価正則な関数とすると，$f(z)$ は，

$$f(z) = \sum_{k=1}^{\infty} \frac{b_k}{(z-a)^k} + \sum_{k=0}^{\infty} c_k (z-a)^k \text{ と，ローラン展開できるが，}$$

この $\dfrac{1}{z-a}$ の項の係数 b_1 を，$f(z)$ の $z = a$ における "**留数**" と呼び，

$\operatorname*{Res}_{z=a} f(z)$ と表す。

"**Res**" は，*residue*（留数）の頭 **3** 文字のこと

n 位の極の留数の求め方

（ⅰ）$z = a$ が $f(z)$ の 1 位の極のとき，

留数 $\operatorname*{Res}_{z=a} f(z) = \lim_{z \to a} (z-a) f(z)$ となり，

（ⅱ）$z = a$ が $f(z)$ の n 位の極のとき，$(n = 2, 3, 4, \cdots)$

留数 $\operatorname*{Res}_{z=a} f(z) = \dfrac{1}{(n-1)!} \lim_{z \to a} \left\{ \dfrac{d^{n-1}}{dz^{n-1}} (z-a)^n f(z) \right\}$

$(n = 2, 3, 4, \cdots)$ となる。

そして，この留数を用いて，次の留数定理が成り立つ。

留数定理

$f(z)$ が単純閉曲線 C とその内部で，C 内の有限個の孤立特異点 $a_1, a_2, a_3, \cdots, a_n$ を除いて，1 価正則な関数とする。このとき，次の "**留数定理**" が成り立つ。

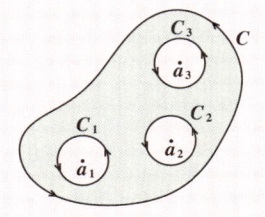

$$\oint_C f(z) \, dz = 2\pi i (R_1 + R_2 + \cdots + R_n)$$

ただし，$R_k = \operatorname*{Res}_{z=a_k} f(z) \quad (k = 1, 2, \cdots, n)$ とする。

§4. 実数関数の積分への応用

留数定理などによる複素関数の積分を応用することにより，実数関数の積分値を求めることもできる。

実三角関数の積分

$$\int_0^{2\pi} g(\cos\theta,\ \sin\theta)d\theta = \oint_C g\left(\frac{1}{2}\left(z+\frac{1}{z}\right),\ \frac{1}{2i}\left(z-\frac{1}{z}\right)\right)\frac{1}{iz}\,dz$$

（ただし，$C:|z|=1$，積分路は反時計まわりとする。）

有理関数の積分

実有理関数 $\dfrac{f(x)}{g(x)}$ について，すべての x に対して $g(x)\neq0$ で，かつ

$g(x)$ の次数が $f(x)$ の次数より 2 以上大

きいとき，実積分 $\displaystyle\int_{-\infty}^{\infty}\dfrac{f(x)}{g(x)}dx$ を求める

のに，右のような積分路 C に沿った複素積

分 $\displaystyle\oint_C \dfrac{f(z)}{g(z)}dz$ を利用できる。

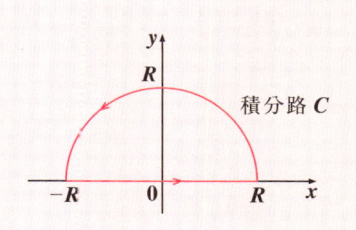

有理関数と三角関数の積の積分

有理関数と三角関数の積 $\dfrac{f(x)}{g(x)}e^{ix}$ に

ついて，$g(x)$ の次数が $f(x)$ の次数

より，1 以上大きいとき，実積分

$\displaystyle\int_{-\infty}^{\infty}\dfrac{f(x)}{g(x)}e^{ix}dx$ などは，右図のよう

な積分路 C などに沿った 1 周線積分

$\displaystyle\oint_C \dfrac{f(z)}{g(z)}e^{iz}dz$ を利用して，求めるこ

とができる。

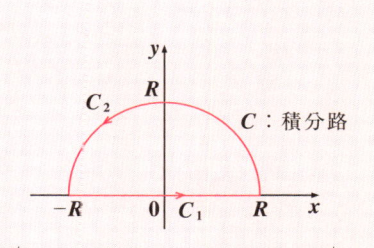

（積分路 C は，これ以外の場合もあるので，注意しよう。）

171

複素関数 $f(z)$ が，円 $C:|z-a|=R$ とその内部 D で正則であるとき，D 内の任意の点 z について，$f(z)$ は次のようにテーラー展開できることを示せ。

$$f(z)=f(a)+\frac{f^{(1)}(a)}{1!}(z-a)+\frac{f^{(2)}(a)}{2!}(z-a)^2+\cdots+\frac{f^{(n)}(a)}{n!}(z-a)^n+\cdots(*)$$

ヒント！ コーシーの積分公式 $f(z)=\dfrac{1}{2\pi i}\displaystyle\oint_C\dfrac{f(\zeta)}{\zeta-z}d\zeta$ を基に，グルサの定理を利用すればテーラー展開の公式 $(*)$ を導くことができる。

解答＆解説

右図に示すように，z を領域 D 内の点，ζ を円 C 上の点とすると，$f(z)$ は C とその内部 D で正則なので，コーシーの積分公式を用いて，

$$f(z)=\frac{1}{2\pi i}\oint_C\frac{f(\zeta)}{\zeta-z}d\zeta \ \cdots\cdots① \ \text{と表せる。}$$

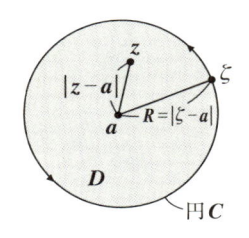

ここで，右図より明らかに，

$|z-a|<|\zeta-a|$ より，$\left|\dfrac{z-a}{\zeta-a}\right|<1$ となる。また，

$|\gamma|<1$ のとき，$1+\gamma+\gamma^2+\cdots+\gamma^n+\cdots=\displaystyle\sum_{k=0}^{\infty}\gamma^k=\dfrac{1}{1-\gamma}$ より，①を変形すると，

$$f(z)=\frac{1}{2\pi i}\oint_C\frac{f(\zeta)}{(\zeta-a)-(z-a)}d\zeta=\frac{1}{2\pi i}\oint_C\frac{f(\zeta)}{(\zeta-a)}\cdot\boxed{\frac{1}{1-\dfrac{z-a}{\zeta-a}}}d\zeta$$

γ とおくと，$|\gamma|<1$

$$=\frac{1}{2\pi i}\oint_C\frac{f(\zeta)}{\zeta-a}\left\{\sum_{k=0}^{\infty}\left(\frac{z-a}{\zeta-a}\right)^k\right\}d\zeta$$

$\displaystyle\sum_{k=0}^{\infty}\left(\dfrac{z-a}{\zeta-a}\right)^k \ \left(\because\left|\dfrac{z-a}{\zeta-a}\right|<1\right)$

よって，$f(z)$ を具体的に変形すると，

$$f(z) = \frac{1}{2\pi i} \oint_C \frac{f(\zeta)}{\zeta - a} \left\{ 1 + \frac{z-a}{\zeta-a} + \left(\frac{z-a}{\zeta-a}\right)^2 + \cdots + \left(\frac{z-a}{\zeta-a}\right)^n + \cdots \right\} d\zeta$$

$$= \frac{1}{2\pi i} \oint_C \left\{ \frac{f(\zeta)}{\zeta - a} + (z-a)\cdot\frac{f(\zeta)}{(\zeta-a)^2} + (z-a)^2\cdot\frac{f(\zeta)}{(\zeta-a)^3} + \cdots - (z-a)^n\cdot\frac{f(\zeta)}{(\zeta-a)^{n+1}} + \cdots \right\} d\zeta$$

これを項別に ζ で積分すると，

$$= \frac{1}{2\pi i} \oint_C \frac{f(\zeta)}{\zeta - a} d\zeta + (z-a)\cdot\frac{1}{2\pi i} \oint_C \frac{f(\zeta)}{(\zeta-a)^2} d\zeta + (z-a)^2\cdot\frac{1}{2\pi i} \oint_C \frac{f(\zeta)}{(\zeta-a)^3} d\zeta +$$

$$\cdots + (z-a)^n\cdot\frac{1}{2\pi i} \oint_C \frac{f(\zeta)}{(\zeta-a)^{n+1}} d\zeta + \cdots\cdots \quad \text{となる。}$$

この変形と同様のことを次のように表す。

$$\therefore f(z) = \frac{1}{2\pi i} \oint_C \left\{ \sum_{k=0}^{\infty} (z-a)^k \cdot \frac{f(\zeta)}{(\zeta-a)^{k+1}} \right\} d\zeta$$

$$= \frac{1}{2\pi i} \sum_{k=0}^{\infty} \left\{ (z-a)^k \cdot \oint_C \frac{f(\zeta)}{(\zeta-a)^{k+1}} d\zeta \right\}$$

$$= \sum_{k=0}^{\infty} \left\{ (z-a)^k \cdot \underline{\frac{1}{2\pi i} \oint_C \frac{f(\zeta)}{(\zeta-a)^{k+1}} d\zeta} \right\}$$

$$\underbrace{}_{\frac{f^{(k)}(a)}{k!}}$$

> ここで，グルサの定理：
> $$f^{(k)}(a) = \frac{k!}{2\pi i} \oint_C \frac{f(\zeta)}{(\zeta-a)^{k+1}} d\zeta$$
> を使った！

$$= \sum_{k=0}^{\infty} \frac{f^{(k)}(a)}{k!}(z-a)^k \qquad (\text{グルサの定理より})$$

よって，$f(z)$ は，次のようにテーラー展開できる。

$$f(z) = f(a) + \frac{f^{(1)}(a)}{1!}(z-a) + \frac{f^{(2)}(a)}{2!}(z-a)^2 + \cdots + \frac{f^{(n)}(a)}{n!}(z-a)^n + \cdots \quad \cdots(*)$$

$$\cdots\cdots\cdots(\text{終})$$

$(*)$ の式において，$a = 0$ の場合をマクローリン展開と呼び，次式で表される。

$$f(z) = f(0) + \frac{f^{(1)}(0)}{1!}z + \frac{f^{(2)}(0)}{2!}z^2 + \frac{f^{(3)}(0)}{3!}z^3 + \cdots + \frac{f^{(n)}(0)}{n!}z^n + \cdots$$

次の各関数をマクローリン展開し，また，その収束半径 R を求めよ。

(1) $\dfrac{1}{1-z}$　　　(2) e^z　　　(3) $\cos z$　　　(4) $\sin z$

ヒント！　マクローリン展開の公式：$f(z)=f(0)+\dfrac{f^{(1)}(0)}{1!}z+\dfrac{f^{(2)}(0)}{2!}z^2+\cdots$ を利用する。

解答＆解説

(1) $f(z)=(1-z)^{-1}$ とおくと，$f^{(1)}(z)=1!(1-z)^{-2}$，$f^{(2)}(z)=2!(1-z)^{-3}$，

　$f^{(3)}(z)=3!(1-z)^{-4}$，$\cdots$ より，$f^{(1)}(0)=1!$，$f^{(2)}(0)=2!$，$f^{(3)}(0)=3!$，

　$\cdots$ となる。よって，$f(z)=(1-z)^{-1}$ をマクローリン展開すると，

$$f(z)=\frac{1}{1-z}=\underset{1}{\boxed{f(0)}}+\frac{\overset{1!}{\boxed{f^{(1)}(0)}}}{1!}z+\frac{\overset{2!}{\boxed{f^{(2)}(0)}}}{2!}z^2+\frac{\overset{3!}{\boxed{f^{(3)}(0)}}}{3!}z^3+\cdots$$

$$=1+z+z^2+z^3+\cdots+\underset{c_n}{\boxed{1}}\cdot z^n+\cdots \quad \text{となる。}\quad\cdots\cdots\cdots\cdots\text{(答)}$$

　また，この収束半径 R は，$R=\lim_{n\to\infty}\left|\dfrac{c_n}{c_{n+1}}\right|=\lim_{n\to\infty}\left|\dfrac{1}{1}\right|=1$ となる。$\cdots\cdots$(答)

(2) $f(z)=e^z$ のとき，$f^{(1)}(z)=f^{(2)}(z)=f^{(3)}(z)=\cdots=e^z$ より，

　$f^{(1)}(0)=f^{(2)}(0)=f^{(3)}(0)=\cdots=e^0=1$ となる。

　よって，$f(z)=e^z$ をマクローリン展開すると，

$$f(z)=e^z=\underset{1}{\boxed{f(0)}}+\frac{\overset{1}{\boxed{f^{(1)}(0)}}}{1!}z+\frac{\overset{1}{\boxed{f^{(2)}(0)}}}{2!}z^2+\frac{\overset{1}{\boxed{f^{(3)}(0)}}}{3!}z^3+\cdots$$

$$=1+z+\frac{z^2}{2!}+\frac{z^3}{3!}+\cdots+\underset{c_n}{\boxed{\frac{1}{n!}}}z^n+\cdots \quad \text{となる。}\quad\cdots\cdots\cdots\cdots\text{(答)}$$

　また，この収束半径 R は，

$$R=\lim_{n\to\infty}\left|\frac{c_n}{c_{n+1}}\right|=\lim_{n\to\infty}\left|\frac{\dfrac{1}{n!}}{\dfrac{1}{(n+1)!}}\right|=\lim_{n\to\infty}(n+1)=\infty \quad \text{となる。}\quad\cdots\cdots\cdots\text{(答)}$$

(3) $f(z) = \cos z$ とおくと，$f^{(1)}(z) = (\cos z)' = -\sin z$，$f^{(2)}(z) = (-\sin z)' = -\cos z$，

$f^{(3)}(z) = (-\cos z)' = \sin z$，$f^{(4)}(z) = (\sin z)' = \cos z$，$\cdots$ より，

$f^{(1)}(0) = 0$，$f^{(2)}(0) = -1$，$f^{(3)}(0) = 0$，$f^{(4)}(0) = 1$，$\cdots$ となる。 以下，この繰り返し。

よって，$f(z) = \cos z$ をマクローリン展開すると，

$$f(z) = \cos z = \underset{1}{f(0)} + \frac{\overset{0}{f^{(1)}(0)}}{1!}z + \frac{\overset{-1}{f^{(2)}(0)}}{2!}z^2 + \frac{\overset{0}{f^{(3)}(0)}}{3!}z^3 + \frac{\overset{1}{f^{(4)}(0)}}{4!}z^4 + \cdots$$

$$= 1 - \frac{z^2}{2!} + \frac{z^4}{4!} - \frac{z^6}{6!} + \cdots + \underset{c_n}{\frac{(-1)^n}{(2n)!}}z^{2n} + \cdots \quad \text{となる。} \cdots \text{(答)}$$

また，この収束半径 R は， 規則的に **1** つおきに項が抜けているとき，同様に計算して，R^2 が求まる。

$$R^2 = \lim_{n \to \infty}\left|\frac{c_n}{c_{n+1}}\right| = \lim_{n \to \infty}\left|\frac{\frac{(-1)^n}{(2n)!}}{\frac{(-1)^{n+1}}{(2n+2)!}}\right| = \lim_{n \to \infty}\left|\frac{(2n+2)!}{(2n)!}\right| = \lim_{n \to \infty}(2n+2)(2n+1) = \infty$$

$\therefore R^2 = \infty$ より，$R = \infty$ となる。$\cdots\cdots\cdots\cdots\cdots\cdots\cdots\cdots\cdots\cdots\cdots\cdots\cdots$(答)

(4) $f(z) = \sin z$ とおくと，$f^{(1)}(z) = (\sin z)' = \cos z$，$f^{(2)}(z) = (\cos z)' = -\sin z$，

$f^{(3)}(z) = (-\sin z)' = -\cos z$，$f^{(4)}(z) = (-\cos z)' = \sin z$，$\cdots$ より，

$f^{(1)}(0) = 1$，$f^{(2)}(0) = 0$，$f^{(3)}(0) = -1$，$f^{(4)}(0) = 0$，$\cdots$ となる。 以下，この繰り返し。

よって，$f(z) = \sin z$ をマクローリン展開すると，

$$f(z) = \sin z = \underset{0}{f(0)} + \frac{\overset{1}{f^{(1)}(0)}}{1!}z + \frac{\overset{0}{f^{(2)}(0)}}{2!}z^2 + \frac{\overset{-1}{f^{(3)}(0)}}{3!}z^3 + \frac{\overset{0}{f^{(4)}(0)}}{4!}z^4 + \cdots$$

$$= z - \frac{z^3}{3!} + \frac{z^5}{5!} - \cdots + \underset{c_n}{\frac{(-1)^{n-1}}{(2n-1)!}}z^{2n-1} + \cdots \quad \text{となる。} \cdots\cdots\text{(答)}$$

また，この収束半径 R は， 規則的に **1** つおきに項が抜けているとき，同様に計算して，R^2 が求まる。

$$R^2 = \lim_{n \to \infty}\left|\frac{c_n}{c_{n+1}}\right| = \lim_{n \to \infty}\left|\frac{\frac{(-1)^{n-1}}{(2n-1)!}}{\frac{(-1)^n}{(2n+1)!}}\right| = \lim_{n \to \infty}\left|\frac{(2n+1)!}{(2n-1)!}\right| = \lim_{n \to \infty}(2n+1)\cdot 2n = \infty$$

$\therefore R^2 = \infty$ より，$R = \infty$ となる。$\cdots\cdots\cdots\cdots\cdots\cdots\cdots\cdots\cdots\cdots\cdots\cdots\cdots$(答)

次の各関数をマクローリン展開し，また，その収束半径 R を求めよ。

(1) $\mathbf{Log}(1+z)$ **(2)** $\cosh z$ **(3)** $\sinh z$

ヒント！ マクローリン展開の公式：$f(z)=f(0)+\dfrac{f^{(1)}(0)}{1!}z+\dfrac{f^{(2)}(0)}{2!}z^2+\cdots$ と，収束半径 R の公式 $R=\lim\limits_{n\to\infty}\left|\dfrac{c_n}{c_{n+1}}\right|$ を利用して解こう。

解答 & 解説

(1) $f(z)=\mathbf{Log}(1+z)$（主値）とおくと，$f^{(1)}(z)=(1+z)^{-1}$, $f^{(2)}(z)=-1!(1+z)^{-2}$,

$f^{(3)}(z)=2!(1+z)^{-3}$, $f^{(4)}(z)=-3!(1+z)^{-4}$, $\cdots$ より，

$f^{(1)}(0)=1$, $f^{(2)}(0)=-1!$, $f^{(3)}(0)=2!$, $f^{(4)}(0)=-3!$, $\cdots$ となる。

よって，$f(z)=\mathbf{Log}(1+z)$ をマクローリン展開すると，

$$f(z)=\mathbf{Log}(1+z)=\underset{0}{\boxed{f(0)}}+\frac{\overset{1}{\boxed{f^{(1)}(0)}}}{1!}z+\frac{\overset{-1!}{\boxed{f^{(2)}(0)}}}{2!}z^2+\frac{\overset{2!}{\boxed{f^{(3)}(0)}}}{3!}z^3+\frac{\overset{-3!}{\boxed{f^{(4)}(0)}}}{4!}z^4+\cdots$$

$$=z-\frac{z^2}{2}+\frac{z^3}{3}-\frac{z^4}{4}+\cdots+\underset{c_n}{\boxed{(\mathcal{ア})}}z^n+\cdots \quad となる。\cdots（答）$$

また，この収束半径 R は，

$$R=\lim_{n\to\infty}\left|\frac{c_n}{c_{n+1}}\right|=\lim_{n\to\infty}\left|\frac{\boxed{(\mathcal{ア})}}{\frac{(-1)^n}{n+1}}\right|=\lim_{n\to\infty}\frac{n+1}{n}=\lim_{n\to\infty}\left(1+\overset{0}{\frac{1}{n}}\right)=\boxed{(\mathcal{イ})} \quad となる。\cdots（答）$$

(2) $f(z)=\cosh z$ とおくと，$f^{(1)}(z)=(\cosh z)'=\sinh z$, $f^{(2)}(z)=(\sinh z)'=\cosh z$,

$f^{(3)}(z)=(\cosh z)'=\sinh z$, $f^{(4)}(z)=(\sinh z)'=\cosh z$, $\cdots$ より，

$f^{(1)}(0)=0$, $f^{(2)}(0)=1$, $f^{(3)}(0)=0$, $f^{(4)}(0)=1$, $\cdots$ となる。

よって，$f(z)=\cosh z$ をマクローリン展開すると，

$$f(z) = \cosh z = \boxed{f(0)}^1 + \cancel{\frac{f^{(1)}(0)}{1!}}^0 z + \frac{f^{(2)}(0)}{2!}^1 z^2 + \cancel{\frac{f^{(3)}(0)}{3!}}^0 z^3 + \frac{f^{(4)}(0)}{4!}^1 z^4 + \cdots$$

$$= 1 + \frac{z^2}{2!} + \frac{z^4}{4!} + \frac{z^6}{6!} + \cdots + \boxed{(ウ)}_{c_n} z^{2n} + \cdots \quad となる。\cdots(答)$$

> 規則的に1つおきに項が抜けているとき，同様に計算して，R^2 が求まる。

また，収束半径 R は，

$$R^2 = \lim_{n \to \infty} \left| \frac{c_n}{c_{n+1}} \right| = \lim_{n \to \infty} \left| \frac{\dfrac{1}{(2n)!}}{\dfrac{1}{(2n+2)!}} \right| = \lim_{n \to \infty} \frac{(2n+2)!}{(2n)!} = \lim_{n \to \infty}(2n+2)(2n+1) = \infty$$

$$\therefore R^2 = \infty \text{ より，} \quad R = \boxed{(エ)} \quad となる。 \cdots\cdots\cdots\cdots\cdots\cdots\cdots(答)$$

(3) $f(z) = \sinh z$ とおくと，$f^{(1)}(z) = (\sinh z)' = \cosh z$, $f^{(2)}(z) = (\cosh z)' = \sinh z$,

$f^{(3)}(z) = (\sinh z)' = \cosh z$, $f^{(4)}(z) = (\cosh z)' = \sinh z$, $\cdots$ より，

$f^{(1)}(0) = 1$, $f^{(2)}(0) = 0$, $f^{(3)}(0) = 1$, $f^{(4)}(0) = 0$, $\cdots$ となる。

よって，$f(z) = \sinh z$ をマクローリン展開すると，

$$f(z) = \sinh z = \cancel{f(0)}^0 + \frac{f^{(1)}(0)}{1!}^1 z + \cancel{\frac{f^{(2)}(0)}{2!}}^0 z^2 + \frac{f^{(3)}(0)}{3!}^1 z^3 + \cancel{\frac{f^{(4)}(0)}{4!}}^0 z^4 + \cdots$$

$$= \frac{z}{1!} + \frac{z^3}{3!} + \frac{z^5}{5!} + \cdots + \boxed{(オ)}_{c_n} z^{2n-1} + \cdots \quad となる。\cdots(答)$$

また，収束半径 R は，

$$R^2 = \lim_{n \to \infty} \left| \frac{c_n}{c_{n+1}} \right| = \lim_{n \to \infty} \left| \frac{\dfrac{1}{(2n-1)!}}{\dfrac{1}{(2n+1)!}} \right| = \lim_{n \to \infty} \frac{(2n+1)!}{(2n-1)!} = \lim_{n \to \infty}(2n+1) \cdot 2n = \infty$$

$$\therefore R^2 = \infty \text{ より，} \quad R = \boxed{(カ)} \quad となる。 \cdots\cdots\cdots\cdots\cdots\cdots\cdots(答)$$

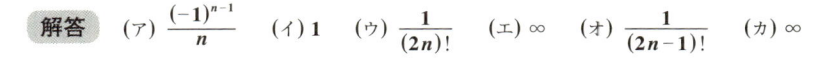

解答 （ア）$\dfrac{(-1)^{n-1}}{n}$　（イ）1　（ウ）$\dfrac{1}{(2n)!}$　（エ）∞　（オ）$\dfrac{1}{(2n-1)!}$　（カ）∞

次の各関数を，特異点 $z = 0$ を中心にローラン展開せよ。

(1) $\dfrac{\cos z}{z^3}$　　　　(2) $\dfrac{\sinh z}{z^2}$　　　　(3) $\dfrac{\sin z}{z^2}$

ヒント！　いずれも分数関数で，分子をマクローリン展開して，分母で割ればよい。ローラン展開の基本問題だけれど，何位の極か，留数などにも注意しよう。

解答＆解説

(1) $f(z) = \dfrac{\cos z}{z^3}$ とおいて，特異点 $z = 0$ を中心にローラン展開すると，

> マクローリン展開
> $\cos z = 1 - \dfrac{z^2}{2!} + \dfrac{z^4}{4!} - \dfrac{z^6}{6!} + \cdots$

$$f(z) = \frac{1}{z^3}\left\{1 - \frac{z^2}{2!} + \frac{z^4}{4!} - \frac{z^6}{6!} + \cdots + \frac{(-1)^n}{(2n)!}z^{2n} + \cdots\right\}$$

$$= \frac{1}{z^3} - \frac{1}{2!}\cdot\frac{1}{z} + \frac{z}{4!} - \frac{z^3}{6!} + \cdots + \frac{(-1)^n}{(2n)!}\cdot z^{2n-3} + \cdots \quad \text{となる。} \cdots(答)$$

3位の極　留数 $\underset{z=0}{\mathbf{Res}}\,f(z)$　留数とは，$\dfrac{1}{z}$ の係数のこと。

(2) $g(z) = \dfrac{\sinh z}{z^2}$ とおいて，特異点 $z = 0$ を中心にローラン展開すると，

> マクローリン展開
> $\sinh z = z + \dfrac{z^3}{3!} + \dfrac{z^5}{5!} + \cdots$

$$g(z) = \frac{1}{z^2}\left\{z + \frac{z^3}{3!} + \frac{z^5}{5!} + \cdots + \frac{z^{2n-1}}{(2n-1)!} + \cdots\right\}$$

$$= \underset{\text{1位の極}}{\overset{\text{留数}}{\frac{1}{z}}} + \frac{z}{3!} + \frac{z^3}{5!} + \cdots + \frac{z^{2n-3}}{(2n-1)!} + \cdots \quad \text{となる。} \cdots\cdots\cdots\cdots(答)$$

(3) $h(z) = \dfrac{\sin z}{z^2}$ とおいて，特異点 $z = 0$ を中心にローラン展開すると，

> マクローリン展開
> $\sin z = z - \dfrac{z^3}{3!} + \dfrac{z^5}{5!} - \cdots$

$$h(z) = \frac{1}{z^2}\left\{z - \frac{z^3}{3!} + \frac{z^5}{5!} - \frac{z^7}{7!} + \cdots + \frac{(-1)^{n-1}}{(2n-1)!}z^{2n-1} + \cdots\right\}$$

$$= \underset{\text{1位の極}}{\overset{\text{留数}}{\frac{1}{z}}} - \frac{z}{3!} + \frac{z^3}{5!} - \frac{z^5}{7!} + \cdots + \frac{(-1)^{n-1}}{(2n-1)!}z^{2n-3} + \cdots \quad \text{となる。} \cdots\cdots(答)$$

演習問題 102　　　　　● ローラン展開（Ⅱ）●

次の各関数を，特異点 $z=0$ を中心にローラン展開せよ。

(1) $\dfrac{\cosh z}{z^3}$　　　　(2) $\dfrac{e^z}{z^4}$　　　　(3) $\dfrac{\mathrm{Log}(1+z)}{z^4}$

ヒント！ 前問同様，分子をマクローリン展開したものを分母で割ればよい。

解答＆解説

(1) $f(z)=\dfrac{\cosh z}{z^3}$ とおいて，特異点 $z=0$ を

中心にローラン展開すると，

> マクローリン展開
> $\cosh z = 1 + \dfrac{z^2}{2!} + \dfrac{z^4}{4!} + \cdots$

$$f(z)=\frac{1}{z^3}\left\{1+\frac{z^2}{2!}+\frac{z^4}{4!}+\frac{z^6}{6!}+\cdots+\frac{z^{2n}}{(2n)!}+\cdots\right\}$$

$$=\underbrace{\frac{1}{z^3}}_{\text{3位の極}}+\underbrace{\frac{1}{2!}\cdot\frac{1}{z}}_{\text{留数}}+\frac{z}{4!}+\frac{z^3}{6!}+\cdots+\boxed{(\mathcal{P})}-\cdots\ \text{となる。}\ \cdots\cdots\text{（答）}$$

(2) $g(z)=\dfrac{e^z}{z^4}$ とおいて，特異点 $z=0$ を

中心にローラン展開すると，

> マクローリン展開
> $e^z = 1 + \dfrac{z}{1!} + \dfrac{z^2}{2!} + \dfrac{z^3}{3!} + \cdots$

$$g(z)=\frac{1}{z^4}\left\{1+\frac{z}{1!}+\frac{z^2}{2!}+\frac{z^3}{3!}+\frac{z^4}{4!}+\cdots+\frac{z^n}{n!}+\cdots\right\}$$

$$=\underbrace{\frac{1}{z^4}}_{\text{4位の極}}+\frac{1}{z^3}+\frac{1}{2!}\cdot\frac{1}{z^2}+\underbrace{\frac{1}{3!}\cdot\frac{1}{z}}_{\text{留数}}+\frac{1}{4!}+\cdots+\boxed{(\mathcal{A})}+\cdots\ \text{となる。}\ \cdots\text{（答）}$$

(3) $h(z)=\dfrac{\mathrm{Log}(1+z)}{z^4}$ とおいて，特異点 $z=0$ を

中心にローラン展開すると，

> マクローリン展開
> $\mathrm{Log}(1+z) = z - \dfrac{z^2}{2} + \dfrac{z^3}{3} - \dfrac{z^4}{4} + \cdots$

$$h(z)=\frac{1}{z^4}\left\{z-\frac{z^2}{2}+\frac{z^3}{3}-\frac{z^4}{4}+\frac{z^5}{5}-\cdots+\frac{(-1)^{n-1}}{n}z^n+\cdots\right\}$$

$$=\underbrace{\frac{1}{z^3}}_{\text{3位の極}}-\frac{1}{2z^2}+\underbrace{\frac{1}{3}\cdot\frac{1}{z}}_{\text{留数}}-\frac{1}{4}+\frac{z}{5}-\cdots+\boxed{(\dot{\mathcal{D}})}+\cdots\ \text{となる。}\ \cdots\text{（答）}$$

解答　（ア）$\dfrac{z^{2n-3}}{(2n)!}$　　（イ）$\dfrac{z^{n-4}}{n!}$　　（ウ）$\dfrac{(-1)^{n-1}}{n}z^{n-4}$

関数 $f(z) = \dfrac{1}{z(z-i)}$ を，$z = 0$ を中心にローラン展開せよ。

ヒント！ $f(z)$ の特異点は $z = 0$ と i なので，$|z|$ の範囲を 2 通りに場合分けしよう。

解答＆解説

関数 $f(z)$ の孤立特異点は，$z = 0$ と i なので，(ⅰ) $0 < |z| < 1$ と (ⅱ) $1 < |z|$ の 2 通りに場合分けして，ローラン展開する必要がある。

(ⅰ) $0 < |z| < 1$ のとき，$\left|\dfrac{z}{i}\right| < 1$ より，

$$f(z) = \frac{1}{z} \cdot \frac{1}{-i\left(1 - \dfrac{z}{i}\right)}$$

$|\gamma| < 1$ のとき，
$$\frac{1}{1-\gamma} = 1 + \gamma + \gamma^2 + \gamma^3 + \cdots$$

(ⅰ) $0 < |z| < 1$ のとき，
($z = 0$ のみを含む)

$$= \left(-\frac{1}{i}\right) \cdot \frac{1}{z}\left\{1 + \frac{z}{i} + \left(\frac{z}{i}\right)^2 + \left(\frac{z}{i}\right)^3 + \left(\frac{z}{i}\right)^4 + \cdots\right\}$$

$$= \frac{i}{z}\left(1 + \frac{z}{i} - z^2 - \frac{z^3}{i} + z^4 + \frac{z^5}{i} - z^6 - \frac{z^7}{i} + \cdots\right)$$

$$= \frac{i}{z} + 1 - iz - z^2 + iz^3 + z^4 - iz^5 - z^6 + \cdots \quad \text{となる。} \cdots\cdots\cdots (答)$$

(ⅱ) $1 < |z|$ のとき，$\left|\dfrac{i}{z}\right| < 1$ より，

$$f(z) = \frac{1}{z^2} \cdot \frac{1}{1 - \dfrac{i}{z}}$$

$|\gamma| < 1$ のとき，
$$\frac{1}{1-\gamma} = 1 + \gamma + \gamma^2 + \gamma^3 + \cdots$$

(ⅱ) $1 < |z|$ のとき，
($z = 0$ と i を含む)

$$= \frac{1}{z^2}\left\{1 + \frac{i}{z} + \left(\frac{i}{z}\right)^2 + \left(\frac{i}{z}\right)^3 + \left(\frac{i}{z}\right)^4 + \cdots\right\}$$

$$= \frac{1}{z^2}\left(1 + \frac{i}{z} - \frac{1}{z^2} - \frac{i}{z^3} + \frac{1}{z^4} + \frac{i}{z^5} - \frac{1}{z^6} - \cdots\right)$$

$$= \frac{1}{z^2} + \frac{i}{z^3} - \frac{1}{z^4} - \frac{i}{z^5} + \frac{1}{z^6} + \frac{i}{z^7} - \frac{1}{z^8} - \frac{i}{z^9} + \cdots \quad \text{となる。} \cdots\cdots (答)$$

演習問題 104 ● ローラン展開 (IV) ●

関数 $f(z) = \dfrac{1}{z(1-z)}$ を，$z = 0$ を中心にローラン展開せよ。

ヒント！ $f(z)$ の特異点は $z = 0$ と 1 なので，$|z|$ の範囲を **2** 通りに場合分けして解こう。

解答 & 解説

関数 $f(z)$ の孤立特異点は，$z = 0$ と 1 なので，$(\,\mathrm{i}\,)\,0 < |z| < 1$ と $(\,\mathrm{ii}\,)\,1 < |z|$ の **2** 通りに場合分けして，ローラン展開する必要がある。

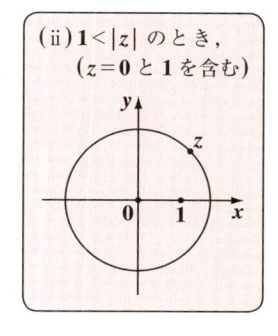

$(\,\mathrm{i}\,)\,0 < |z| < 1$ のとき，

$$f(z) = \frac{1}{z} \cdot \frac{1}{1-z}$$

> $|\gamma| < 1$ のとき，
> $\dfrac{1}{1-\gamma} = 1 + \gamma + \gamma^2 + \gamma^3 + \cdots$

$$= \frac{1}{z}\left(1 + z + z^2 + z^3 + z^4 + \cdots\right)$$

$$= \frac{1}{z} + 1 + z + \boxed{(\mathcal{T})} + z^3 + \boxed{(\mathcal{A})} + z^5 + \cdots \quad \text{となる。} \quad \cdots\cdots\cdots\cdots\text{(答)}$$

$(\,\mathrm{i}\,)\,0 < |z| < 1$ のとき，
（$z = 0$ のみを含む）

$(\,\mathrm{ii}\,)\,1 < |z|$ のとき，$\left|\dfrac{1}{z}\right| < 1$ より，

$$f(z) = \frac{1}{-z^2} \cdot \frac{1}{1 - \frac{1}{z}}$$

> $|\gamma| < 1$ のとき，
> $\dfrac{1}{1-\gamma} = 1 + \gamma + \gamma^2 + \gamma^3 + \cdots$

$$= -\frac{1}{z^2}\left\{1 + \frac{1}{z} + \left(\frac{1}{z}\right)^2 + \left(\frac{1}{z}\right)^3 + \left(\frac{1}{z}\right)^4 + \cdots\right\}$$

$$= -\frac{1}{z^2}\left(1 + \frac{1}{z} + \frac{1}{z^2} + \frac{1}{z^3} + \frac{1}{z^4} + \frac{1}{z^5} + \cdots\right)$$

$$= -\frac{1}{z^2} - \frac{1}{z^3} - \frac{1}{z^4} - \boxed{(\mathcal{H})} - \frac{1}{z^6} - \boxed{(\mathcal{I})} - \frac{1}{z^8} - \cdots \quad \text{となる。} \quad \cdots\cdots\text{(答)}$$

$(\,\mathrm{ii}\,)\,1 < |z|$ のとき，
（$z = 0$ と 1 を含む）

解答 $(\mathcal{T})\,z^2 \qquad (\mathcal{A})\,z^4 \qquad (\mathcal{H})\,\dfrac{1}{z^5} \qquad (\mathcal{I})\,\dfrac{1}{z^7}$

　　　　　　　● ローラン展開 (V) ●

関数 $f(z) = \dfrac{1}{z(z-i)}$ を，$z = i$ を中心にローラン展開せよ。

ヒント！ $z - i = \zeta$ とおき，$f(z) = g(\zeta)$ とおいて，$g(\zeta)$ を $\zeta = 0$ を中心にローラン展開すればよい。このとき，(i)$0 < |\zeta| < 1$ と (ii)$1 < |\zeta|$ の 2 通りに場合分けしなければならない。そして，最後に，z の式に書き換えればよい。

解答 & 解説

$f(z) = \dfrac{1}{z(z-i)}$ の特異点は，$z = 0$ と i である。

ここで，$z - i = \zeta$ 　$(z = \zeta + i)$ とおき，さらに $f(z) = g(\zeta)$ とおくと，

$g(\zeta) = \dfrac{1}{\zeta(\zeta + i)}$ となって，この特異点は $\zeta = 0$ と $-i$ である。

$g(\zeta)$ を $\zeta = 0$ を中心にローラン展開することにより，$z = i$ を中心にローラン展開した $f(z)$ を求められる。

(i)$0 < |\zeta| < 1$ のとき，$\left| \dfrac{\zeta}{-i} \right| = |\zeta| < 1$ より，

$$g(\zeta) = \frac{1}{\zeta} \cdot \boxed{\frac{1}{i}}^{-i} \cdot \frac{1}{1 + \dfrac{\zeta}{i}} = -\frac{i}{\zeta} \cdot \frac{1}{1 - \left(-\dfrac{\zeta}{i} \right)}$$

$$= -\frac{i}{\zeta} \left\{ 1 + \left(-\frac{\zeta}{i} \right) + \left(-\frac{\zeta}{i} \right)^2 + \left(-\frac{\zeta}{i} \right)^3 + \cdots \right\}$$

$$= -\frac{i}{\zeta} \left(1 - \frac{\zeta}{i} - \zeta^2 + \frac{\zeta^3}{i} + \zeta^4 - \frac{\zeta^5}{i} - \zeta^6 + \frac{\zeta^7}{i} + \cdots \right)$$

$$= -\frac{i}{\zeta} + 1 + i\zeta - \zeta^2 - i\zeta^3 + \zeta^4 + i\zeta^5 - \zeta^6 - \cdots \quad \text{となる。}$$

(i)$0 < |\zeta| < 1$ のとき，($\zeta = 0$ のみを含む)

よって，ζ に $z - i$ を代入すると，$z = i$ を中心とする $f(z)$ のローラン展開になる。

$\therefore$ $0 < |z - i| < 1$ のとき，$f(z)$ を $z = i$ を中心にローラン展開すると，

$$f(z) = -\frac{i}{z-i} + 1 + i(z-i) - (z-i)^2$$
$$- i(z-i)^3 + (z-i)^4 + i(z-i)^5 - (z-i)^6 - \cdots \quad \text{になる。} \quad \cdots\cdots(答)$$

(ⅱ) $1 < |\zeta|$ のとき，$\left|\dfrac{-i}{\zeta}\right| = \dfrac{1}{|\zeta|} < 1$ より，

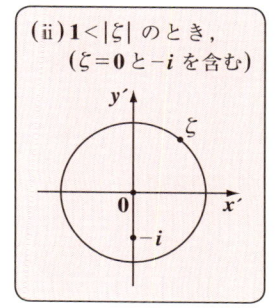

(ⅱ) $1 < |\zeta|$ のとき，
($\zeta = 0$ と $-i$ を含む)

$$g(\zeta) = \frac{1}{\zeta^2} \cdot \frac{1}{1 + \dfrac{i}{\zeta}} = \frac{1}{\zeta^2} \cdot \frac{1}{1 - \left(-\dfrac{i}{\zeta}\right)}$$

$$= \frac{1}{\zeta^2} \left\{ 1 + \left(-\frac{i}{\zeta}\right) + \left(-\frac{i}{\zeta}\right)^2 + \left(-\frac{i}{\zeta}\right)^3 \right.$$
$$\left. + \left(-\frac{i}{\zeta}\right)^4 + \left(-\frac{i}{\zeta}\right)^5 + \cdots \right\}$$

$$= \frac{1}{\zeta^2} \left(1 - \frac{i}{\zeta} - \frac{1}{\zeta^2} + \frac{i}{\zeta^3} \right.$$
$$\left. + \frac{1}{\zeta^4} - \frac{i}{\zeta^5} - \frac{1}{\zeta^6} + \frac{i}{\zeta^7} + \cdots \right)$$

$$= \frac{1}{\zeta^2} - \frac{i}{\zeta^3} - \frac{1}{\zeta^4} + \frac{i}{\zeta^5} + \frac{1}{\zeta^6} - \frac{i}{\zeta^7} - \frac{1}{\zeta^8} + \frac{i}{\zeta^9} + \cdots \quad \text{となる。}$$

よって，ζ に $z - i$ を代入すると，$z = i$ を中心とする $f(z)$ のローラン展開になる。

$\therefore$ $1 < |z - i|$ のとき，$f(z)$ を $z = i$ を中心にコーラン展開すると，

$$f(z) = \frac{1}{(z-i)^2} - \frac{i}{(z-i)^3} - \frac{1}{(z-i)^4} + \frac{i}{(z-i)^5}$$
$$+ \frac{1}{(z-i)^6} - \frac{i}{(z-i)^7} - \frac{1}{(z-i)^8} + \frac{i}{(z-i)^9} + \cdots \quad \text{になる。} \quad \cdots\cdots(答)$$

ローラン展開して留数を求め，積分路 $C: |z| = 2$（反時計まわり）について，次の各積分の値を求めよ。

(1) $\displaystyle \oint_C \frac{\cos z}{z^3} dz$　　　　　(2) $\displaystyle \oint_C \frac{\sinh z}{z^2} dz$

ヒント！ 関数 $f(z)$ の孤立特異点 $z = \alpha$ を中心とするローラン展開から留数 R を求めると，$z = \alpha$ を囲む 1 周線積分の値は $\displaystyle \oint_C f(z) dz = 2\pi i \cdot R$ となる。

解答＆解説

(1) $f(z) = \dfrac{\cos z}{z^3}$ とおいて，孤立特異点 $z = 0$ を中心にローラン展開すると，

$$f(z) = \frac{1}{z^3}\left(1 - \frac{z^2}{2!} + \frac{z^4}{4!} - \frac{z^6}{6!} + \cdots\right) = \frac{1}{z^3} - \underbrace{\frac{1}{2!} \cdot \frac{1}{z}}_{\text{留数 } R} + \frac{z}{4!} - \frac{z^3}{6!} + \cdots \text{ より，}$$

留数 $R = \underset{z=0}{\mathrm{Res}}\, f(z) = -\dfrac{1}{2}$　となる。

また，C の内部での特異点は $z = 0$ だけなので，
求める積分値は，

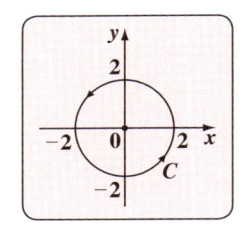

$$\oint_C f(z)\, dz = 2\pi i \cdot R = 2\pi i \left(-\frac{1}{2}\right) = -\pi i \quad \cdots\cdots\cdots (\text{答})$$

これは，**演習問題 93 (1) (P156)** の結果と一致する。

(2) $g(z) = \dfrac{\sinh z}{z^2}$ とおいて，孤立特異点 $z = 0$ を中心にローラン展開すると，

$$g(z) = \frac{1}{z^2}\left(z + \frac{z^3}{3!} + \frac{z^5}{5!} + \cdots\right) = \overset{R}{\boxed{\frac{1}{z}}} + \frac{z}{3!} + \frac{z^3}{5!} + \cdots \text{ より，}$$

留数 $R = \underset{z=0}{\mathrm{Res}}\, g(z) = 1$　となる。

また，C の内部での特異点は $z = 0$ だけなので，
求める積分値は，

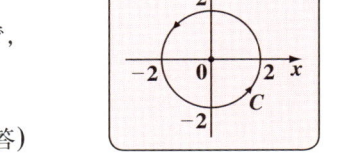

$$\oint_C g(z)\, dz = 2\pi i \cdot R = 2\pi i \cdot 1 = 2\pi i \quad \cdots\cdots\cdots (\text{答})$$

これは，**演習問題 93 (2) (P156)** の結果と一致する。

演習問題 107 　　● 留数と留数定理 (II) ●

ローラン展開して留数を求め，積分路 $C : |z| = 2$ （反時計まわり）について，次の各積分の値を求めよ。

(1) $\displaystyle\oint_C \frac{\sin z}{z^2} dz$ 　　　　(2) $\displaystyle\oint_C \frac{\cosh z}{z^3} dz$

ヒント！ 前問と同様に留数を求めて，積分値を求めよう。

解答 & 解説

(1) $f(z) = \dfrac{\sin z}{z^2}$ とおいて，孤立特異点 $z = 0$ を中心にローラン展開すると，

$$f(z) = \frac{1}{z^2}\left(z - \frac{z^3}{3!} + \frac{z^5}{5!} - \frac{z^7}{7!} + \cdots\right) = \frac{\boxed{1}}{z} - \frac{z}{3!} + \frac{z^3}{5!} - \frac{z^5}{7!} + \cdots \quad \text{より、}$$

（留数 R）

留数 $R = \underset{z=0}{\text{Res}}\, f(z) = \boxed{(\mathcal{7})}$ となる。

また，C の内部での特異点は $z = 0$ だけなので，

求める積分値は，

演習問題 94 (1)
(P158) と同じ結果。

$$\oint_C f(z)\, dz = 2\pi i \cdot R = \boxed{(\mathcal{4})} \quad \cdots\cdots \text{(答)}$$

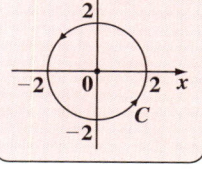

(2) $g(z) = \dfrac{\cosh z}{z^3}$ とおいて，孤立特異点 $z = 0$ を中心にローラン展開すると，

$$g(z) = \frac{1}{z^3}\left(1 + \frac{z^2}{2!} + \frac{z^4}{4!} + \frac{z^6}{6!} + \cdots\right) = \frac{1}{z^3} + \frac{1}{2}\cdot\frac{1}{z} + \frac{z}{4!} + \frac{z^3}{6!} + \cdots \quad \text{より、}$$

（留数 R）

留数 $R = \underset{z=0}{\text{Res}}\, g(z) = \boxed{(\mathcal{\dot{7}})}$ となる。

また，C の内部での特異点は $z = 0$ だけなので，

求める積分値は，

演習問題 94 (2)
(P158) と同じ結果。

$$\oint_C g(z)\, dz = 2\pi i \cdot R = \boxed{(\bot)} \quad \cdots\cdots \text{(答)}$$

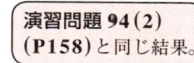

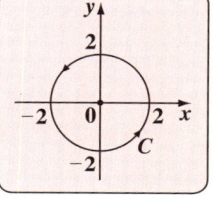

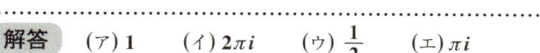

解答　(ア) 1　　(イ) $2\pi i$　　(ウ) $\dfrac{1}{2}$　　(エ) πi

ローラン展開して留数を求め，積分路 $C:|z|=1$（反時計まわり）について，次の各積分の値を求めよ。

(1) $\displaystyle\oint_C \frac{e^z}{z^4}\,dz$ $\qquad$ (2) $\displaystyle\oint_C \frac{\mathrm{Log}(1+z)}{z^4}\,dz$

ヒント！ 留数 R を求め，留数の積分公式：$\displaystyle\oint_C f(z)\,dz = 2\pi i \cdot R$ を利用して解く。

解答＆解説

(1) $f(z)=\dfrac{e^z}{z^4}$ とおいて，孤立特異点 $z=0$ を中心にローラン展開すると，

$$f(z)=\frac{1}{z^4}\left(1+\frac{z}{1!}+\frac{z^2}{2!}+\frac{z^3}{3!}+\frac{z^4}{4!}+\cdots\right)=\frac{1}{z^4}+\frac{1}{z^3}+\frac{1}{2!}\cdot\frac{1}{z^2}+\underbrace{\frac{1}{3!}\cdot\frac{1}{z}}_{\text{留数}R}+\frac{1}{4!}+\cdots \text{ より，}$$

留数 $R = \mathrm{Res}\limits_{z=0} f(z) = \dfrac{1}{3!} = \dfrac{1}{6}$ となる。

また，C の内部での特異点は $z=0$ だけなので，求める積分値は，

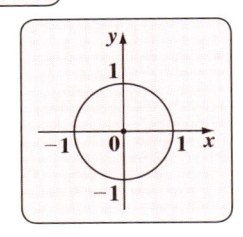

$$\oint_C f(z)\,dz = 2\pi i \cdot R = 2\pi i \cdot \frac{1}{6} = \frac{1}{3}\pi i \quad\cdots\cdots\cdots\text{（答）}$$

(2) $g(z)=\dfrac{\mathrm{Log}(1+z)}{z^4}$ とおいて，孤立特異点 $z=0$ を中心にローラン展開すると，

$$g(z)=\frac{1}{z^4}\left(z-\frac{z^2}{2}+\frac{z^3}{3}-\frac{z^4}{4}+\cdots\right)=\frac{1}{z^3}-\frac{1}{2z^2}+\underbrace{\frac{1}{3}\cdot\frac{1}{z}}_{\text{留数}R}-\frac{1}{4}+\cdots \text{ より，}$$

留数 $R = \mathrm{Res}\limits_{z=0} g(z) = \dfrac{1}{3}$ となる。

また，C の内部での特異点は $z=0$ だけなので，求める積分値は，

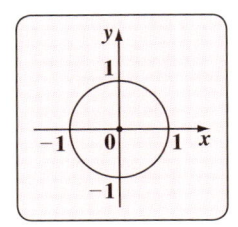

$$\oint_C g(z)\,dz = 2\pi i \cdot R = 2\pi i \cdot \frac{1}{3} = \frac{2}{3}\pi i \quad\cdots\cdots\cdots\text{（答）}$$

演習問題 109　　● 留数と留数定理 (Ⅳ) ●

留数を求め，次の各 1 周線積分の値を求めよ。ただし積分路はすべて反時計まわりとする。

(1) $\displaystyle\oint_{C_1} \frac{z^4}{z-2i}\,dz$　$C_1 : |z-2i| = 1$　　(2) $\displaystyle\oint_{C_2} \frac{e^{iz}}{z+i}\,dz$　$C_2 : |z+i| = 1$

ヒント！ $f(z) = \dfrac{g(z)}{z-\alpha}$ について，$g(z)$ が $z=\alpha$ で正則で，かつ $g(\alpha) \neq 0$ のとき，$z=\alpha$ は $f(z)$ の 1 位の極であり，$f(z)$ の留数は $\displaystyle\operatorname*{Res}_{z=\alpha} f(z) = \lim_{z\to\alpha}(z-\alpha)f(z) = \lim_{z\to\alpha}g(z) = g(\alpha)$ となる。

解答&解説

(1) $f_1(z) = \dfrac{\overbrace{z^4}^{g_1(z)}}{z-2i}$，$g_1(z) = z^4$ とおくと，

　　$g_1(z)$ は $z=2i$ で正則で，かつ $g_1(2i) = (2i)^4 = 16\,\underbrace{i^4}_{1} = 16 \neq 0$ より，

　　$f_1(z)$ の特異点 $z=2i$ は 1 位の極である。

　　よって，$f_1(z)$ の $z=2i$ における留数は，

　　$\displaystyle\operatorname*{Res}_{z=2i} f_1(z) = \lim_{z\to 2i}(z-2i)f_1(z)$

　　　　　　　　$\displaystyle = \lim_{z\to 2i} g_1(z) = g_1(2i) = 16$

> $(z-2i)f_1(z)$ は，$g_1(z)$ のことで，$g_1(z)$ は $z=2i$ で正則より，連続である。よって，$\displaystyle\lim_{z\to 2i} g_1(z) = g_1(2i)$ となる。

　　∴求める積分値は，

　　$\displaystyle\oint_{C_1} f_1(z)\,dz = 2\pi i \cdot \operatorname*{Res}_{z=2i} f_1(z) = 2\pi i \cdot 16 = 32\pi i$ ……………………(答)

(2) $f_2(z) = \dfrac{\overbrace{e^{iz}}^{g_2(z)}}{z+i}$，$g_2(z) = e^{iz}$ とおくと，

　　$g_2(z)$ は $z=-i$ で正則で，かつ $g_2(-i) = e^{-i^2} = e \neq 0$ より，

　　$f_2(z)$ の特異点 $z=-i$ は 1 位の極である。

　　よって，$f_2(z)$ の $z=-i$ における留数は，

　　$\displaystyle\operatorname*{Res}_{z=-i} f_2(z) = \lim_{z\to -i}(z+i)f_2(z)$

　　　　　　　　$\displaystyle = \lim_{z\to -i} g_2(z) = g_2(-i) = e$

> $(z+i)f_2(z)$ は，$g_2(z)$ のことで，$g_2(z)$ は $z=-i$ で正則より，連続である。よって，$\displaystyle\lim_{z\to -i} g_2(z) = g_2(-i)$ となる。

　　∴求める積分値は，

　　$\displaystyle\oint_{C_2} f_2(z)\,dz = 2\pi i \cdot \operatorname*{Res}_{z=-i} f_2(z) = 2\pi i \cdot e = 2\pi e i$ ……………………(答)

留数を求めることにより，積分路 $C:|z|=2$（反時計まわり）について，次の各 1 周線積分の値を求めよ。

$$(1) \oint_C \frac{z^4}{(2z+i)^4}\,dz \qquad\qquad (2) \oint_C \frac{e^{-z}}{(z-i)^2}\,dz$$

ヒント！ $f(z)=\dfrac{g(z)}{(z-\alpha)^n}$ について，$g(z)$ が $z=\alpha$ で正則で，かつ $g(\alpha)\neq 0$ のとき，$z=\alpha$ は $f(z)$ の n 位の極である。このとき，留数は $\underset{z=\alpha}{\mathrm{Res}}\,f(z)=\dfrac{1}{(n-1)!}\lim_{z\to\alpha}\left\{\dfrac{d^{n-1}}{dz^{n-1}}(z-\alpha)^n f(z)\right\}$ で求められるので，$f(z)$ の 1 周線積分は $2\pi i\cdot\underset{z=\alpha}{\mathrm{Res}}\,f(z)$ で求められる。

解答 & 解説

(1) $f_1(z)=\dfrac{z^4}{(2z+i)^4}=\boxed{\dfrac{z^4}{16}}\cdot\dfrac{1}{\left(z+\dfrac{i}{2}\right)^4}$，　$g_1(z)=\dfrac{z^4}{16}$ とおくと，（ $\overset{g_1(z)}{}$ ）

$g_1(z)$ は $z=-\dfrac{i}{2}$ で正則で，かつ $g_1\left(-\dfrac{i}{2}\right)=\dfrac{\left(-\dfrac{i}{2}\right)^4}{16}=\dfrac{1}{2^8}\neq 0$ より，

$f_1(z)$ の特異点 $z=-\dfrac{i}{2}$ は 4 位の極である。

よって，$f_1(z)$ の $z=-\dfrac{i}{2}$ における留数は，

$$\underset{z=-\frac{i}{2}}{\mathrm{Res}}\,f_1(z)=\frac{1}{(4-1)!}\lim_{z\to-\frac{i}{2}}\left\{\underline{\frac{d^{4-1}}{dz^{4-1}}\left(z+\frac{i}{2}\right)^4 f_1(z)}\right\}$$

> $z=\alpha$ における n 位の極の留数
> $$\underset{z=\alpha}{\mathrm{Res}}\,f_1(z)$$
> $$=\frac{1}{(n-1)!}\lim_{z\to\alpha}\left\{\frac{d^{n-1}}{dz^{n-1}}(z-\alpha)^n f(z)\right\}$$
> $(n=2,\,3,\,4,\cdots)$

$$\boxed{\frac{d^3}{dz^3}g_1(z)=g_1^{(3)}(z)=\left(\frac{z^4}{16}\right)'''=\left(\frac{z^3}{4}\right)''=\left(\frac{3z^2}{4}\right)'=\frac{3}{2}z}$$

$$=\frac{1}{3!}\lim_{z\to-\frac{i}{2}}\frac{3}{2}z=\frac{1}{6}\cdot\frac{3}{2}\cdot\left(-\frac{i}{2}\right)$$

$$=-\frac{i}{8}\quad \text{となる。}$$

積分路 C の内部での特異点は $z=-\dfrac{i}{2}$ だけなので，求める積分値は，

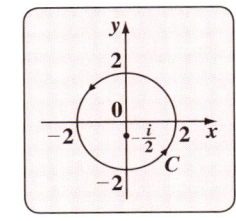

$$\oint_C f_1(z)\,dz=2\pi i\cdot\underset{z=-\frac{i}{2}}{\mathrm{Res}}\,f_1(z)=2\pi i\cdot\left(-\frac{i}{8}\right)=\frac{\pi}{4}\quad\cdots\cdots\cdots\cdots\cdots\cdots(\text{答})$$

> これは，演習問題 93 (3)（P156）と同じ結果だ。

(2) $f_2(z) = \dfrac{\overbrace{e^{-z}}^{g_2(z)}}{(z-i)^2}$, $g_2(z) = e^{-z}$ とおくと，

$g_2(z)$ は $z = i$ で正則で，$g_2(i) = e^{-i} = e^{-1 \cdot i} = \cos 1 - i \sin 1 \neq 0$ より，

$f_2(z)$ の特異点 $z = i$ は 2 位の極である。

よって，$f_2(z)$ の $z = i$ における留数は，

$$\operatorname*{Res}_{z=i} f_2(z) = \frac{1}{(2-1)!} \lim_{z \to i} \left\{ \underbrace{\frac{d^{2-1}}{dz^{2-1}} \overbrace{(z-i)^2 f_2(z)}^{g_2(z)}}_{g_2{}'(z)} \right\} = \frac{1}{\cancel{1!}} \lim_{z \to i} \underbrace{g_2{}'(z)}_{(e^{-z})' = -e^{-z}}$$

$$= -e^{-i} = -(\cos 1 - i \sin 1) = i \sin 1 - \cos 1 \quad \text{となる。}$$

積分路 C の内部での特異点は $z = i$ だけなので，
求める積分値は，

$$\oint_C f_2(z)\,dz = 2\pi i \cdot \operatorname*{Res}_{z=i} f_2(z) = 2\pi i \cdot (i \sin 1 - \cos 1)$$

$$= -2\pi(\sin 1 + i \cos 1) \quad \cdots\cdots\cdots\cdots (\text{答})$$

これは，**演習問題 93 (4)（P156）**の結果と同じだ。

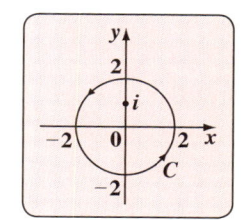

参考

$f(z) = \dfrac{g(z)}{(z-\alpha)^n}$ の特異点 $z = \alpha$ が n 位の極のとき，これを囲む単純閉曲線 C を積分路

とする 1 周線積分を，留数 $\operatorname*{Res}_{z=\alpha} f(z)$ で求める公式を変形すると，

$$\oint_C f(z)\,dz = \oint_C \frac{g(z)}{(z-\alpha)^n}\,dz = 2\pi i \cdot \operatorname*{Res}_{z=\alpha} f(z) = 2\pi i \cdot \frac{1}{(n-1)!} \lim_{z \to \alpha} \left\{ \frac{d^{n-1}}{dz^{n-1}} \overbrace{(z-\alpha)^n f(z)}^{g(z)} \right\}$$

$$= \frac{2\pi i}{(n-1)!} \lim_{z \to \alpha} g^{(n-1)}(z) = \frac{2\pi i}{(n-1)!} g^{(n-1)}(\alpha)$$

> $g^{(n-1)}(z)$ も $z = \alpha$ で正則より，
> 連続である。よって，
> $\lim_{z \to \alpha} g^{(n-1)}(z) = g^{(n-1)}(\alpha)$ となる。

よって，$n = m + 1$ とおくと，

$$\oint_C \frac{g(z)}{(z-\alpha)^{m+1}}\,dz = \frac{2\pi i}{m!} g^{(m)}(\alpha) \quad \text{となって，グルサの定理が導ける。つまり，}$$

留数による積分の解法とグルサの定理とは，本質的に同じものと言える。

留数を求めることにより，積分路 $C : |z| = 2$（反時計まわり）について，次の各 1 周線積分を求めよ。

(1) $\displaystyle\oint_C \frac{z^4}{(2z-i)^3}\,dz$　　　　(2) $\displaystyle\oint_C \frac{e^{2z}}{(z+i)^3}\,dz$

ヒント！　前問と同様に，$f(z) = \dfrac{g(z)}{(z-\alpha)^n}$ の形の関数の 1 周線積分なので，$z = \alpha$ が $f(z)$ の n 位の極であることを確認して，公式 $\displaystyle\oint_C f(z)\,dz = 2\pi i \cdot \operatorname*{Res}_{z=\alpha} f(z)$ を利用して，計算すればよい。

解答 & 解説

(1) $f_1(z) = \dfrac{z^4}{(2z-i)^3} = \boxed{\dfrac{z^4}{8}} \cdot \dfrac{1}{\left(z-\dfrac{i}{2}\right)^3}$ ， $g_1(z) = \dfrac{z^4}{8}$ とおくと，

（上の枠に $g_1(z)$ と注記）

$g_1(z)$ は $z = \dfrac{i}{2}$ で正則で，かつ $g_1\!\left(\dfrac{i}{2}\right) = \dfrac{1}{8}\left(\dfrac{i}{2}\right)^4 = -\dfrac{1}{128} \neq 0$ より，

$f_1(z)$ の特異点 $z = \dfrac{i}{2}$ は 3 位の極である。

よって，$f_1(z)$ の $z = \dfrac{i}{2}$ における留数は，

$$\operatorname*{Res}_{z=\frac{i}{2}} f_1(z) = \frac{1}{(3-1)!} \lim_{z \to \frac{i}{2}} \left\{ \frac{d^{3-1}}{dz^{3-1}}\left(z-\frac{i}{2}\right)^3 f_1(z) \right\}$$

> $z = \alpha$ における n 位の極の留数
> $$\operatorname*{Res}_{z=\alpha} f(z) = \frac{1}{(n-1)!} \lim_{z \to \alpha}\left\{ \frac{d^{n-1}}{dz^{n-1}}(z-\alpha)^n f(z) \right\}$$
> $(n = 2,\ 3,\ 4,\ \cdots)$

> $\dfrac{d^2}{dz^2} g_1(z) = g_1^{(2)}(z) = \left(\dfrac{z^4}{8}\right)'' = \left(\dfrac{z^3}{2}\right)' = \dfrac{3}{2}z^2$

$$= \frac{1}{2!} \cdot g''\!\left(\frac{i}{2}\right) = \frac{1}{2} \cdot \frac{3}{2}\left(\frac{i}{2}\right)^2$$

$$= \boxed{(\text{ア})} \quad \text{となる。}$$

積分路 C の内部での特異点は $z = \dfrac{i}{2}$ だけなので，求める積分値は，

$$\oint_C f_1(z)\,dz = 2\pi i \cdot \operatorname*{Res}_{z=\frac{i}{2}} f_1(z) = 2\pi i \cdot \left(\boxed{(\text{ア})}\right) = \boxed{(\text{イ})} \quad\cdots\cdots\cdots\cdots\text{(答)}$$

> これは，**演習問題 94 (3)（P158）**と同じ結果だ。

(2) $f_2(z) = \dfrac{\overbrace{e^{2z}}^{g_2(z)}}{(z+i)^3}$, $g_2(z) = e^{2z}$ とおくと，

$g_2(z)$ は $z = -i$ で正則で，$g_2(-i) = e^{-2i} = \cos 2 - i \sin 2 \neq 0$ より，

$f_2(z)$ の特異点 $z = -i$ は **3** 位の極である。

よって，$f_2(z)$ の $z = -i$ における留数は，

$$\operatorname*{Res}_{z=-i} f_2(z) = \frac{1}{(3-1)!} \lim_{z \to -i} \left\{ \frac{d^{3-1}}{dz^{3-1}} \overbrace{(z+i)^3 f_2(z)}^{g_2(z)} \right\}$$

$$\boxed{g_2^{(2)}(z) = (e^{2z})'' = (2e^{2z})' = 4e^{2z}}$$

$$= \frac{1}{2} \cdot \lim_{z \to -i} 4e^{2z} = \frac{1}{2} \cdot 4 \cdot e^{-2i}$$

$$= \boxed{(ウ) } \quad \text{となる。}$$

積分路 C の内部での特異点は $z = -i$ だけなので，
求める積分値は，

$$\oint_C f_2(z)\,dz = 2\pi i \cdot \operatorname*{Res}_{z=-i} f_2(z)$$

$$= 2\pi i \cdot \boxed{(ウ)}$$

$$= \boxed{(エ)} \quad \cdots\cdots\cdots\cdots\cdots\cdots\text{(答)}$$

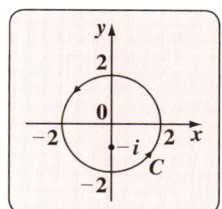

これは，**演習問題 94(4)(P158)** の結果と同じだ。

解答 （ア）$-\dfrac{3}{16}$　（イ）$-\dfrac{3}{8}\pi i$　（ウ）$2(\cos 2 - i\sin 2)$　（エ）$4\pi(\sin 2 + i\cos 2)$

留数定理を用いて，積分路 C (反時計まわり) について，
次の 1 周線積分の値を求めよ。

$$\oint_C \frac{1}{z^3(z^2+1)^2}\,dz \qquad C:|z-i|=\frac{3}{2}$$

ヒント! C の内部の特異点は $z=0$ と i の 2 つであり，これらの留数 R_1, R_2 を
まず求めよう。次に，留数定理を用いると，$\oint_C \dfrac{1}{z^3(z^2+1)^2}\,dz = 2\pi i(R_1+R_2)$ とし
て，1 周線積分の値を求めることができる。

解答 & 解説

$$f(z)=\frac{1}{z^3\underbrace{(z^2+1)^2}_{(z-i)(z+i)}}=\frac{1}{z^3(z-i)^2(z+i)^2}\quad とおくと，$$

C 内にある特異点は $z=0$ と i の 2 つであり，
$z=0$ は 3 位の極，$z=i$ は 2 位の極である。
よって，それぞれの留数を R_1, R_2 とおいて
求めると，

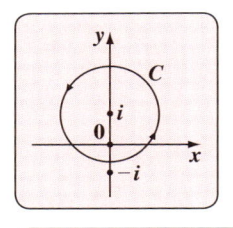

k 位の極の留数 $(k=3)$
$$\frac{1}{(k-1)!}\lim_{z\to\alpha}\left\{\frac{d^{k-1}}{dz^{k-1}}(z-\alpha)^k f(z)\right\}$$

$$(ⅰ)\ R_1 = \operatorname*{Res}_{z=0} f(z) = \frac{1}{(3-1)!}\lim_{z\to 0}\left\{\frac{d^{3-1}}{dz^{3-1}}z^3\cdot f(z)\right\}$$

$$=\frac{1}{2!}\lim_{z\to 0}\frac{d^2}{dz^2}\frac{1}{(z^2+1)^2}=\frac{1}{2}\cdot\lim_{z\to 0}\left\{-\frac{4(1-5\,z^2)}{(z^2+1)^4}\right\}=\frac{1}{2}\times(-4)=-2\ \cdots①$$

$$\{(z^2+1)^{-2}\}'' = \{-2(z^2+1)^{-3}\cdot 2z\}' = -4\{z(z^2+1)^{-3}\}'$$
$$= -4\{1\cdot(z^2+1)^{-3}+z\cdot(-3)\cdot(z^2+1)^{-4}\cdot 2z\}$$
$$= -4\left\{\frac{1}{(z^2+1)^3}-\frac{6z^2}{(z^2+1)^4}\right\}$$
$$= -4\cdot\frac{z^2+1-6z^2}{(z^2+1)^4}=-\frac{4(1-5z^2)}{(z^2+1)^4}$$

$$(\text{ii})\ R_2 = \operatorname*{Res}_{z=i} f(z) = \frac{1}{(2-1)!} \lim_{z \to i} \left\{ \frac{d^{2-1}}{dz^{2-1}} \underbrace{(z-i)^2 f(z)}_{\dfrac{1}{z^3(z+i)^2}} \right\}$$

$$= \frac{1}{1!} \lim_{z \to i} \frac{d}{dz} \underbrace{\frac{1}{z^3(z+i)^2}}_{} = \lim_{z \to i} \left\{ -\frac{5z+3i}{z^4(z+i)^3} \right\}$$

公式:
$$\left(\frac{1}{f}\right)' = \frac{-f'}{f^2}$$

$$\left\{ \frac{1}{z^3(z+i)^2} \right\}' = \frac{-\{z^3 \cdot (z+i)^2\}'}{z^6 \cdot (z+i)^4} = -\frac{3z^2(z+i)^2 + z^3 \cdot 2(z+i)}{z^6(z+i)^4}$$

$$= -\frac{3(z+i)+2z}{z^4(z+i)^3} = -\frac{5z+3i}{z^4(z+i)^3}$$

$$= -\frac{5i+3i}{i^4 \cdot (i+i)^3} = -\frac{8i}{1 \cdot (2i)^3} = -\frac{8i}{8i^3} = 1 \ \cdots\cdots ②$$

右図のように，C 内の孤立特異点 $z = 0$ と i のまわりに，互いに重ならないような単純閉曲線 C_1 と C_2 を C の内部にとると，

$$\oint_{C_1} f(z)\,dz = 2\pi i \cdot R_1, \quad \oint_{C_2} f(z)\,dz = 2\pi i \cdot R_2$$

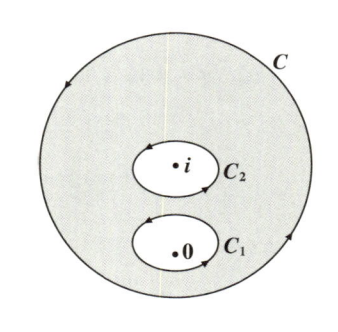

となる。ここで，C と C_1 と C_2 で囲まれる 3 重連結領域で $f(z)$ は 1 価正則より，コーシーの積分定理を用いて，$\oint_C = \oint_{C_1} + \oint_{C_2}$ となるので，次の留数定理：

$$\oint_C = 2\pi i R_1 + 2\pi i R_2 = 2\pi i (R_1 + R_2) \ \cdots\cdots ③ \ が導ける。$$

③に①，②を代入して，求める 1 周線積分の値は，

$$\oint_C f(z)\,dz = 2\pi i (R_1 + R_2) = 2\pi i (-2+1) = -2\pi i \ \cdots\cdots\cdots\cdots\cdots (答)$$

留数定理を用いて，積分路 C (反時計まわり) について，
次の 1 周線積分の値を求めよ。

$$\oint_C \frac{1}{z^4(z^3-1)}\,dz \qquad\qquad C : |z-1| = \frac{3}{2}$$

ヒント！ C 内部の特異点は $z=0$ と 1 の 2 つであり，これらの留数 R_1 と R_2 を
まず求める。次に，留数定理を使えば，$\oint_C \dfrac{1}{z^4(z^3-1)}\,dz = 2\pi i(R_1+R_2)$ となる。

解答＆解説

$f(z) = \dfrac{1}{z^4(z^3-1)} = \dfrac{1}{z^4(z-1)(z^2+z+1)}$ と

おくと，C 内にある特異点は $z=0$ と 1 の 2 つ
であり，$z=0$ は 4 位の極，$z=1$ は 1 位の極で
ある。よって，それぞれの留数を R_1, R_2 とおい
て，これらを求める。

k 位の極の留数
$$\frac{1}{(k-1)!}\lim_{z\to\alpha}\left\{\frac{d^{k-1}}{dz^{k-1}}(z-\alpha)^k f(z)\right\}$$

$z^2+z+1=0$ の解は，
$z = -\dfrac{1}{2} \pm \dfrac{\sqrt{3}}{2} i$ である。

(i) $R_1 = \operatorname*{Res}_{z=0} f(z)$

$\qquad = \dfrac{1}{(4-1)!}\lim_{z\to 0}\left\{\dfrac{d^{4-1}}{dz^{4-1}} z^4 f(z)\right\}$

$\qquad = \dfrac{1}{3!}\lim_{z\to 0}\dfrac{d^3}{dz^3}\dfrac{1}{z^3-1}$　より，

$$\{(z^3-1)^{-1}\}''' = \{-1\cdot(z^3-1)^{-2}\cdot 3z^2\}'' = -3\left\{\frac{z^2}{(z^3-1)^2}\right\}''$$

$$= -3\left\{\frac{2z\cdot(z^3-1)^2 - z^2\cdot 2(z^3-1)\cdot 3z^2}{(z^3-1)^4}\right\}' = 6\left\{\frac{2z^4+z}{(z^3-1)^3}\right\}'$$

$$\frac{2z(z^3-1)-6z^4}{(z^3-1)^3} = \frac{-4z^4-2z}{(z^3-1)^3} = -2\cdot\frac{2z^4+z}{(z^3-1)^3}$$

$$R_1 = \frac{1}{6} \times 6 \lim_{z \to 0} \underbrace{\left\{ \frac{2z^4 + z}{(z^3 - 1)^3} \right\}'}$$

$$\frac{(8z^3 + 1)(z^3 - 1)^3 - (2z^4 + z) \cdot 3(z^3 - 1)^2 \cdot 3z^2}{(z^3 - 1)^6}$$

$$\boxed{8z^6 - 7z^3 - 1 - 18z^6 - 9z^3 = -10z^6 - 16z^3 - 1}$$

$$= \frac{\boxed{(8z^3 + 1)(z^3 - 1) - 9z^2(2z^4 + z)}}{(z^3 - 1)^4} = -\frac{10z^6 + 16z^3 + 1}{(z^3 - 1)^4}$$

$$\therefore R_1 = -\lim_{z \to 0} \frac{10z^6 + 16z^3 + 1}{(z^3 - 1)^4} = -\frac{1}{(-1)^4} = -1$$

(ii) $R_2 = \operatorname*{Res}_{z=1} f(z) = \lim_{z \to 1} (z - 1) f(z)$

$$= \lim_{z \to 1} \frac{1}{z^4(z^2 + z + 1)} = \frac{1}{1^4 \cdot (1^2 + 1 + 1)} = \frac{1}{3}$$

以上 (i), (ii) より, 留数定理を用いると, 積分路 C についての 1 周線積分の値は,

$$\oint_C f(z)dz = \oint_C \frac{1}{z^4(z^3 - 1)} dz$$

$$= 2\pi i (R_1 + R_2) = 2\pi i \left(-1 + \frac{1}{3} \right)$$

$$= -\frac{4}{3} \pi i \quad \text{である。} \cdots\cdots\cdots\cdots\cdots\cdots\cdots\cdots\cdots(\text{答})$$

次の実三角関数の積分を，積分路 $C:|z|=1$（反時計まわり）の複素関数 $z=e^{i\theta}$（$0 \leqq \theta \leqq 2\pi$）の1周線積分に変換して求めよ。

$$\int_0^{2\pi} \frac{1}{5+4\sin\theta}\,d\theta$$

ヒント！ $z=e^{i\theta}$ より，$\sin\theta = \dfrac{1}{2i}\left(z-\dfrac{1}{z}\right)$, $d\theta = \dfrac{1}{iz}\,dz$ と変換できる。

解答＆解説

与えられた定積分を，積分路 $C:|z|=1$ 上の変数 $z=e^{i\theta}$（$0 \leqq \theta \leqq 2\pi$）での1周線積分に変換すると，

$$\sin\theta = \frac{1}{2i}\left(z-\frac{1}{z}\right), \quad d\theta = \frac{1}{iz}\,dz \ \text{より，}$$

$$\int_0^{2\pi} \frac{1}{5+4\sin\theta}\,d\theta = \oint_C \frac{1}{5+4\cdot\frac{1}{2i}\left(z-\frac{1}{z}\right)}\cdot\frac{1}{iz}\,dz$$

> ・$z=e^{i\theta}$, $z^{-1}=e^{-i\theta}$ より，
> $z-z^{-1}=e^{i\theta}-e^{-i\theta}=2i\sin\theta$
> $\therefore \sin\theta = \dfrac{1}{2i}\left(z-\dfrac{1}{z}\right)$
> ・$z=e^{i\theta}$ より，$dz=ie^{i\theta}d\theta$
> $\therefore d\theta = \dfrac{1}{ie^{i\theta}}\,dz = \dfrac{1}{iz}\,dz$

$$\frac{1}{iz\left(5+\frac{2}{i}z-\frac{2}{iz}\right)} = \frac{1}{2z^2+5iz-2} = \frac{1}{(2z+i)(z+2i)}$$

$$= \oint_C \frac{1}{(2z+i)(z+2i)}\,dz \ \text{となる。}$$

ここで，$f(z) = \dfrac{1}{(2z+i)(z+2i)}$ とおくと，C 内の特異点は $z=-\dfrac{i}{2}$ のみで，これは1位の極より，この点の留数 R は，

$$R = \operatorname*{Res}_{z=-\frac{i}{2}} f(z) = \lim_{z\to-\frac{i}{2}}\left(z+\frac{i}{2}\right)f(z) = \lim_{z\to-\frac{i}{2}}\frac{1}{2(z+2i)} = \frac{1}{3i} \quad \text{となる。}$$

よって求める積分は，

$$\int_0^{2\pi} \frac{1}{5+4\sin\theta}\,d\theta = \oint_C f(z)\,dz = 2\pi i\cdot R = 2\pi i\cdot\frac{1}{3i} = \frac{2}{3}\pi \quad\cdots\cdots\cdots\cdots\text{（答）}$$

演習問題 115 ● 実数関数の積分への応用 (Ⅱ) ●

次の実三角関数の積分を，積分路 $C : |z| = 1$（反時計まわり）の複素関数 $z = e^{i\theta}$ $(0 \leqq \theta \leqq 2\pi)$ の1周線積分に変換して求めよ。

$$\int_0^{2\pi} \frac{1}{5 - 4\cos\theta}\, d\theta$$

ヒント！ 前問と同様に，複素関数の1周線積分に変換して解く。

解答＆解説

積分路 $C : |z| = 1$ 上の変数 $z = e^{i\theta}$ $(0 \leqq \theta \leqq 2\pi)$ での1周線積分に変換すると，

$$\cos\theta = \frac{1}{2}\left(z + \frac{1}{z}\right), \quad d\theta = \frac{1}{\boxed{(\mathcal{P})}}\, dz \ \text{より，}$$

> ・$z = e^{i\theta}$，$z^{-1} = e^{-i\theta}$ より，
> $z + z^{-1} = e^{i\theta} + e^{-i\theta} = 2\cos\theta$
> $\therefore \cos\theta = \frac{1}{2}\left(z + \frac{1}{z}\right)$
> ・$z = e^{i\theta}$ より，$dz = ie^{i\theta}d\theta$
> $\therefore d\theta = \frac{1}{ie^{i\theta}}dz = \frac{1}{iz}dz$

$$\int_0^{2\pi} \frac{1}{5 - 4\cos\theta}\, d\theta = \oint_C \frac{1}{5 - 4 \cdot \frac{1}{2}\left(z + \frac{1}{z}\right)} \cdot \frac{1}{iz}\, dz$$

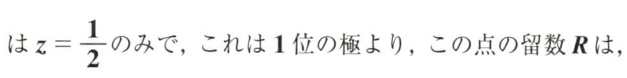

$$\frac{1}{i} \cdot \frac{1}{z\left(5 - 2z - \frac{2}{z}\right)} = -\frac{1}{i} \cdot \frac{1}{2z^2 - 5z + 2} = \frac{i}{(2z-1)(z-2)} \quad \left(\because -\frac{1}{i} = \frac{i^2}{i} = i\right)$$

$$= \oint_C \frac{i}{\boxed{(\mathcal{A})}}\, dz \ \text{となる。}$$

ここで，$f(z) = \dfrac{i}{\boxed{(\mathcal{A})}}$ とおくと，C 内の特異点

は $z = \dfrac{1}{2}$ のみで，これは1位の極より，この点の留数 R は，

$$R = \operatorname*{Res}_{z = \frac{1}{2}} f(z) = \lim_{z \to \frac{1}{2}}\left(z - \frac{1}{2}\right)f(z) = \lim_{z \to \frac{1}{2}} \frac{i}{2(z-2)} = \frac{i}{-3} = \boxed{(\mathcal{\dot{}\mathcal{D}})} \ \text{となる。}$$

よって求める積分は，

$$\int_0^{2\pi} \frac{1}{5 - 4\cos\theta}\, d\theta = \oint_C f(z)\, dz = 2\pi i \cdot R = 2\pi i \cdot \left(\boxed{(\dot{\mathcal{D}})}\right) = \boxed{(\mathcal{I})} \quad \cdots\cdots (答)$$

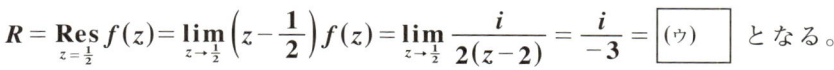

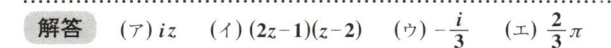

解答 （ア）iz （イ）$(2z-1)(z-2)$ （ウ）$-\dfrac{i}{3}$ （エ）$\dfrac{2}{3}\pi$

197

右図に示す積分路 $C = C_1 + C_2$ に沿った

1 周線積分 $\displaystyle\oint_C \frac{1+z^2}{1+z^4}\,dz$ を求めることに

より，実積分 $\displaystyle\int_{-\infty}^{\infty} \frac{1+x^2}{1+x^4}\,dx$ の値を求めよ。

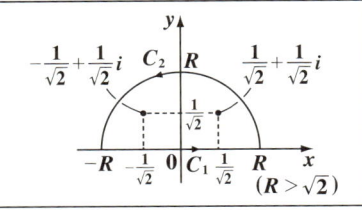

$(R > \sqrt{2})$

ヒント！　一般に，実有理関数 $\dfrac{f(x)}{g(x)}$ $(g(x) \neq 0)$ で，$g(x)$ の次数が $f(x)$ の次数より

2 以上大きいとき，上図のような積分路 $C = C_1 + C_2$ に沿った複素積分 $\displaystyle\oint_C \frac{f(z)}{g(z)}\,dz$

を利用して，実積分 $\displaystyle\int_{-\infty}^{\infty} \frac{f(x)}{g(x)}\,dx$ を求めることができる。

解答＆解説

$f(z) = \dfrac{1+z^2}{1+z^4}$ とおくと，この特異点は，

$$z = \underbrace{\frac{1}{\sqrt{2}} + \frac{1}{\sqrt{2}}i}_{e^{\frac{\pi}{4}i}}, \quad \underbrace{-\frac{1}{\sqrt{2}} + \frac{1}{\sqrt{2}}i}_{e^{\frac{3}{4}\pi i}}, \quad \underbrace{-\frac{1}{\sqrt{2}} - \frac{1}{\sqrt{2}}i}_{e^{\frac{5}{4}\pi i}}, \quad \underbrace{\frac{1}{\sqrt{2}} - \frac{1}{\sqrt{2}}i}_{e^{\frac{7}{4}\pi i}}$$

この内，積分路 $C = C_1 + C_2$ の内部にあるものは，

$\dfrac{1}{\sqrt{2}} + \dfrac{1}{\sqrt{2}}i$ と $-\dfrac{1}{\sqrt{2}} + \dfrac{1}{\sqrt{2}}i$ で，共に 1 位の極で

ある。よって，それぞれの留数 R_1, R_2 を求めると，

> 分母：$z^4 + 1 = 0$ より，
> $z^4 = -1$
> $z = re^{i\theta}$ とおくと，
> $r^4 e^{4i\theta} = 1 \cdot \underbrace{e^{\pi i + 2n\pi i}}_{-1}$
> $r^4 = 1$　$r = 1$
> $4\theta = \pi + 2n\pi$ より，
> $\theta = \dfrac{\pi}{4} + \dfrac{n}{2}\pi$
> $(n = 0, 1, 2, 3)$

（ⅰ）$R_1 = \mathop{\mathrm{Res}}\limits_{z = \frac{1}{\sqrt{2}} + \frac{1}{\sqrt{2}}i} f(z) = \lim\limits_{z \to \frac{1}{\sqrt{2}} + \frac{1}{\sqrt{2}}i} \left\{ z - \left(\frac{1}{\sqrt{2}} + \frac{1}{\sqrt{2}}i \right) \right\} f(z)$

$$= \lim_{z \to \frac{1}{\sqrt{2}} + \frac{1}{\sqrt{2}}i} \frac{1 + z^2}{\left\{ z - \left(-\frac{1}{\sqrt{2}} + \frac{1}{\sqrt{2}}i \right) \right\} \left\{ z - \left(-\frac{1}{\sqrt{2}} - \frac{1}{\sqrt{2}}i \right) \right\} \left\{ z - \left(\frac{1}{\sqrt{2}} - \frac{1}{\sqrt{2}}i \right) \right\}}$$

$$\therefore R_1 = \frac{1+\left(\left(\dfrac{1}{\sqrt{2}}+\dfrac{1}{\sqrt{2}}i\right)^2\right)}{\left(\dfrac{1}{\sqrt{2}}+\dfrac{1}{\sqrt{2}}i+\dfrac{1}{\sqrt{2}}-\dfrac{1}{\sqrt{2}}i\right)\left(\dfrac{1}{\sqrt{2}}+\dfrac{1}{\sqrt{2}}i+\dfrac{1}{\sqrt{2}}+\dfrac{1}{\sqrt{2}}i\right)\left(\dfrac{1}{\sqrt{2}}+\dfrac{1}{\sqrt{2}}i-\dfrac{1}{\sqrt{2}}+\dfrac{1}{\sqrt{2}}i\right)}$$

$\left(e^{\frac{\pi}{4}i}\right)^2=e^{\frac{\pi}{2}i}=i$

$$=\frac{1+i}{\sqrt{2}\left(\sqrt{2}+\sqrt{2}i\right)\sqrt{2}i}=\frac{1+i}{2\sqrt{2}i(1+i)}=\frac{1}{2\sqrt{2}i}=-\frac{i}{2\sqrt{2}} \quad\cdots\cdots①$$

(ⅱ) $R_2 = \mathop{\mathrm{Res}}\limits_{z=-\frac{1}{\sqrt{2}}+\frac{1}{\sqrt{2}}i} f(z) = \lim\limits_{z\to-\frac{1}{\sqrt{2}}+\frac{1}{\sqrt{2}}i}\left\{z-\left(-\frac{1}{\sqrt{2}}+\frac{1}{\sqrt{2}}i\right)\right\}f(z)$

$$=\lim\limits_{z\to-\frac{1}{\sqrt{2}}+\frac{1}{\sqrt{2}}i}\frac{1+z^2}{\left\{z-\left(\dfrac{1}{\sqrt{2}}+\dfrac{1}{\sqrt{2}}i\right)\right\}\left\{z-\left(-\dfrac{1}{\sqrt{2}}-\dfrac{1}{\sqrt{2}}i\right)\right\}\left\{z-\left(\dfrac{1}{\sqrt{2}}-\dfrac{1}{\sqrt{2}}i\right)\right\}}$$

$\left(e^{\frac{3}{4}\pi i}\right)^2=e^{\frac{3}{2}\pi i}=-i$

$$=\frac{1+\left(\left(-\dfrac{1}{\sqrt{2}}+\dfrac{1}{\sqrt{2}}i\right)^2\right)}{\left(-\dfrac{1}{\sqrt{2}}+\dfrac{1}{\sqrt{2}}i-\dfrac{1}{\sqrt{2}}-\dfrac{1}{\sqrt{2}}i\right)\left(-\dfrac{1}{\sqrt{2}}+\dfrac{1}{\sqrt{2}}i+\dfrac{1}{\sqrt{2}}+\dfrac{1}{\sqrt{2}}i\right)\left(-\dfrac{1}{\sqrt{2}}+\dfrac{1}{\sqrt{2}}i-\dfrac{1}{\sqrt{2}}+\dfrac{1}{\sqrt{2}}i\right)}$$

$$=\frac{1-i}{-\sqrt{2}\cdot\sqrt{2}i\cdot(-\sqrt{2}+\sqrt{2}i)}=\frac{1-i}{2\sqrt{2}i(1-i)}=\frac{1}{2\sqrt{2}i}=-\frac{i}{2\sqrt{2}} \quad\cdots\cdots②$$

以上（ⅰ）（ⅱ）より，積分路 $C\,(=C_1+C_2)$ に沿った複素関数 $f(z)$ の 1 周線積分の値は，

$$\oint_C f(z)\,dz = 2\pi i\,(R_1+R_2) = 2\pi i\left(-\frac{i}{2\sqrt{2}}-\frac{i}{2\sqrt{2}}\right) \quad（①，②より）$$

$$=2\pi i\cdot\left(-\frac{i}{\sqrt{2}}\right)=\sqrt{2}\,\pi \quad\cdots\cdots\cdots\cdots\cdots\cdots③ \quad となる。$$

また，$C=C_1+C_2$ より，

$$\oint_C = \int_{C_1}+\int_{C_2}, \quad すなわち，$$

$$\oint_C f(z)\,dz = \int_{C_1} f(z)\,dz + \int_{C_2} f(z)\,dz$$

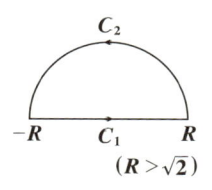

$(R>\sqrt{2})$

$$\oint_C f(z)\,dz = \int_{C_1} \frac{1+z^2}{1+z^4}\,dz + \int_{C_2} \frac{1+z^2}{1+z^4}\,dz \quad \cdots\cdots ④$$

（$\sqrt{2}\pi$（③より））

$\int_{-R}^{R} \dfrac{1+x^2}{1+x^4}\,dx$（実軸上の積分）

$R \to \infty$ のとき，これが $\mathbf{0}$ に近づくことを示せばよい。

ここで，④の右辺，第 2 項の積分について，$z = Re^{i\theta}\ (0 \leqq \theta \leqq \pi)$ とおくと，$dz = iRe^{i\theta}d\theta$ より，

$$\left|\int_{C_2} \frac{1+z^2}{1+z^4}\,dz\right| \leqq \int_0^{\pi} \left|\frac{1+R^2 e^{2i\theta}}{1+R^4 e^{4i\theta}}\right| \left|iRe^{i\theta}\right| d\theta$$

（$|i|\cdot R\cdot|e^{i\theta}| = R$）

$$\left|\frac{R^2 e^{2i\theta}+1}{R^4 e^{4i\theta}+1}\right| \leqq \frac{|R^2||e^{2i\theta}|+1}{|R^4||e^{4i\theta}|-1} = \frac{R^2+1}{R^4-1}$$

分子は大きく，分母は小さく見積る。

$$\leqq \frac{R(R^2+1)}{R^4-1}\int_0^{\pi} d\theta = \frac{R^3+R}{R^4-1}\big[\theta\big]_0^{\pi} = \frac{\pi(R^3+R)}{R^4-1}$$

$$\therefore \left|\int_{C_2} \frac{1+z^2}{1+z^4}\,dz\right| \leqq \frac{\pi(R^3+R)}{R^4-1} \qquad \text{ここで，}R\to\infty \text{ の極限をとると，}$$

$$\lim_{R\to\infty}\left|\int_{C_2} \frac{1+z^2}{1+z^4}\,dz\right| \leqq \lim_{R\to\infty} \frac{\pi(R^3+R)}{R^4-1} = 0 \quad \text{となる。}$$

$\dfrac{3\,\text{次の}\infty}{4\,\text{次の}\infty} \to 0$

$$\therefore \lim_{R\to\infty}\int_{C_2} \frac{1+z^2}{1+z^4}\,dz = 0 \quad \cdots\cdots ⑤ \quad \text{となる。}$$

③を④に代入して，$R \to \infty$ とすると，⑤の結果より，

$$\sqrt{2}\,\pi = \lim_{R\to\infty}\left(\int_{-R}^{R} \frac{1+x^2}{1+x^4}\,dx + \int_{C_2} \frac{1+z^2}{1+z^4}\,dz\right) = \int_{-\infty}^{\infty} \frac{1+x^2}{1+x^4}\,dx$$

これは，$R\to\infty$ としても変化しない定数。

0（⑤より）

$$\therefore \int_{-\infty}^{\infty} \frac{1+x^2}{1+x^4}\,dx = \sqrt{2}\,\pi \quad \text{である。} \cdots\cdots\cdots\cdots\cdots\cdots\cdots\cdots\text{(答)}$$

演習問題 117　　　● 実数関数の積分への応用 (Ⅳ) ●

右図に示す積分路 $C = C_1 + C_2$ に沿った

1 周線積分 $\displaystyle\oint_C \frac{z e^{2iz}}{z^2+4} dz$ を求めることに

より，2 つの実積分：

$$\int_{-\infty}^{\infty} \frac{x \cos 2x}{x^2+4} dx \ \ \text{と} \ \int_{-\infty}^{\infty} \frac{x \sin 2x}{x^2+4} dx \ \text{を求めよ。}$$

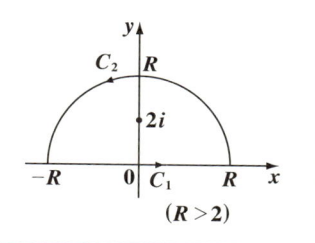

$(R > 2)$

ヒント！　一般に，$\dfrac{f(x)}{g(x)} e^{ix}$ について，$g(x)$ の次数が $f(x)$ の次数より 1 以上大

きいとき，実積分 $\displaystyle\int_{-\infty}^{\infty} \frac{f(x)}{g(x)} e^{ix} dx$ などは，上図のような積分路 $C = C_1 + C_2$ などに

沿った 1 周線積分 $\displaystyle\oint_C \frac{f(z)}{g(z)} e^{iz} dz$ を利用して求めることができる。

解答＆解説

$f(z) = \dfrac{z e^{2iz}}{z^2+4}$ とおくと，この特異点は，$z = 2i$ と $-2i$ で，

この内，積分路 $C = C_1 + C_2$ の内部にあるものは，

$z = 2i$ のみで，これは 1 位の極である。

> 分母：$z^2+4=0$ より，
> $z^2 = -4$　　$z = \pm 2i$

よって，$f(z)$ の $z = 2i$ における留数 R_1 を求めると，

$$R_1 = \operatorname*{Res}_{z=2i} f(z) = \lim_{z \to 2i} (z-2i) f(z) = \lim_{z \to 2i} \frac{z \cdot e^{2iz}}{z+2i}$$

$$= \frac{2i \cdot e^{4i^2}}{2i+2i} = \frac{2i \cdot e^{-4}}{4i} = \frac{1}{2e^4} \ \ \cdots\cdots① \ \ \text{となる。}$$

よって，この積分路 C に沿った $f(z)$ の 1 周線積分の値は，

$$\oint_C f(z) dz = 2\pi i \cdot R_1 = 2\pi i \cdot \frac{1}{2e^4} = \frac{\pi}{e^4} i \ \ \cdots\cdots② \ \ \text{となる。}$$

また，$C = C_1 + C_2$，すなわち $\displaystyle\oint_C = \int_{C_1} + \int_{C_2}$ より，

$$\oint_C f(z)\,dz = \int_{C_1} \frac{z e^{2iz}}{z^2+4}\,dz + \int_{C_2} \frac{z e^{2iz}}{z^2+4}\,dz \quad\cdots\cdots③ \quad となる。$$

$\boxed{\dfrac{\pi}{e^4}\,i\ (②より)}$ $\quad\boxed{\displaystyle\int_{-R}^{R} \frac{x e^{2ix}}{x^2+4}\,dx \atop (実軸上の積分)}$ $\quad\boxed{R\to\infty のとき，これが \mathbf{0} に \atop 近づくことを示せばよい。}$

③ の右辺，第 **2** 項の積分について，

$z = R e^{i\theta}\ (0 \leqq \theta \leqq \pi)$ とおくと，

$dz = i R e^{i\theta}d\theta$ より，

$$\left| \int_{C_2} \frac{z e^{2iz}}{z^2+4}\,dz \right| \leqq \int_0^\pi \left| \frac{R e^{i\theta} e^{2iR e^{i\theta}}}{R^2 e^{2i\theta}+4} \right| \left| i R e^{i\theta} \right| d\theta$$

$\boxed{|i \cdot R \cdot e^{i\theta}| = R}$

$$\boxed{\left| \frac{R e^{i\theta} e^{2iR(\cos\theta+i\sin\theta)}}{R^2 e^{2i\theta}+4} \right| \leqq \frac{R\,|e^{i\theta}|\,|e^{i2R\cos\theta}|\,e^{-2R\sin\theta}}{R^2\,|e^{i\cdot2\theta}|-4} = \frac{R\,e^{-2R\sin\theta}}{R^2-4}}$$

$$\leqq \frac{R^2}{R^2-4}\int_0^\pi e^{-2R\sin\theta}d\theta \quad となる。\quad よって，$$

$$\boxed{\begin{array}{l} 2\displaystyle\int_0^{\frac{\pi}{2}} e^{-2R\sin\theta}d\theta \quad \left(\begin{array}{l} y=\sin\theta は，\theta=\frac{\pi}{2} \\ に関して対称 \end{array}\right) \\[2mm] \leqq 2\displaystyle\int_0^{\frac{\pi}{2}} e^{-2R\cdot\frac{2}{\pi}\theta}d\theta \\[2mm] \left(\because 0 \leqq \theta \leqq \frac{\pi}{2} のとき，\frac{2}{\pi}\theta \leqq \sin\theta\right. \\[2mm] \left.よって，\frac{1}{e^{2R\sin\theta}} \leqq \frac{1}{e^{2R\cdot\frac{2}{\pi}\theta}}\right) \\[2mm] (分母が小さい方が，数は大きくなる。) \end{array}}$$

$$\left| \int_{C_2} \frac{z e^{2iz}}{z^2+4}\,dz \right| \leqq \frac{2R^2}{R^2-4}\int_0^{\frac{\pi}{2}} e^{-\frac{4R}{\pi}\theta}d\theta = \frac{2R^2}{R^2-4}\cdot\left(-\frac{\pi}{4R}\right)\left[e^{-\frac{4R}{\pi}\theta}\right]_0^{\frac{\pi}{2}}$$

$$= -\frac{\pi R}{2(R^2-4)}\left(e^{-2R}-1\right) = \frac{\pi R}{2(R^2-4)}\left(1-\frac{1}{e^{2R}}\right)$$

よって，$R \to \infty$ のとき，

$$\lim_{R \to \infty} \left| \int_{C_2} \frac{z e^{2iz}}{z^2+4} \, dz \right| \leq \lim_{R \to \infty} \frac{\pi R}{2(R^2-4)} \left(1 - \frac{1}{e^{2R}}\right) = 0 \quad \text{となるので，}$$

$$\boxed{\frac{1 \text{次の} \infty}{2 \text{次の} \infty} \to 0}$$

$$\lim_{R \to \infty} \int_{C_2} \frac{z e^{2iz}}{z^2+4} \, dz = 0 \quad \cdots\cdots ④ \quad \text{となる。}$$

ここで，$\displaystyle\oint_C f(z) \, dz = \frac{\pi}{e^4} i$ ……② を③に代入して，③の両辺を $R \to \infty$ にすると，

$$\frac{\pi}{e^4} i = \lim_{R \to \infty} \left(\int_{-R}^{R} \frac{x e^{2ix}}{x^2+4} \, dx + \int_{C_2} \frac{z e^{2iz}}{z^2+4} \, dz \right)$$

これは，定数なので $R \to \infty$ としても変化しない。

$\displaystyle\int_{-\infty}^{\infty} \frac{x e^{2ix}}{x^2+4} \, dx$

0（④より）

$$\therefore \int_{-\infty}^{\infty} \frac{x e^{2ix}}{x^2+4} \, dx = \int_{-\infty}^{\infty} \frac{x(\cos 2x + i \sin 2x)}{x^2+4} \, dx$$

$$= \int_{-\infty}^{\infty} \frac{x \cos 2x}{x^2+4} \, dx + i \int_{-\infty}^{\infty} \frac{x \sin 2x}{x^2+4} \, dx = 0 + \frac{\pi}{e^4} i \quad \text{となる。}$$

よって，$\displaystyle\int_{-\infty}^{\infty} \frac{x \cos 2x}{x^2+4} \, dx = 0$，$\displaystyle\int_{-\infty}^{\infty} \frac{x \sin 2x}{x^2+4} \, dx = \frac{\pi}{e^4}$ である。 ……………(答)

> 実は，これは，$\displaystyle\int_{-\infty}^{\infty} x \cdot \frac{\cos 2x}{x^2+4} \, dx = \int_{-\infty}^{\infty} (\text{奇関数}) \, dx = 0$ となるのは明らかな
>
> 奇関数 × 偶関数 = 奇関数　　原点対称なグラフ
>
> 結果だったんだね。したがって，今回の問題は，$\displaystyle\int_{-\infty}^{\infty} \frac{x \sin 2x}{x^2+4} \, dx = \frac{\pi}{e^4}$ を求めるための問題であったと考えて頂けたらよい。

右に示す積分路 $C = C_1 + C_2 + C_3$ に沿った 1 周線積分 $\oint_C e^{-z^2} dz$ を求めることにより，2 つの実積分：

$$\int_0^\infty \cos(x^2)\,dx \ \text{と} \ \int_0^\infty \sin(x^2)\,dx \ \text{を}$$

求めよ。

（ただし，ガウス積分 $\int_0^\infty e^{-x^2}\,dx = \dfrac{\sqrt{\pi}}{2}$ は，使ってよいものとする。）

ヒント！ e^{-z^2} は，積分路 C とその内部で正則なので，コーシーの積分定理より，$\oint_C e^{-z^2}dz = 0$ となる。よって，$\oint_C = \int_{C_1} + \int_{C_2} + \int_{C_3} = 0$ から，求める 2 つの実積分の値を導けばよい。応用問題だけれど，実践力を磨くのに最適な問題である。

解答＆解説

$f(z) = e^{-z^2}$ とおくと，これは，右に示す積分路 $C\,(=C_1+C_2+C_3)$ とその内部で正則である。よって，コーシーの積分定理より，$\oint_C = \int_{C_1} + \int_{C_2} + \int_{C_3} = 0$ すなわち，

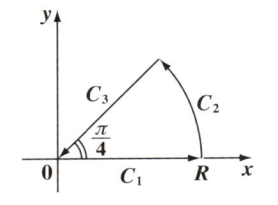

$$\oint_C e^{-z^2}dz = \int_{C_1} e^{-z^2}dz + \int_{C_2} e^{-z^2}dz + \int_{C_3} e^{-z^2}dz = 0 \ \cdots\cdots \text{①} \ \text{となる。}$$

(i) $\int_0^R e^{-x^2}dx$ （実軸上の積分）

(ii) $R \to \infty$ のとき，0 に近づくことを示す。

(iii) $z = te^{\frac{\pi}{4}i}$ $(t:R \to 0)$ とおいて，媒介変数 t で置換積分する。

(ⅰ) $\displaystyle\int_{C_1} e^{-z^2}dz$ について,

これは, 積分区間 $[0,\ R]$ の実軸上の積分なので,

$$\int_{C_1} e^{-z^2}dz = \int_0^R e^{-x^2}dx \quad\cdots\cdots ②\ \text{となる。}$$

ここで, $R\to\infty$ とすると, ガウス積分の公式が利用できて,

$$\lim_{R\to\infty}\int_0^R e^{-x^2}dx = \int_0^\infty e^{-x^2}dx = \frac{\sqrt{\pi}}{2} \quad\cdots\cdots ②'\ \text{となる。}$$

(ⅱ) $\displaystyle\int_{C_2} e^{-z^2}dz$ について,

$z = Re^{i\theta}\ \left(0\leqq\theta\leqq\dfrac{\pi}{4}\right)$ とおくと, $dz = iRe^{i\theta}d\theta$ となる。

よって, θ での積分に置き換えて, その絶対値を調べると,

$$\left|\oint_{C_2} e^{-z^2}dz\right| \leqq \int_0^{\frac{\pi}{4}}\left|e^{-R^2 e^{2i\theta}}\right|\left|iRe^{i\theta}\right|d\theta$$

$$\boxed{|i|\cdot R\cdot|e^{i\theta}| = R}$$

$$\boxed{\left|e^{-R^2(\cos2\theta+i\sin2\theta)}\right| = e^{-R^2\cos2\theta}\cdot\left|e^{-iR^2\sin2\theta}\right| = e^{-R^2\cos2\theta}}$$

$$= R\int_0^{\frac{\pi}{4}} e^{-R^2\cos2\theta}d\theta \quad\longleftarrow \boxed{\begin{array}{l}\text{今はまだ, }R\text{は定数扱い。}\\ \text{変数は, }\theta\text{のみである。}\end{array}}$$

$$\int_0^{\frac{\pi}{4}} e^{-R^2\cos2\theta}d\theta$$
$$\leqq \int_0^{\frac{\pi}{4}} e^{-R^2\left(1-\frac{4}{\pi}\theta\right)}d\theta$$

$\left(\because 0\leqq\theta\leqq\dfrac{\pi}{4}\text{のとき, }\cos2\theta\geqq1-\dfrac{4}{\pi}\theta\right.$
よって,
$\dfrac{1}{e^{R^2\cos2\theta}}\leqq\dfrac{1}{e^{R^2\left(1-\frac{4}{\pi}\theta\right)}}$
$\left.\text{(分母が小さい方が, 数は大きくなる。)}\right)$

よって，

$$\left| \int_{C_2} e^{-z^2} dz \right| \leqq R \int_0^{\frac{\pi}{4}} e^{-R^2\left(1-\frac{4}{\pi}\theta\right)} d\theta = Re^{-R^2} \int_0^{\frac{\pi}{4}} e^{\frac{4R^2}{\pi}\theta} d\theta$$

$$= \frac{R}{e^{R^2}} \cdot \frac{\pi}{4R^2} \left[e^{\frac{4R^2}{\pi}\theta} \right]_0^{\frac{\pi}{4}} = \frac{\pi}{4Re^{R^2}} \left(e^{R^2} - 1 \right)$$

$$\therefore \left| \int_{C_2} e^{-z^2} dz \right| \leqq \frac{\pi}{4R} \left(1 - \frac{1}{e^{R^2}} \right)$$

ここで，$R \to \infty$ とすると，

$$\lim_{R \to \infty} \left| \int_{C_2} e^{-z^2} dz \right| \leqq \lim_{R \to \infty} \frac{\pi}{4R} \left(1 - \frac{1}{e^{R^2}} \right) = 0 \quad \text{となるので，}$$

$$\underbrace{\qquad}_{0} \qquad \underbrace{\qquad}_{0}$$

$$\lim_{R \to \infty} \int_{C_2} e^{-z^2} dz = 0 \quad \cdots\cdots ③ \quad \text{となる。}$$

(iii) $\displaystyle\int_{C_3} e^{-z^2} dz$ について，

C_3 上の点 z は，媒介変数 t を用いて，

$z = t \cdot e^{i\frac{\pi}{4}} \quad (\underline{0 \leqq t \leqq R})$ と表せる。

$$\boxed{\text{積分路 } C_3 \text{ の向きでは，} t : R \to 0}$$

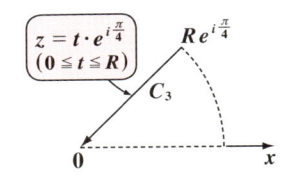

$$\boxed{\begin{array}{l} z = t \cdot e^{i\frac{\pi}{4}} \\ (0 \leqq t \leqq R) \end{array}} \qquad Re^{i\frac{\pi}{4}}$$

C_3

よって，$dz = e^{i\frac{\pi}{4}} dt$ より，

$$\overset{\cos\frac{\pi}{2} + i\sin\frac{\pi}{2} = i}{}$$

$$\int_{C_3} e^{-z^2} dz = \int_R^0 e^{-t^2 \boxed{\left(e^{\frac{\pi}{2}i}\right)}} e^{i\frac{\pi}{4}} dt$$

$$= -e^{\frac{\pi}{4}i} \underbrace{\int_0^R e^{-it^2} dt}$$

$$\boxed{\int_0^R e^{-ix^2} dx} \longleftarrow \boxed{\text{文字変数を } x \text{ に換えた。}}$$

$$\therefore \int_{C_3} e^{-z^2} dz = -e^{\frac{\pi}{4}i} \int_0^R e^{-ix^2} dx \quad \cdots\cdots ④ \quad \text{となる。}$$

以上より，$\displaystyle\int_{C_1} + \int_{C_2} + \int_{C_3} = 0$ ……① は，

$$\int_0^R e^{-x^2}dx + \int_{C_2} e^{-z^2}dz - e^{\frac{\pi}{4}i}\int_0^R e^{-ix^2}dx = 0$$

②より　　　　　　　④より

ここで，$R \to \infty$ の極限をとると，

$$\lim_{R\to\infty}\int_0^R e^{-x^2}dx + \lim_{R\to\infty}\int_{C_2} e^{-z^2}dz - \lim_{R\to\infty}e^{\frac{\pi}{4}i}\int_0^R e^{-ix^2}dx = 0$$

$\displaystyle\int_0^\infty e^{-x^2}dx = \frac{\sqrt{\pi}}{2}$ 　　0（③より）　　$e^{\frac{\pi}{4}i}\displaystyle\int_0^\infty e^{-ix^2}dx$
（ガウス積分の公式）

$$\frac{\sqrt{\pi}}{2} - e^{\frac{\pi}{4}i}\int_0^\infty e^{-ix^2}dx = 0 \qquad \int_0^\infty e^{-ix^2}dx = \frac{\sqrt{\pi}}{2}e^{-\frac{\pi}{4}i}$$

$\{\cos(x^2) - i\sin(x^2)\}$ 　　$\cos\dfrac{\pi}{4} - i\sin\dfrac{\pi}{4} = \dfrac{1}{\sqrt{2}} - i\dfrac{1}{\sqrt{2}}$

$$\int_0^\infty \cos(x^2)dx - i\int_0^\infty \sin(x^2)dx = \frac{\sqrt{\pi}}{2\sqrt{2}} - i\frac{\sqrt{\pi}}{2\sqrt{2}} \quad\cdots\cdots⑤\text{ となる。}$$

よって，⑤の実部と虚部を比較して，複素数の相等を用いると，

$$\int_0^\infty \cos(x^2)dx = \frac{\sqrt{2\pi}}{4}, \quad \int_0^\infty \sin(x^2)dx = \frac{\sqrt{2\pi}}{4} \text{ となる。} \quad\cdots\cdots\cdots\cdots\cdots(\text{答})$$

> ガウス積分の公式 $\displaystyle\int_{-\infty}^\infty e^{-x^2}dx = \sqrt{\pi}$ $\left(\text{これから，}\displaystyle\int_0^\infty e^{-x^2}dx = \frac{\sqrt{\pi}}{2}\text{ となる。}\right)$ について，ご存知ない方は，「微分積分キャンパス・ゼミ」（マセマ）等で詳しく解説しています。ご確認下さい。

◆ *Term · Index* ◆

スバラシク実力がつくと評判の
演習 複素関数 キャンパス・ゼミ 改訂2

マセマ

著　者　馬場 敬之
発行者　馬場 敬之
発行所　マセマ出版社
〒 332-0023 埼玉県川口市飯塚 3-7-21-502
TEL 048-253-1734　　FAX 048-253-1729
Email：info@mathema.jp
https://www.mathema.jp

編　集	七里 啓之		平成 28 年 3 月 12 日	初版発行
校閲・校正	高杉 豊　秋野 麻里子		令和元 年 10 月 13 日	改訂 1 4 刷
制作協力	間宮 栄二　冨木 朋子		令和 4 年 11 月 1 日	改訂 2 初版発行
	町田 朱美			
カバーデザイン	馬場 冬之			
ロゴデザイン	馬場 利貞			
印刷所	中央精版印刷株式会社			